D1114982

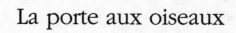

La porte aux oiseaux

Katie Hickman

La porte aux oiseaux

Traduit de l'anglais (Grande-Bretagne)
par Annik Perrot-Cornu

ÉDITIONS FRANCE LOISIRS

Titre originial : *The Aviary Gate*.
Publié par Bloomsbury, Londres.

Édition du Club France Loisirs,
avec l'autorisation des Éditions JC Lattès.

Éditions France Loisirs,
123, boulevard de Grenelle, Paris.
www.franceloisirs.com

T.S. Eliot, « Burnt Norton », extrait de *Four Quartets* dans *Collected Poems 1909-1962* de T.S. Eliot, Faber and Faber Limited / The T.S. Eliot Estate.
© Katie Hickman, 2008. Tous droits réservés.
© Éditions Jean-Claude Lattès, 2011, pour la traduction française.
ISBN : 978-2-298-04882-7

Ce livre est pour mon fils
Luke,
Nur 'Aymayya,
Lumière de mes yeux,
qui était là au commencement.

« L'écho des pas tombant dans la mémoire
Descend par le couloir que nous ne prîmes pas
Vers la porte que nous n'avons jamais ouverte
Sur le jardin des roses. Mes paroles résonnent
Ainsi, dans votre esprit. »

T. S. Eliot – *Quatre Quatuors*
(Traduction de Claude Vigée)

Les personnages

(* personnages ayant réellement existé)

Les Anglais

* Paul Pindar – marchand de la Compagnie du Levant, secrétaire de l'ambassadeur d'Angleterre
John Carew – son serviteur, maître cuisinier
* Sir Henry Lello – ambassadeur d'Angleterre
Lady Lello – son épouse
* Thomas Dallam – facteur d'orgues
* William Glover – marchand de la Compagnie du Levant, secrétaire de l'ambassadeur d'Angleterre
* Jonas et William Aldridge – marchands, consuls d'Angleterre à Chios et à Patras
* John Sanderson – marchand de la Compagnie du Levant
* John Hanger – son apprenti
* M. Sharp et M. Lambeth – marchands de la Compagnie du Levant établis à Alep
* Le révérend May – pasteur de l'ambassade d'Angleterre à Constantinople
* Cuthbert Bull – cuisinier de l'ambassade d'Angleterre
Thomas Lamprey – capitaine de vaisseau

Celia Lamprey – sa fille
Annetta – amie de Celia

Les Ottomans

* Safiye, sultane validé – mère du sultan Mehmet III
* Esperanza Malchi – *kira* de la sultane validé
Gulbahar, Ayshe, Fatma et Turhan – principales servantes de la validé
Gulay, *haseki* du sultan – la favorite d'entre ses concubines
* Handan – concubine du sultan, mère du prince Ahmet
Hanza – une jeune femme du harem
Hassan Aga, également appelé Petit Rossignol – chef des eunuques noirs
Hyacinthe – un eunuque
Soliman Aga – eunuque de haut rang
Cariye Lala – sous-maîtresse des bains du harem
Cariye Tata et Cariye Tusa – servantes du harem
* Le sultan Mehmet III – sultan ottoman (1595-1603)
* Nurbanu – sa grand-mère, l'ancienne sultane validé
* Janfreda Khatun – ancienne gouvernante du harem
Jamal al-Andalus – astronome

Les autres

* De Brèves – ambassadeur de France
* Le *bailo* – ambassadeur de Venise

Prologue

Le parchemin, quand Elizabeth le découvrit, avait la couleur ambrée du vieux thé et la fragilité d'une feuille morte. Le feuillet, de petit format, avait été soigneusement plié en trois pour s'insérer entre les pages du livre. Le long d'un des plis courait une tache d'humidité. Elizabeth jeta un nouveau coup d'œil à l'intitulé dans le catalogue – *opus astronomicus quaorum prima de sphaera planetarium* – avant de revenir à la feuille pliée.

Je l'ai trouvé.

Elle avait la gorge serrée. Elle resta assise un moment, immobile. Le bibliothécaire lui tournait le dos, penché sur un chariot de livres. Elle leva les yeux vers la pendule sur le mur d'en face : 6 h 55.

Il lui restait cinq minutes avant la fermeture, peut-être moins. La cloche avait déjà sonné et la plupart des autres lecteurs commençaient à ranger leurs affaires. Pourtant, Elizabeth ne pouvait se résoudre à déplier le papier. Elle leva vers son visage le livre délicatement entrouvert, le dos du volume posé dans

13

ses mains. *Attention, fais très attention, maintenant,* se dit-elle.

Les yeux fermés, elle renifla comme un chat méfiant. Tout d'abord, poudre à priser et vieille poussière, un lointain relent de camphre. Et ensuite, la mer, sans aucun doute, oui la mer. Et autre chose, qu'est-ce que c'était ? Elle inspira encore, très doucement cette fois.

Des roses. De la tristesse.

Elizabeth reposa le livre, les mains tremblantes.

1

La nuit

— Est-ce qu'ils sont morts ?

— La fille, oui.

Une mince silhouette, deux chaînes d'or à peine visibles à ses chevilles délicates, gisait à plat ventre sur le sol au milieu des coussins.

— Et l'autre ?

La Juive Esperanza Malchi, *kira* de la sultane validé, rapprocha un peu sa lanterne du visage de l'autre corps, étalé en porte-à-faux sur le divan. De la poche de sa robe, elle sortit un petit miroir précieux et le lui tint devant les narines. La surface se ternit presque imperceptiblement.

— Non, Majesté. Pas encore.

Dans l'ombre, à l'entrée de la petite chambre, Safiye, sultane validé, mère de l'ombre de Dieu sur terre, resserra son voile autour de ses épaules, parcourue de frissons malgré la touffeur de la nuit. À son doigt, une émeraude de la taille d'un œuf de

15

pigeon brilla fugacement, œil de chat dans l'obscurité, en attrapant la lumière de la lanterne d'Esperanza.

— Mais ça ne saurait tarder. À ton avis ?

— Ce ne sera pas long, Majesté. Dois-je faire appeler le médecin ?

— Non ! fut la réponse sans appel. Pas de médecin. Pas encore.

Elles se tournèrent vers le mourant, couché sur le divan, montagne de chair noire et lisse. Par terre, tout près, un plateau était renversé, son contenu répandu sur le sol. De fines traces d'un liquide sombre, nourriture ou vomi, luisaient comme des fils d'araignée sur les coussins. Un mince filet noir coulait d'une des oreilles.

— Du poison ?

— Oui, Majesté, acquiesça Esperanza. Regardez...

— Elle se pencha pour ramasser quelque chose parmi les débris de porcelaine.

— Qu'est-ce que c'est ?

— Je ne sais pas trop. Un jouet d'enfant, peut-être... Un bateau.

— Je ne crois pas.

Esperanza regarda de plus près l'objet qu'elle tenait. Un morceau se détacha entre ses doigts.

— Non, ce n'est pas un jouet, constata-t-elle. C'est une friandise, on dirait du sucre.

Elle fit mine d'y mordre.

— N'y goûte pas ! (Safiye faillit lui faire tomber l'objet des mains.) Je vais le prendre, Esperanza. Donne-le-moi...

Derrière le divan se trouvait une fenêtre ouverte

sur un corridor carrelé de vert et de blanc, où poussaient des jasmins en pot. Dans la douceur étouffante de la nuit, un bruit retentit soudain.

— Vite, la lampe !

Esperanza couvrit sa lanterne. Les deux femmes restèrent un moment sans bouger.

— Un chat, Majesté, intervint doucement la servante de Safiye qui se tenait dans l'ombre derrière elle, couverte comme sa maîtresse d'un voile qui lui cachait le visage.

— Quelle heure est-il, Gulbahar ?

— Plus que quelques heures avant le lever du jour, Majesté.

— Déjà ?

Par la fenêtre, on apercevait une mince bande de ciel au-dessus du haut mur, de l'autre côté du corridor. Les nuages se déchirèrent et la clarté lunaire entra à flots dans la pièce, bien plus brillante que la lanterne d'Esperanza. Les murs carrelés de la petite chambre semblèrent vibrer, ondulant de lueurs bleues et vertes teintées d'argent, comme l'eau d'un bassin où se reflète la lune. Le corps immobile, nu à part un léger voile de mousseline autour des reins, s'en trouva lui aussi éclairé. Safiye pouvait maintenant mieux le discerner. C'était un corps de femme, doux et presque dépourvu de pilosité : les hanches voluptueuses et dénudées, les seins tombants aux mamelons couleur de mélasse. Une monumentale sculpture de chair. La peau, si noire et si luisante dans la journée, avait maintenant un aspect terne et poussiéreux, comme si le poison lui avait volé toute sa lumière. Et au coin des lèvres entrouvertes, charnues

et aussi rouges que des fleurs d'hibiscus, tremblo-
taient des bulles d'écume.

— Majesté... (Nerveuse, la Juive jeta à Safiye un
regard inquiet.) Dites-nous ce qu'il faut faire,
Majesté, la pressa-t-elle.

Mais Safiye n'eut pas l'air de l'entendre. Elle fit un
pas dans la pièce.

— Petit Rossignol, mon vieil ami..., murmura-
t-elle.

Les lourdes cuisses étaient écartées avec l'im-
pudeur d'une femme en train d'accoucher. Le chat,
après avoir reniflé les débris sur le sol, sauta sur le
divan et fit glisser le voile de mousseline, exposant
aux regards ce qu'il recouvrait. Esperanza allait le
remettre en place lorsque la sultane validé l'arrêta
d'un geste vif.

— Non, laisse-moi regarder. Je veux regarder.

Elle s'avança d'un autre pas. Sa servante Gulbahar
émit un bruit étouffé, un soupir presque impercep-
tible. Comme le reste du corps, l'entrejambe était
complètement dépourvu de pilosité. Entre les cuisses
rebondies, là où auraient dû se trouver les parties
génitales, il n'y avait rien. Rien qu'un espace vide :
une vilaine cicatrice, boursouflée et portant des
traces de brûlure, marquait l'endroit où un couteau,
à un moment si lointain d'une vie si longue, avait
tranché d'un seul coup le pénis et les testicules
d'Hassan Aga, chef des eunuques noirs de la
sultane validé.

Flottant sur un nuage de douleur, Hassan Aga, le
Petit Rossignol, perçut, quelque part aux confins
d'une conscience proche du néant, la présence à son

18

côté de la sultane validé. Les murmures des femmes étaient confus, rien de plus qu'un bourdonnement dans ses oreilles, mais son odeur – la myrrhe et l'ambre gris dont elle parfumait ses robes de dessous ainsi que la peau de ses belles cuisses, son ventre et son sexe interdit –, ce parfum-là, il le reconnaîtrait entre mille, même maintenant, sur son lit de mort.

Il continuait à flotter. La douleur infernale qui lui avait dévoré tripes et entrailles s'était apaisée, comme si son corps avait été torturé au-delà de toute sensation. Il partait à la dérive. Était-il éveillé ou seulement en train de rêver ? La douleur : il l'avait déjà connue auparavant. L'image d'un garçon lui vint à l'esprit. Petit, mais déjà robuste, avec un casque de cheveux noirs coupés très court qui lui descendait bizarrement bas sur le front. En rêve, il entendit les hurlements d'une femme, puis la voix d'un homme. Son père ? Mais comment était-ce possible ? Hassan Aga, chef des eunuques noirs, n'avait pas de parents. Ou peut-être en avait-il eu, dans cette vie lointaine où il était encore entier.

Comme il dérivait, toujours aux limites de la conscience, d'autres images passèrent devant ses yeux, tourbillonnant sur la marée descendante de son esprit. En face de lui, maintenant, il y avait l'horizon, un horizon large et bleu. Le garçon aux cheveux coupés court marchait, c'était un voyage sans fin, il marchait encore et toujours. Parfois, il chantait pour se donner du courage, mais il continuait d'avancer, à travers des forêts et des jungles, des rivières et des plaines. Une nuit, il avait entendu rugir un lion. Une autre fois, c'était un vol d'oiseaux

19

rouges et bleus qui avait explosé des profondeurs de la forêt en un feu d'artifice de couleurs vives.

Y en avait-il d'autres avec lui ? Oui, beaucoup d'autres, surtout des enfants comme lui, enchaînés ensemble par les pieds et le cou. Ils trébuchaient souvent et certains furent laissés là où ils étaient tombés. Il essaya de porter la main à sa gorge mais il n'avait plus aucune sensation dans ses membres. Où étaient ses bras, ses jambes ? Et même sa gorge, où était-elle ? Il éprouva une vague curiosité, suivie d'une vertigineuse impression de dislocation, comme si les différentes parties de son corps étaient éparpillées aux quatre coins de l'univers, aussi lointaines que la lune et les étoiles.

Mais il n'avait pas peur. Cette impression ne lui était pas totalement étrangère. Du sable. Quelque chose à voir avec le sable. La marche avait pris fin et un nouvel horizon s'étendait maintenant devant lui, doré et impitoyable. Le regarder lui avait fait mal aux yeux.

Quand ils étaient venus le chercher, c'était la nuit et il faisait plus frais. Dans une hutte, des hommes lui avaient donné quelque chose à boire, qu'il avait d'abord recraché, mais ils avaient insisté. Avait-il chanté pour eux ? Il se rappelait comme leurs yeux brillaient à la lueur du feu autour duquel ils étaient accroupis ; il avait la tête qui tournait et un mauvais goût dans sa bouche. Il avait été plutôt content de s'allonger près du feu. Puis le bruit du métal frotté sur la pierre, suivi d'une forte chaleur. Une main d'homme avait doucement relevé son pagne au-dessus de sa taille, découvrant ses parties génitales. Ils lui avaient donné un morceau de bois à serrer entre ses dents, mais il ne comprenait toujours pas ce qui lui arrivait.

— Il y a trois façons de faire.

L'homme qui parlait maintenant était différent des autres. Il avait la tête enveloppée d'un turban d'étoffe enroulée, comme c'était la coutume chez les hommes des sables du Nord.

— Dans les deux premières, les testicules sont soit écrasés, soit entièrement retirés. Le pénis reste en place, mais l'homme ne sera plus jamais fertile. C'est très douloureux et il y a un risque d'infection, mais la plupart s'en remettent, surtout les jeunes. La troisième possibilité, c'est de couper toutes les parties génitales.

Le garçon eut vaguement conscience que l'homme regardait son visage.

— Le risque est bien sûr beaucoup plus grand – vous pouvez y perdre votre cargaison –, mais il y a une très forte demande pour ce genre de marchandise. Surtout s'ils sont laids, et, pouah ! s'amusa-t-il, celui-ci est aussi laid qu'un hippopotame !

— Quelles sont les chances ? s'enquit l'homme qui avait relevé le pagne du garçon.

— Si le praticien n'agit pas avec le plus grand soin, il y en a très peu qui survivent à cette manière de procéder. Quand la douleur ne les rend pas fous, la fièvre qui suit les tue. Et si la fièvre ne les tue pas, alors il reste le danger que les parties se referment complètement en cicatrisant. Le praticien doit s'assurer qu'un canal reste ouvert, pour permettre à l'urine du patient de s'écouler. Sinon, il n'y a aucun espoir et la mort s'ensuit à coup sûr, la mort la pire et la plus douloureuse qui soit. Mais je suis très habile dans cet art : environ la moitié de mes patients survivent. Et pour ce qui est de celui-ci... (Le visage enturbanné se pencha de nouveau vers le garçon.) Eh bien, il m'a l'air suffisamment solide. Vous le vendrez au harem du Grand Signor lui-même, j'en suis convaincu.

Les hommes autour du feu discutèrent entre eux, puis le premier, celui qui semblait être leur chef, prit à nouveau la parole.

— Notre cargaison a de la valeur. Nous sommes venus de trop loin – trois mille lieues ou plus depuis les forêts de la grande rivière elle-même – et nous avons déjà perdu trop de biens en cours de route pour prendre un tel risque. À Alexandrie, nous pourrons facilement vendre ceux qui nous restent comme esclaves et notre profit est assuré. Mais, comme tu le dis, il y a une fortune à faire avec ce genre de marchandise. Surtout, par les temps qui courent, pour un garçon de ces contrées. Une seule belle pièce, à ce qu'on raconte, peut rapporter autant que tout le reste. Le bruit circule sur les marchés d'Alexandrie et du Caire que les seigneurs ottomans les préfèrent maintenant aux eunuques blancs venus des montagnes orientales de l'empire du Grand Turc. Seuls les plus riches harems de l'Empire peuvent s'offrir des eunuques noirs. Des produits de luxe, en quelque sorte, comme les plumes d'autruche, la poudre d'or, le safran et l'ivoire que les caravanes apportent à travers le désert. Nous allons donc prendre le risque, mais sur un seul d'entre eux : ce sera ce garçon, puisque, selon toi, il semble robuste et a de bonnes chances de survivre. Nous allons mesurer ton habileté, Copte, cette fois seulement.

— Le garçon qui chante, donc. Qu'il en soit ainsi, acquiesça l'homme au turban. Tu es un vrai marchand, Massouf Bhai. Il va me falloir de l'huile bouillante pour cautériser la plaie, ajouta-t-il, pratique. Et quatre de tes gens les plus costauds pour tenir le garçon. La douleur leur donne la force de dix hommes.

Presque quarante ans plus tard, dans l'air frais et parfumé de la nuit du Bosphore, le corps nu d'Hassan Aga s'agita à peine, ses doigts palpitant faiblement contre les coussins du divan tels de monstrueux papillons de nuit. Et son délire le ramena dans le passé.

Il faisait encore nuit. Après avoir fini d'opérer, le Copte leur avait fait creuser un trou dans le sable derrière la hutte. Un trou étroit mais profond, juste assez large pour enterrer le garçon debout, ne laissant dépasser que sa tête. Puis les hommes étaient partis. Le garçon n'en gardait aucun souvenir, seulement d'avoir repris connaissance plus tard, avec le poids du sable frais tout autour de lui et la sensation d'avoir les bras et les jambes serrés, comme enroulés dans la toile d'une araignée géante.

Combien de temps l'avaient-ils laissé enterré vivant dans ce trou ? Cinq jours ?... Une semaine ? Au début, pris par la fièvre qui s'était presque tout de suite emparée de lui, il n'eut pas conscience de l'écoulement du temps. Malgré la chaleur infernale des journées, avec un soleil qui lui faisait bouillir le sang derrière les tympans, il claquait des dents dans son délire. Et la douleur entre ses jambes était si atroce qu'une bile amère lui montait dans la gorge. Mais le pire de tout était la soif, une soif terrible et obsédante qui le tourmentait sans répit. Et quand il essayait de crier pour demander de l'eau, sa voix, plus faible maintenant que celle d'un chaton, ne parvenait aux oreilles de personne.

Il s'éveilla un jour et vit l'homme au turban, celui qu'ils appelaient le Copte, le regarder. Il avait amené avec lui le chef des trafiquants d'esclaves, un homme aussi noir que la nuit dans une longue robe bleu pâle.

— La fièvre est tombée ?

Le Copte acquiesça.

— Je l'avais dit : le garçon est solide.

— Alors je peux prendre ma marchandise ?

— Patience, Massouf Bhai, la fièvre est tombée mais la plaie doit maintenant cicatriser, et cicatriser comme il faut. Si tu veux ta marchandise en bon état, tu dois laisser le sable faire son travail. Il ne faut pas encore le bouger.

— De l'eau...

Avait-il parlé ? Les lèvres du garçon étaient si sèches que le moindre mouvement les faisait saigner, et sa langue avait tant enflé qu'elle l'étouffait presque. Mais les deux hommes étaient déjà partis.

Ce fut cette nuit-là que la fille vint le voir pour la première fois. D'abord, il ne la vit pas mais fut tiré d'un demi-sommeil agité par une sensation de fraîcheur sur son front et ses lèvres. Le contact fit monter dans sa gorge gonflée un petit cri de douleur si desséché qu'il ne fit aucun bruit. La caresse du linge humide lui faisait l'effet d'un coup de poignard.

Une forme fantomatique s'agenouilla près de lui sur le sable.

— *De l'eau...*

Au prix d'un gros effort, il parvint à former le mot avec ses lèvres.

— Non, je ne peux pas.

En clignant des yeux le garçon put voir le visage large et lisse d'une fillette.

— Tu ne dois pas boire, pas encore. Guéris d'abord, tu boiras après.

Elle ne faisait pas partie du groupe qui avait voyagé avec lui, il en était raisonnablement sûr. Mais d'après les inflexions familières de sa voix, il se dit qu'elle aussi devait venir des forêts par-delà la grande rivière. Ses yeux le piquèrent mais ils étaient bien trop secs, maintenant, pour qu'il y monte la moindre larme.

La fille passait doucement un linge sur son visage. Avec précaution, elle délogea le sable de ses paupières, de ses narines et de ses oreilles mais, quand elle essaya à nouveau de toucher ses lèvres, il s'écarta d'elle presque violemment, laissant échapper un croassement inarticulé.

— Chut !

Elle se mit un doigt sur les lèvres et dans l'obscurité il vit briller le blanc de ses yeux. Puis elle appuya la bouche contre son oreille.

— Je vais revenir.

Elle resserra autour d'elle les minces pans de son vêtement, et le garçon regarda la petite silhouette disparaître à nouveau dans la nuit. Il sentait encore sur sa joue la chaleur de son souffle.

Quand elle revint, elle avait une petite bouteille à

la main. Elle s'accroupit près de lui et remit la bouche contre son oreille.

— Ils se servent de cette huile pour la cuisine, ça ne te fera pas mal.

Elle y trempa un doigt menu et lui tapota délicatement la lèvre supérieure. Le garçon sursauta mais, cette fois, il ne cria pas.

Après cela, il l'attendit de nuit en nuit. Elle venait enlever le sable de son visage avec son linge frais et lui enduire les lèvres d'huile. Et même si elle refusait obstinément de lui donner de l'eau, disant que cela l'empêcherait de guérir, elle lui apportait de fines tranches de courge ou de concombre, cachées dans les poches de sa robe. Elle parvenait à les lui glisser entre les lèvres et il les gardait, fraîches et apaisantes, sur sa langue enflée. Les deux enfants ne se parlaient pas, mais parfois la fille s'asseyait à côté de lui et chantait. Et, comme on lui avait volé sa voix, il l'écoutait avec ravissement, la tête levée vers l'immensité brillante des étoiles qui tournaient au-dessus d'eux dans le ciel du désert.

Comme prédit, le garçon était robuste et il survécut. Ils le traitèrent mieux après l'avoir sorti du sable. Ils lui donnèrent une nouvelle robe, verte avec une bande blanche, ainsi qu'une étoffe à enrouler autour de sa tête, et on lui fit comprendre qu'il ne serait plus enchaîné avec les autres mais voyagerait désormais derrière le maître des esclaves sur son chameau, comme il convenait à la plus précieuse de leurs marchandises. Sa plaie s'était bien refermée et, même si l'endroit était encore très sensible, la cicatrice n'avait pas obstrué son canal. Le Copte lui donna un fin calame d'argent et lui montra comment introduire dans son corps le petit tube effilé.

— Quand tu veux pisser, tu le rentres comme ça, tu vois ?

Lorsque arriva le moment du départ, le garçon vit un autre groupe de marchands rassembler leur cargaison dans le petit caravansérail. Une troupe désordonnée d'hommes et de femmes, enchaînés aux chevilles et au cou, se tenait à l'abri d'un mur, se protégeant comme ils pouvaient du vent de sable qui leur fouettait le visage. Au bout de la file, le garçon reconnut la petite silhouette de la fille qui l'avait aidé.

— Comment t'appelles-tu ? la héla-t-il.

Elle se retourna et il sut qu'elle le voyait, dans sa nouvelle robe verte et blanche, assis à l'arrière du chameau du maître.

— Comment t'appelles-tu ?

— Li...

Elle cria, mais les mots tourbillonnèrent et se brisèrent sur le sifflement du vent. Dans le crissement du cuir et le tintement des clochettes, sa propre caravane s'ébranlait. La fille mit ses mains en portevoix devant sa bouche. Elle lui criait encore quelque chose.

— Li..., lança-t-elle dans le vent, Lili.

Tandis qu'Hassan Aga s'attardait encore sur les rivages incertains séparant le souvenir de la mort, l'aube se leva enfin sur la Corne d'Or. De l'autre côté des eaux de la Corne, dans cette partie de la ville qu'ils appelaient Pera – réserve des étrangers et des infidèles –, John Carew, maître cuisinier, se prélassait

27

sur le mur du jardin de l'ambassadeur d'Angleterre, occupé à grignoter des graines dont il brisait la coque.

La nuit avait été chaude et lourde. Assis sur le mur, torse nu, Carew bravait des interdits de l'ambassadeur pour profiter de la relative fraîcheur de la brise matinale. La pente en contrebas lui offrait une jolie vue sur des vergers d'amandiers et d'abricotiers. Au bord de l'eau, il pouvait voir, serrés les uns contre les autres, les hangars à bateaux en bois appartenant aux riches marchands et aux émissaires étrangers.

Bien que le premier appel des mahométans à la prière eût retenti déjà plus d'une demi-heure auparavant, on ne voyait pas encore beaucoup d'activité ce matin-là sur l'eau ou de l'autre côté, dans la ville. Un fin brouillard, maintenant très légèrement teinté de rose (une couleur, avait remarqué Carew, qui était non seulement particulière à l'aurore de Constantinople, mais aussi de la nuance exacte du confit de pétales de roses), voilait encore les eaux et les rivages au-delà. Pour le moment, un seul caïque, cet étroit canot du Bosphore, perçait la brume, avançant lentement à la rame en direction de Pera. Carew entendait le bruit cadencé des avirons et les cris des mouettes qui survolaient l'embarcation, leurs ventres luisants blanc et or dans la lumière de l'aube.

Tandis qu'il regardait, le brouillard se leva de la rive opposée et le palais du sultan, avec ses cyprès qu'on aurait crus découpés dans du papier noir, ses dômes, ses minarets et ses tours, surgit soudain, cité enchantée baignée de rose et d'or qui tremblait au-dessus des eaux brumeuses, comme portée dans les airs par des djinns.

— Levé de bonne heure, Carew ? lança quelqu'un depuis le jardin en contrebas. Ou bien n'as-tu pas dormi du tout ?

— Mon maître.

Étalé paresseusement sur le mur, John Carew salua dans la direction de la voix, et se remit à manger ses graines.

Paul Pindar, secrétaire de sir Henry Lello, ambassadeur d'Angleterre, retint la remontrance, une de plus, qui lui montait aux lèvres. Les années passées avec Carew lui avaient au moins appris que ce n'était pas la meilleure façon de le prendre. Il n'avait pas encore réussi à faire comprendre cela à l'ambassadeur et il y avait peu de chances qu'il y arrive un jour. Après un bref regard en direction de la maison encore endormie, il se hissa lui aussi sur le mur.

— Servez-vous.

Si Carew remarqua le haussement de sourcils de Pindar, il ne le montra pas.

Pendant un moment, Paul observa pensivement la silhouette allongée : les cheveux bouclés et indisciplinés tombant sur les épaules, le corps, menu mais bien bâti, qui dégageait la même énergie retenue que la corde tendue d'un arc. Il avait souvent observé Carew au travail, admirant la précision et la grâce de ses mouvements, même dans les endroits les plus chauds et les plus exigus. Une fine cicatrice, souvenir d'une bagarre de cuisine, lui courait sur la joue, de l'oreille jusqu'au coin de la bouche. Les deux hommes restèrent assis là un moment dans un confortable silence, un silence apprivoisé au fil des nombreuses années de leur improbable amitié.

— Et quelles sont ces graines ? dit finalement Paul.

— Ils les appellent « pistach ». Regardez ce vert, Paul ! (Carew se mit soudain à rire.) Avez-vous jamais vu tant de beauté dans une simple noix ?

— Si l'ambassadeur te voit ici, Carew, après qu'il a expressément interdit...

— Que Lello aille se faire pendre !

— Tu seras pendu le premier, mon ami, répliqua tranquillement Paul. Je te l'ai toujours dit.

— Il ne me permet plus de cuisiner, pas dans sa maison en tout cas. Je dois laisser les cuisines à ce gros lard aux pieds plats de Cuthbert Bull, cette espèce de grand babouin qui ne saurait même pas faire bouillir un chou de Bosnie...

— Ma foi..., soupira Paul en prenant une autre pistache, tu ne peux t'en prendre qu'à toi-même.

— Savez-vous comment on l'appelle ?

— Non, mais tu vas me le dire.

— L'Embrumé.

Paul ne répondit pas.

— Et voulez-vous que je vous explique pourquoi ?

— Non, merci, je crois que je suis capable de deviner.

— Vous souriez, secrétaire Pindar.

— Moi ? Je suis le plus humble des serviteurs de Son estimée Excellence.

— Son serviteur peut-être, Pindar, mais il n'y a rien d'humble chez vous, et il s'en apercevrait s'il avait pour deux sous de jugeote.

— Et je suppose que tu en sais long sur l'humilité.

— Au contraire, comme vous le savez fort bien

j'ignore tout à ce sujet. En revanche, je sais tout ce qu'il y a à savoir sur les serviteurs.

— Tu es loin d'en savoir assez, Carew. C'est ce que mon père répétait, durant les années que tu as passées à son service. Si toutefois « service » est bien le mot qui convient pour qualifier tes cabotinages, ce dont je doute, souligna sans animosité le plus âgé des deux hommes. Sur ce point, au moins, notre estimé ambassadeur est dans le vrai.

— Oui, mais votre père m'aimait. (Imperturbable, Carew ouvrit adroitement une pistache d'une seule main.) Jusqu'à ce qu'il me rende ma cuisine, Lello peut bien aller se faire pendre. L'avez-vous vu le matin où Thomas Dallam et ses hommes ont enfin ouvert la grande caisse, pour trouver son précieux cadeau tout cassé et couvert de moisissure ? Notre Thomas – qui, soit dit en passant, a la langue plutôt bien pendue pour un homme du Lancashire – m'a raconté, tenez-vous bien, il m'a raconté que sir Henry faisait la tête d'un constipé en train de s'efforcer sur sa chaise.

— Tu sais, Carew, parfois tu vas trop loin. (Même si le ton restait calme, ce fut d'un geste impatient que Paul jeta la poignée de coquilles qu'il avait dans la main.) C'est l'ambassadeur et il devrait avoir droit à ton respect.

— C'est un négociant de la Compagnie du Levant.

— C'est l'envoyé de la reine.

— Mais c'est d'abord et avant tout un marchand. Un fait qui n'est que trop connu des autres étrangers ici à Constantinople, surtout les autres envoyés, le *bailo* de Venise et l'ambassadeur de France, et ils nous méprisent pour cela.

— Alors ce sont des imbéciles, répliqua sèchement Paul. Nous sommes tous des marchands maintenant, puisque nous sommes tous au service de l'honorable Compagnie, et il n'y a pas de honte à cela. Au contraire, nos fortunes, la tienne, la mienne – et celle de notre pays tout entier, garde cela à l'esprit – ne peuvent qu'en bénéficier. Et cela n'a jamais causé de tort à notre statut aux yeux des Turcs. En fait, ils nous tiennent plus que jamais en grande estime.

— Uniquement parce qu'il est de bonne politique pour eux d'agir ainsi.

— Mais, justement, c'est très politique, souligna Paul. Pas seulement pour ce qui est du commerce, dont ils profitent autant que nous, mais parce que nous avons un ennemi commun : l'Espagne. Ils peuvent bien à l'occasion nous traiter comme des pions qu'ils jouent contre les Vénitiens et les Français, ce n'est qu'un jeu. Le fait est qu'ils ont autant besoin de nous que nous avons besoin d'eux. Savais-tu que la mère du sultan, la sultane validé Safiye, considérée comme une dame très puissante – ce que Lello, je le crains, ne voudra jamais reconnaître –, correspond personnellement avec notre reine ? Elle lui a déjà envoyé des cadeaux, d'une valeur égale à ceux que nous lui avons apportés d'Angleterre, et elle s'apprête à en expédier d'autres, à ce qu'on m'a dit. Je dois les emporter avec moi quand je repartirai.

— Quel pouvoir peut-on bien avoir quand on est incarcéré dans cet endroit ? fit Carew, indiquant les dômes et les tours de l'autre côté des eaux scintillantes qui s'étendaient à leurs pieds. Le Grand Turc lui-même n'est qu'un prisonnier là-bas, si l'on en croit nos janissaires.

Le brouillard matinal s'était maintenant entièrement dissipé et une douzaine de caïques, plus quelques bateaux plus importants, avaient commencé leur commerce le long du rivage.

— Il paraît qu'il y a des centaines de femmes là-dedans, toutes esclaves et concubines du sultan, et que, tant qu'elles vivront, aucun autre homme ne devra voir leur visage, continua Carew.

— Il est certain que leurs coutumes sont différentes des nôtres, mais peut-être les choses ne sont-elles pas entièrement telles que nous les imaginons.

— On raconte encore autre chose, à propos de la sultane validé, ajouta Carew en se tournant à nouveau vers PauL Il paraît qu'elle se serait prise d'amitié pour le si distingué secrétaire Pindar, quand il est allé lui apporter les cadeaux de la reine. Juste ciel ! (Les yeux de Carew pétillaient de malice.) L'Embrumé a encore dû faire une grosse crise de constipation quand il l'a appris ! Ça a sûrement eu du mal à passer !

Paul ne put s'empêcher de rire.

— Alors, Paul, comment est-elle ? La mère du sultan, la favorite de l'ancien Turc, le sultan Mourad. On raconte que dans sa jeunesse elle était d'une telle beauté qu'il lui est resté fidèle, à elle et à elle seule, pendant plus de vingt ans.

— Je ne l'ai pas vue. Nous avons parlé à travers un treillis. Elle m'a parlé en italien.

— Elle est italienne ?

— Non, je ne crois pas.

Paul se rappelait la présence dans l'ombre de

l'autre côté de l'écran ouvragé, une présence plus ressentie qu'aperçue, comme celle d'un prêtre dans un confessionnal. Il se souvenait d'un parfum puissant, à la fois doux et sauvage, aussi mystérieux qu'un jardin nocturne, de la vague impression de nombreux bijoux et puis de cette voix miraculeuse, basse, riche, veloutée.

— Elle ne parle pas comme une Italienne de naissance, ajouta-t-il à la réflexion, mais il me semble bien que sa voix est la plus belle que j'aie jamais entendue.

Les deux hommes retombèrent dans le silence, leurs regards à nouveau dirigés vers l'autre rivage des eaux de la Corne d'Or, vers les lointaines lances noires des cyprès et, derrière eux, les tours partiellement dissimulées du palais du sultan. Soudain, il leur devint impossible d'éviter la vraie raison qui les avait conduits à se retrouver là, dans la solitude matinale du jardin de l'ambassadeur.

— La jeune fille, Paul...

— Non.

— Elle est là-bas, Paul.

— Non !

— Non ? Moi, je le sais.

— Et comment le sais-tu ?

— Parce que je l'ai vue, Paul ? J'ai vu Celia de mes propres yeux.

— Impossible ! (Paul attrapa le poignet de Carew et le lui tordit violemment.) Celia Lamprey est morte.

— Je vous dis que je l'ai vue.

— Tu l'as vue de tes propres yeux ? Si tu me mens, Carew, je te les arracherai, tes yeux.

— Sur ma vie, Pindar. C'était bien elle. (Un silence.) Demandez à Dallam. Il était avec moi.

— Oh, ne t'inquiète pas, c'est ce que je vais faire. (Il lui lâcha le poignet.) Mais ce qui est certain, John, c'est que si jamais un seul mot de cette aventure parvient aux oreilles d'un Turc, tu es un homme mort.

2

— Qu'est-ce que tu as trouvé ?

Eve jeta sur une chaise voisine la besace dans laquelle elle transportait ses livres et s'assit en face d'Elizabeth. Elles s'étaient donné rendez-vous dans le café au premier étage de Blackwell, une librairie de Broad Street.

— Le récit de captivité dont je te parlais.

— Sans blague, vraiment ? (Eve retira son bonnet de laine, ce qui hérissa ses courts cheveux noirs.) Où ça ?

— Dans la salle de lecture de la bibliothèque orientale. Du moins, je suis presque sûre de l'avoir trouvé. Je n'ai pas encore pu le lire. Je suis tombée dessus deux minutes avant la fermeture, mais il fallait que je le dise à quelqu'un.

— Alors comment sais-tu que c'est bien ça ? C'est vrai, ça pourrait être n'importe quoi, une liste de courses.

— Non, impossible. Ça parle de Celia Lamprey. C'est forcément ça.

— Tu crois ? (Les yeux d'Eve, derrière les grosses lunettes à monture noire, la fixèrent d'un regard de chouette.) Encore une de tes étranges « intuitions », je suppose ? demanda-t-elle, dessinant les guillemets dans l'espace du bout des doigts.

— Quelque chose comme ça.(Elizabeth reposa sa tasse.) Écoute, va vite te chercher du café et je te raconte tout.

Elle regarda Eve se diriger vers le comptoir, petite silhouette énergique curieusement affublée d'une robe des années cinquante imprimée rouge et blanc et de bottes Dr Martens.

— Manuscrit ou imprimé ? demanda Eve à son retour.

— Manuscrit, répondit Elizabeth sans hésiter, avant de se raviser. Enfin je crois...

Il y eut un temps de réflexion.

— Tu sais, bien sûr, que les pouvoirs psychiques, ça n'existe pas, souligna Eve après un moment. Particulièrement quand il s'agit de bourses de recherche.

Elle parlait comme à un jeune enfant.

— Oh, je t'en prie, répliqua Elizabeth, les yeux au ciel. Tu sors de ces bêtises parfois !

— Des bêtises ? Fais attention à ce que tu dis. J'ai quand même remarqué, je te signale, que tu as bel et bien un certain talent pour deviner juste. Tiens, je te parie cinquante billets que tu as raison pour ce papier.

— Quoi ! Mais c'est ce que je viens juste de te dire.

— Tu as annoncé toi-même que tu ne l'avais même pas regardé. Alors comment peux-tu être si sûre ?

— Comment ?

Elizabeth haussa les épaules. *Dieu seul le sait*, pensa-t-elle, *mais oui, je suis sûre*. Je l'ai toujours été. Elle repensa à cette odeur ténue et, quand elle avait finalement laissé ses doigts effleurer le papier, cette sensation de... de quoi ? Le frisson d'une brise de mer sur une surface lisse, un murmure contre sa peau. C'était vraiment si... précis.

— Une intuition, c'est tout.

— Dommage que tu n'aies pas le même genre d'intuition à propos du présent.

— C'est quoi, là, l'Inquisition ? Est-ce qu'on pourrait laisser le présent en dehors de tout ça, s'il te plaît ?

Elle eut encore droit aux yeux de chouette, puis Eve se radoucit.

— D'accord.

Le café était plein de gens qui commençaient leurs courses de Noël et étaient venus s'abriter du froid. L'air épais sentait la laine mouillée et le café en grains.

— Alors, est-ce que tu veux m'en parler ?

— En fait, j'ai eu un coup de chance absolument incroyable..., commença Elizabeth en rapprochant sa chaise de celle d'Eve. Tu sais que j'étais en quête d'un sujet sur les récits de captivité pour ma thèse de doctorat.

Depuis des mois, Elizabeth menait des recherches sur des Européens qui avaient survécu à une capture, particulièrement sur ceux faits prisonniers par des corsaires en Méditerranée.

— Eh bien, l'autre jour, je suis tombée sur les écrits d'un certain Francis Knight, un marchand. Il fut pris au large des côtes de Barbarie par des corsaires algériens et resta détenu pendant sept ans à Alger.

— À quelle époque ?

— En 1640. Le récit était dédicacé à un homme du nom de Paul Pindar, ancien ambassadeur à la cour ottomane. Ça m'a semblé bizarre : pourquoi Pindar s'intéresserait-il particulièrement aux captifs ? (Elizabeth marqua une pause avant de poursuivre.) Et puis j'ai trouvé quelque chose d'encore plus intrigant. Sur la préface, à côté du nom de Pindar, quelqu'un avait ajouté une note au crayon : « Voir également le récit de Celia Lamprey. » Ça m'a frappée, parce qu'on ne connaît aucun rapport de captivité écrit par une femme avant le XVIIIe siècle et, même à cette époque, ils sont plutôt rares. Mais l'autre nom, Pindar, Paul Pindar, celui-là me disait vaguement quelque chose.

— Et qu'est-ce que tu as trouvé à son sujet ?

— Il y a un article assez long sur lui dans le Dictionnaire national des biographies. Pindar était un marchand, un marchand incroyablement prospère. Il est entré en apprentissage à dix-sept ans chez un négociant de Londres appelé Parvish qui l'a envoyé l'année suivante à Venise comme mandataire. Il semble être resté à Venise pendant environ quinze ans, et y avoir accumulé ce qui est décrit comme « des biens considérables ».

— Il était riche, alors ?

— Très. Au début du XVIe siècle, les marchands commençaient à se faire beaucoup d'argent avec le commerce en Méditerranée. De vraies fortunes, comparables à celles bâties plus tard par les nababs de la Compagnie des Indes orientales, et les affaires de

39

Pindar ont prospéré. À tel point, en fait, que la Compagnie du Levant l'a envoyé à Constantinople, en tant que secrétaire du nouvel ambassadeur d'Angleterre, un autre marchand, sir Henry Lello. C'était en 1599. Ensuite, il a apparemment occupé différents autres postes diplomatiques, comme consul à Alep ou de nouveau à Constantinople, cette fois en tant qu'ambassadeur de Jacques Ier... Mais rien de tout ça n'a l'air d'avoir vraiment compté. Le véritable moment-clé, pour Pindar, c'est cette mission de 1599. Il semble bien qu'à ce moment-là tout l'avenir du commerce britannique en Méditerranée dépendait d'un cadeau destiné au nouveau sultan, une extraordinaire horloge mécanique...

— Mais quel rapport tout ça a-t-il avec Celia Lamprey ?

— Voilà, c'est justement ça le problème, je n'ai rien pu découvrir du tout sur elle. Toujours la même histoire : des tonnes d'information sur l'homme et rien sur la femme... jusqu'à aujourd'hui.

— Alors, continue, pressa Eve, impatiente. Droit au but, maintenant !

— Il se trouve que Pindar était un ami de Thomas Bodley, et on sait que, quand ce dernier a fondé la bibliothèque ici, il a fait la tournée de ses amis pour les persuader de lui collecter des livres. Avec tous ses voyages dans des contrées exotiques, Pindar devait être un candidat de choix. Bref, pour faire court, Pindar a effectivement fait une donation de livres à la bibliothèque, que je suis allée voir aujourd'hui. C'était une assez petite donation, une vingtaine de livres en tout, presque tous en arabe et en syriaque. À ce que j'ai pu comprendre, ce sont surtout de vieux traités de médecine et d'astrologie. Et là, coup de chance, un coup de chance incroyable : je m'apprêtais à rentrer quand j'ai ouvert un des livres au hasard, et il y avait ce papier à l'intérieur et j'ai su tout de suite...

Le choc arrêta Elizabeth en plein milieu de sa phrase.

— Tu as su tout de suite... ? répéta Eve, puis elle vit l'expression d'Elizabeth. Qu'est-ce que tu as, on dirait que tu as vu un...

Eve fit mine de se retourner mais Elizabeth lui attrapa la main.

— Ne regarde pas maintenant, s'il te plaît. Continue à parler.

— Marius ?

— Continue à me parler, Eve. S'il te plaît, supplia Elizabeth en pressant la paume de sa main libre sur son plexus solaire.

— Marius, grinça Eve.

Mais elle ne se retourna pas. Elle enleva ses lunettes et les essuya dans un pli de sa robe avec de petits mouvements saccadés. Sans ses lunettes, elle avait les yeux en amande, très noirs et très vifs.

— Il est avec qui, cette fois ?

— Je sais pas, dit Elizabeth. Quelqu'un... d'autre.

Elle regarda Marius qui venait de s'asseoir à l'autre bout du café. Elle ne l'avait pas vu depuis une semaine.

La femme avec lui avait le dos tourné, elle ne voyait qu'une tête blonde. L'estomac d'Elizabeth se souleva si violemment qu'elle crut qu'elle allait être malade.

41

Aux Armes du Roi, Eve commanda des doubles vodkas et leur trouva de la place dans un coin, aussi loin que possible des autres gens de sortie en ce vendredi.

— C'est très noble de ta part de ne rien dire, commenta Elizabeth après quelques gorgées de vodka, consciente qu'Eve était prête à exploser tant elle s'efforçait de se contenir. Allez, vas-y, crache !

— Non, j'ai déjà dit tout ce que j'avais à dire. Plusieurs fois.

Eve fouilla dans son sac, en sortit un foulard dans le même imprimé rouge et blanc que sa robe, et se le noua sèchement sur la tête à la façon des lavandières.

— Tu veux dire : comment il se sert de moi, comment je suis beaucoup trop bien pour lui, et comment les hommes sont tous des salauds

Eve ne répondit pas.

— Arrête de fouiller dans ton sac comme ça.

— Et pourquoi ?

— Tu fais ça seulement quand tu es en colère.

— Hum.

— Tu es fâchée contre moi

— Oh, pour l'amour du ciel, Elizabeth ! s'écria Eve en reposant son sac. Ce type te rend malheureuse. Il joue avec ton cœur. Il y a de telles... de telles ondes négatives autour de toi quand tu es avec lui, ou même quand il est seulement question de lui, que je peux presque les entendre crépiter. Ça va finir par te rendre malade. Vraiment malade.

Mais je suis déjà malade, faillit rétorquer Elizabeth. *Ce que je ressens pour lui, c'est réellement*

42

une maladie. Elle prit plutôt une autre gorgée de vodka. *Il joue avec ton cœur.* Le genre de chose qu'aurait pu dire sa grand-mère. À se demander si Eve avait vraiment employé ces mots ou si elle les avait imaginés.

— Tu es amoureuse de lui ? s'enquit Eve en la regardant dans les yeux

— Je suppose, oui. Sûrement.

— Mais il te traite comme de la merde !

— Seulement par moments.

Elizabeth parvint à rire un peu.

— Ah, tu vois ! triompha Eve avant d'embrayer sur un nouvel argument. Tu riais tout le temps, avant. Tu ne ris plus, Liz.

— Ce n'est pas vrai. (La vodka lui brûlait la gorge.) Qu'est-ce que je viens de faire, alors ?

— Tu sais très bien ce que je veux dire.

— Il n'est pas mon petit ami, Eve. Il ne l'a jamais été, précisa Elizabeth en essayant de ne pas avoir l'air trop désespéré. Marius est mon amant.

— Oh, je vois. Ton amant, c'est ça qu'il te dit ? Comme c'est romantique. Mais tu veux que je te traduise ça en langage Marius ? Ça signifie qu'il peut te prendre et te laisser tomber exactement quand ça lui chante. Ha ! cria-t-elle, exaspérée. Ce que je n'arrive pas à comprendre, c'est pourquoi il ne te lâche pas une bonne fois pour toutes !

Le portable d'Elizabeth vibra. C'était un texto de Marius. Son cœur fit un bond.

Salut beauté pquoi si triste ?

Elle réfléchit un moment avant de répondre : *moi ? triste ?*

Encore un temps et la réponse arriva : *tu bois dla vodka, bb*.

Elle releva brusquement la tête et il était là, s'installant à côté d'elle.

— Salut, beauté, dit Marius en s'appropriant sa main. Ses cheveux lui tombaient en désordre sur les épaules et son éternel blouson exhalait un parfum bizarrement érotique de tabac et de cuir mouillé.

— Salut Eve, lança-t-il, tu vas au bal masqué ?

— Salut, Marius.

Les yeux en amande se rétrécirent jusqu'à n'être plus que deux fentes noires. Il rit.

— C'était un sourire, ou bien tu m'as juste montré les crocs ?

Il jeta un regard complice à Elizabeth, et elle rit aussi malgré elle. Marius arrivait toujours à la faire rire, à la charmer jusqu'à ce qu'elle se sente le centre de son univers. Il prit le verre d'Elizabeth et finit la dernière gorgée de vodka.

— Hum, de la Grey Goose, vous ne vous refusez rien. Mais ne vous inquiétez pas, les filles, je ne viens pas m'immiscer dans votre petit tête-à-tête. Je suis juste passé dire bonjour.

Il se pencha sur Elizabeth pour l'embrasser dans le cou. Son odeur et le contact de ses lèvres – redoutables, ses lèvres – la firent frissonner de plaisir.

— Est-ce que c'est moi ou est-ce que ta copine est complètement à l'épreuve des balles ? lui murmura-t-il à l'oreille, tandis qu'Elizabeth retenait encore un sourire.

— Oh, ne t'en va pas..., commença-t-elle, reste prendre un verre !

Mais déjà il s'écartait d'elle.

— Désolé, chérie, pas possible de m'attarder, réunion de département dans une demi-heure.

— Un vendredi soir ? remarqua aigrement Eve. Vous travaillez vraiment très dur, docteur.

Marius l'ignora.

— Je t'appelle bientôt, c'est promis, dit-il à Elizabeth, et avec un petit signe de la main il disparut dans la foule qui s'épaississait.

— Il t'a suivie jusqu'ici ! fulmina Eve, avec un regard noir vers la silhouette qui s'éloignait. Il t'a forcément suivie. Pourquoi ne peut-il pas simplement te laisser vivre ta vie ? Il ne veut pas vraiment de toi, mais il est incapable de te laisser tranquille... Oh et puis merde, je vais nous chercher un autre verre. (Elle se leva.) Et on peut dire ce qu'on veut, quelqu'un devrait vraiment lui faire remarquer qu'il est trop vieux pour porter des pantalons de cuir, ajouta-t-elle méchamment.

Elizabeth ne se donna même pas la peine de protester. D'un coup, elle était épuisée. La joie qu'elle avait ressentie à voir Marius de façon aussi inattendue s'était évanouie, laissant au fond d'elle un vide.

À ce moment-là, son portable vibra : *chez moi, une demi-heure ?* Elle remit le portable dans son sac. *Je sais que je ne devrais pas mais je vais y aller.* Elle sentit la chaleur lui monter au visage et son cœur, son pauvre jouet de cœur, s'emballer.

— Désolée, ma belle. Il faut que j'y aille.

— J'espère au moins que ça vaut le coup, répliqua Eve.

— Qu'est-ce qui vaut le coup ?

— Côté sexe.

Elizabeth lui embrassa le sommet de la tête.

— Je t'adore, dit-elle seulement.

Plus tard, elle regarda Marius se rhabiller. Il avait l'air préoccupé. Cela lui était égal. Encore dans l'enchantement des attentions qu'il lui avait prodiguées, elle se sentait apaisée. Elle avait toujours adoré le regarder s'habiller. Pour un homme qui avait passé la quarantaine, elle lui trouvait un très beau corps. Elle aimait la minceur de ses hanches, et la façon dont les poils bouclaient autour de son nombril. Il enfila un jean délavé qui mettait ses jambes en valeur. Le cuir de sa ceinture claqua.

Elle avait envie de lui parler du récit de captivité et se demanda comment amener le sujet. *J'ai trouvé quelque chose d'intéressant aujourd'hui...* Elle prépara soigneusement la phrase dans sa tête. *Du moins je crois...* En repensant à sa découverte elle sentit l'excitation monter, puis retomber. Non, elle imaginait facilement ce qu'il allait répondre. Il valait mieux attendre d'être sûre.

— Et où est-ce que tu dois aller comme ça ?

— Cette réunion de département dont je te parlais.

— Oh.

— En fait ce n'est pas exactement une réunion, mais il faut que je voie des gens pour discuter de certaines choses. (Il eut un bref sourire.) Désolé.

Qu'est-ce que ça pouvait bien signifier ? Marius était champion du monde toutes catégories pour ce qui était d'esquiver les questions. *Qui vas-tu vraiment voir ? Une autre femme ? Celle que j'ai vue avec toi chez Blackwell aujourd'hui ? Et d'ailleurs*

46

c'est qui, celle-là ? Elle savait d'instinct qu'il se fâcherait si elle les lui posait et les garda pour elle.

— Quels sont tes projets ?

Il s'assit près d'elle sur le lit.

Elle lui prit la main pour la porter à ses lèvres, dans l'espoir de le retenir encore un peu.

— Est-ce que je peux rester ici ? dit-elle le plus naturellement qu'elle put.

— Eh bien... Oui, si tu veux.

S'il y avait de la réticence dans sa voix, Elizabeth était bien décidée à ne pas l'entendre.

— Je te chaufferai le lit.

— Bon, d'accord, acquiesça-t-il en lui retirant doucement sa main. Mais je vais peut-être rentrer tard.

— Ça ne me dérange pas.

Quelques instants plus tard, la porte claqua. Il était parti.

Elizabeth était couchée dans le lit de Marius et regardait le plafond. La pièce était belle, en tout cas du point de vue de l'architecture. De hautes fenêtres à meneaux donnaient sur la cour carrée du collège. Les matins d'été, la pièce était inondée de soleil. Elle se souvint qu'en juin dernier, quand ils venaient de se rencontrer, ils aimaient s'allonger nus sur le lit, baignés de milliers d'arcs-en-ciel. L'avait-il rendue heureuse, alors ? Il fallait croire que oui.

Elle sentit que la paix la fuyait de nouveau. Il était encore tôt, seulement 9 heures et demie. Une pluie rageuse battait les vitres. Elizabeth regarda autour d'elle. Sans la présence de Marius, la pièce dégageait la pire impression de solitude qu'elle ait jamais ressentie et, en même temps, lui parut curieusement

47

tape-à-l'œil. Pour un homme à l'intellect si pointilleux, il était vraiment désordonné. Des piles de vêtements jonchaient le sol. Des tasses sales garnies de vieux sachets de thé s'empilaient sur un buffet près d'un petit évier, avec une brique de lait dont elle savait par expérience qu'il aurait tourné, malgré le froid sépulcral qui régnait dans la pièce.

Elle avait mal partout. *J'espère au moins que ça vaut le coup côté sexe*, avait dit Eve. *Pour lui peut-être, mais pas pour moi*, pensa-t-elle avec amertume. *Je n'ai même pas ça.* Elle remonta la couette sur ses épaules, y cherchant l'odeur de Marius, essayant de recréer la sensation de ses bras autour d'elle. Elle se sentait profondément humiliée. *Pourquoi est-ce que je fais ça ? Il joue avec ton cœur. Eve a raison. Ce n'est pas de l'amour, c'est de la torture. Je ne peux plus le supporter*, pensa Elizabeth. Le vide dans son cœur était si profond qu'elle avait l'impression de s'y noyer.

Plus tard, bien plus tard, elle s'éveilla et vit qu'il y avait quelqu'un, debout près du lit, qui la regardait.

— Marius ?

— Tu es encore là ?

Était-ce de la surprise qu'elle entendait dans sa voix ? Il s'assit près d'elle et tira sur la couette pour découvrir ses épaules nues.

— Tu es toute mignonne quand tu dors, on dirait une petite souris. Ça va ?

— Oui, répondit-elle en se retournant, toute ensommeillée, heureuse que l'obscurité dissimule ses paupières gonflées. En fait, non, Quelle heure il est ?

— Tard. Je ne pensais pas que tu serais encore là.

— Marius... (De ne pas le voir vraiment lui donna le courage de poursuivre.) Je ne pense pas pouvoir continuer comme ça.

— Pourquoi donc ? s'enquit-il en suivant du doigt la courbe de ses épaules de manière suggestive. Je croyais pourtant que tu aimais bien ça.

— Tu sais ce que je veux dire, répondit-elle en se tournant face à lui.

— Non je ne sais pas, fit-il en retirant ses chaussures, puis sa chemise. Toi, tu as encore parlé à Rosa Klebb, on dirait.

— Arrête. Eve est mon amie.

Normalement la plaisanterie l'aurait fait rire, mais pas maintenant.

— Elle dit que tu ne veux pas de moi, mais que tu ne peux pas non plus me laisser partir, déclara Elizabeth dans l'obscurité.

— Han ! grogna Marius pour toute réponse.

Elle entendit la boucle de sa ceinture tomber sur le sol, puis il se glissa dans le lit à côté d'elle.

— Viens là.

Passant les bras autour de ses épaules glacées, il l'attira contre lui, la tête au creux de son cou. Elle s'étira pour mieux se coller tout entière contre son corps, se réchauffant à son contact.

— Je suis désolée.

Eve devrait sortir un peu plus.

— Elle remarqua que son haleine sentait le whisky.

— Tu sais que je t'aime, n'est-ce pas ? dit-il en lui effleurant le front de ses lèvres.

— Ah, bon ? fit-elle, s'adressant encore à l'obscurité.

— Bien sûr que tu le sais, femme, affirma-t-il sans méchanceté, avant de se tourner de l'autre côté. Et maintenant, est-ce qu'on pourrait dormir ?

3

CONSTANTINOPLE, 1er SEPTEMBRE 1599

Lever du jour

La résidence de l'ambassadeur était un imposant édifice carré fait de pierre et de stuc, dans le style ottoman ; les fenêtres étaient ombragées de persiennes au treillis élaboré. Située juste en dehors des murs du district de Galata, elle avait un peu l'allure d'une maison de campagne, avec son grand jardin clos de murs et les vignobles qui l'entouraient. Glacial l'hiver, l'endroit était fort agréable en été. Une fontaine jaillissait dans la cour et des jasmins aux fleurs blanches et odorantes grimpaient le long des piliers qui soutenaient les balcons. Au premier étage, une vaste suite des plus confortables était occupée par l'ambassadeur, sir Henry Lello, et son épouse. L'entourage proche de l'ambassadeur, dont son secrétaire Paul Pindar, disposait de chambres plus petites au second étage. Le reste du personnel logeait dans des dortoirs au rez-de-chaussée.

La maison s'éveillait. Paul envoya un serviteur

chercher Thomas Dallam et monta avec Carew dans ses quartiers, où personne ne pourrait les entendre. Bientôt, ils entendirent le pas énergique de Dallam sur le plancher de bois.

— Bonjour à vous, Thomas.

— Secrétaire Pindar.

Thomas Dallam, un homme du Lancashire solide et dans la force de l'âge, les salua d'un signe de tête sans entrer dans la chambre. Il était habillé pour sortir, une large robe turque par-dessus ses vêtements anglais, comme il était de règle pour tous les étrangers vivant à Constantinople.

— Entrez, Tom, l'invita Paul. Je sais que vous êtes pressé de partir pour le palais, et je n'abuserai pas de votre temps. Dites-moi, où en est notre merveilleux instrument ? Le Grand Signor trouvera-t-il que son cadeau valait la peine d'attendre ?

— Oui, se contenta de répondre Dallam. L'Honorable Compagnie ne regrettera pas son choix.

— J'espère que non, sourit Paul. L'Honorable Compagnie nous a fait attendre ici pendant trois ans, le temps qu'ils se décident enfin sur le cadeau à envoyer. À ce qu'on dit, le Grand Turc a une passion pour les horloges, les automates et tout ce qui est mécanique.

— C'est vrai. (Le visage de Dallam s'éclaira soudain.) Il envoie un serviteur presque chaque jour voir si mon travail est enfin fini.

— Et... l'est-il ?

— Chaque chose en son temps, secrétaire Pindar.

— Ce n'est pas un problème, Thomas. Je ne comptais pas vous bousculer.

Dallam, c'était bien connu, était plutôt ombrageux

52

sur le sujet et supportait assez mal qu'on se mêle de son travail ou de celui de ses ouvriers, dont pas moins de cinq l'avaient accompagné dans ce voyage de six mois à bord du vaisseau de la Compagnie, le *Hector*, pour apporter à Constantinople le cadeau du sultan.

— On me rapporte que vous avez réussi à réparer les dommages subis par l'orgue lors de la traversée, même si, d'après sir Henry, cela va vous prendre encore du temps, à vous et à vos hommes, pour le réassembler dans le palais. C'est du beau travail, mon ami.

— En effet.

À la mention de l'ambassadeur, Dallam, qui avait enlevé son chapeau, se gratta la tête avec impatience avant de le remettre.

— Maintenant, si cela ne vous dérange pas, secrétaire Pindar, le caïque est prêt et nos janissaires n'aiment pas trop qu'on les fasse attendre.

— Bien sûr, bien sûr. (Paul leva la main.) Juste une dernière chose.

— Oui ?

— Carew m'a raconté que vous l'avez emmené avec vous, hier.

— Oui, monsieur. (Il jeta un coup d'œil en direction de Carew.) Un de mes hommes – Robin, le menuisier – est tombé malade. Et après cette histoire dans les cuisines, le doigt de Bull et le reste... eh bien, nous savons tous que John est habile de ses mains, conclut-il en triturant son chapeau.

— Dites-lui ce que nous avons vu, Tom, intervint Carew qui jusque-là était resté silencieux, appuyé contre la fenêtre.

53

Dallam resta silencieux quelques instants.

— Je croyais qu'on s'était mis d'accord ? finit-il par dire, incertain.

— Oui, je sais. Je regrette Tom, mais il n'y a pas moyen de faire autrement. Je me porte garant du secrétaire Pindar, dit Carew. Je peux jurer qu'avec lui il n'y a pas de danger.

— Je suis flatté de l'entendre...

Impatient, Paul fit trois pas vers la porte. Attrapant Dallam par la manche, il le tira sans façon à l'intérieur et ferma la porte.

— Cela suffit, maintenant. Dites-moi ce que vous avez vu, ordonna-t-il, le visage pâle. Racontez-moi tout depuis le début et cela restera entre nous.

Dallam regarda Paul et, cette fois, il parla sans hésiter.

— Comme vous le savez, cela fait un mois que mes hommes et moi nous rendons au palais tous les jours pour assembler le cadeau que l'Honorable Compagnie a envoyé au sultan. Il y a deux gardes qui nous sont assignés, ainsi qu'un drogman qui sert d'interprète, et, chaque jour, ils nous escortent à travers la première et la deuxième cour, jusqu'à une porte secrète qui donne sur un jardin dans les quartiers privés du sultan – c'est là que nous devons assembler l'horloge. Cela ne nous est possible que parce que le Grand Turc n'est pas souvent là en ce moment. Il semble qu'à cette période de l'année il se déplace selon son humeur entre ses différents palais d'été, en emmenant avec lui la majeure partie de sa cour et de ses femmes. Et, pour cette raison, il règne comme un air de vacances, là-bas...

Dallam s'arrêta, un peu effrayé de ce qu'il s'apprêtait à révéler.

— Continuez, Thomas, le pria Pindar, qui était assis, bras croisés.

— Nos deux gardes sont de bons gars et on a fini par bien se connaître, après tout ce temps passé au palais – ils nous ont un peu... fait visiter, on pourrait dire. (Dallam toussa nerveusement.) Parfois, ils nous montraient le reste des jardins privés, ou bien les petites maisons d'agrément qu'ils appellent des kiosques, et, une ou deux fois, ils sont allés jusqu'à nous faire rentrer dans les appartements personnels du sultan. Mais hier – par le plus grand des hasards, juste le jour où j'avais Carew avec moi – ils nous ont montré autre chose.

— Qu'est-ce que c'était, Tom ?

Dallam hésita, mais Carew lui fit signe de continuer.

— Pendant que deux de mes charpentiers étaient à l'ouvrage, un des gardes nous a emmenés, Carew et moi, dans une petite cour carrée pavée de marbre et là, dans un mur, il nous a montré une ouverture grillagée. L'endroit était désert et le garde nous a fait signe avec ses mains – c'est ainsi que font tous ceux qui travaillent au palais – de nous approcher, mais lui est resté en arrière.

» En arrivant près de la grille nous avons vu que le mur était très épais, renforcé des deux côtés par de solides barres de fer, et, en regardant à travers les barreaux, nous avons vu une deuxième cour cachée de l'autre côté. Il y avait là une trentaine de concubines du Grand Turc, en train de jouer à la balle.

— Au début, nous les avons prises pour des

jeunes gens, ajouta Carew, parce qu'elles portaient toutes ce qui ressemblait à des culottes d'homme, mais, en regardant mieux, on pouvait voir qu'elles avaient des cheveux longs qui leur tombaient dans le dos. C'étaient des femmes, de très belles femmes.

— John et moi, reprit Dallam avec un coup d'œil à Carew, nous savions bien que nous ne devrions pas regarder. Et notre garde a même fini par s'irriter de nous voir rester si longtemps. Il s'est mis à taper du pied par terre pour nous signifier de nous éloigner. Mais nous en étions incapables. Nous restions là, tous les deux, comme ensorcelés.

— Est-ce que les femmes pouvaient vous voir ?

— Non, l'ouverture était trop petite, mais nous, nous les avons regardées pendant un bon moment. Elles étaient très jeunes, presque encore des enfants pour la plupart. Je n'ai jamais rien vu, secrétaire Pindar, qui m'ait ravi à ce point.

» Mais ce que John veut que je vous dise, poursuivit Dallam, après avoir toussé encore une fois pour s'éclaircir la gorge, c'est qu'il y avait là une femme différente des autres. Je l'ai remarquée parce qu'elle était pâle et blonde alors que ses compagnes étaient brunes. Elle n'avait pas les cheveux dans le dos, mais enroulés autour de la tête et attachés par un cordon de perles. Elle paraissait un peu plus âgée et elle était plus richement vêtue. Elle portait des bijoux aux oreilles et au cou. Mais c'est sa peau, surtout, qui a attiré nos regards, une peau magnifique, blanche et lumineuse comme un clair de lune. John m'a attrapé le bras et je l'ai entendu dire : « Dieu nous vienne en aide, Tom. C'est Celia, Celia Lamprey. » Et c'est tout ce que je sais.

Après le départ de Dallam, un long silence emplit la pièce. De l'autre côté des volets ajourés, des pigeons s'affairaient en roucoulant sous le bord du toit, un bruit qui, de manière incongrue, évoqua à Pindar un après-midi d'été anglais. Il poussa les volets et regarda par la fenêtre la Corne d'Or et les sept collines de la vieille ville qui s'élevaient au loin.

— Un long discours, pour un homme du Lancashire.

— Je vous l'ai dit, il parle plutôt bien.

Paul s'assit sur le rebord de la fenêtre. En contraste avec l'allure bohème de Carew, il offrait une apparence beaucoup plus sobre. Habillé de noir, comme de coutume, il était tout à la fois mince et solidement bâti. Il passa les mains dans ses cheveux sombres, révélant son seul bijou, un anneau d'or à l'oreille.

— Celia est morte, dit doucement Paul, tournant toujours le dos à Carew.

De sa poche il sortit un curieux objet en cuivre doré, à peu près de la taille et de la forme d'une montre de gousset, et se mit à jouer distraitement avec.

— Perdue en mer. Noyée, il y aura bientôt deux ans. Tu te trompes, John. C'est impossible que tu l'aies vue, tu m'entends ? Complètement impossible.

Carew ne répondit pas.

Du pouce, Paul fit jouer le fermoir de la petite boîte et le couvercle s'ouvrit, révélant les disques de métal à l'intérieur. Il prit celui qui portait les marques d'un minuscule cadran solaire et le tint devant lui, comme pour y lire quelque chose.

— Vous pouvez savoir beaucoup de choses avec votre compendium, remarqua ironiquement Carew, mais ce n'est pas comme ça que vous trouverez Celia.

Paul se leva d'un seul coup. Debout, il dominait Carew d'une demi-tête.

— Personne n'a le droit de voir ce qu'il y a dans le harem du sultan. Aucun homme – aucun Turc, et je ne parle même pas d'un chrétien ou d'un juif – n'a jamais pu voir l'intérieur. Et toi, toi qui es ici depuis cinq minutes, tu vas là-bas une fois – juste une fois – et tu espères que je vais te croire quand tu affirmes l'avoir fait ? Non, John, même pour toi, c'est beaucoup trop gros.

— Il m'arrive toujours des choses, vous savez ce que c'est, dit Carew, fataliste, en haussant les épaules. Mais je suis désolé, ça doit vous faire un choc, ajouta-t-il, caressant pensivement sa cicatrice. Après tout ce temps, je sais ce que vous devez ressentir...

— Non, tu ne le sais pas. Tu ne sais pas ce que je ressens, personne ne le sait. (Il ferma l'instrument d'un coup sec.) Pas même toi.

Il se rassit brusquement.

— Il faut que nous soyons sûrs, absolument sûrs. Mais, même si c'est la vérité, que faire, John ? (il se frotta le visage, appuyant les doigts sur ses paupières jusqu'à en voir des étoiles.) Comment pourrons-nous jamais admettre que nous le savons ? Cela pourrait tout mettre en péril. Quatre ans à nous tourner les pouces ici en attendant que l'Honorable Compagnie décide des cadeaux à envoyer au nouveau sultan... et maintenant, ceci. Mais attends, nous allons trop vite. D'abord, il me faut une preuve, une preuve absolue et irréfutable.

58

Paul passa à nouveau la main dans ses ⬛
Il se tourna vers Carew.

— Tu es entré dans le palais. À ton avis, ce ser
très difficile de lui faire parvenir un message ?

— Pas tant que ça, répliqua Carew en haussant
nonchalamment les épaules.

Il lança un coup d'œil à Paul, qui lui rendit calmement son regard.

— Ce sourire ne me dit rien qui vaille, Carew. Je
ne le connais que trop bien. (Il mit une main sur
l'épaule de Carew et appuya le pouce sur sa gorge.)
Qu'as-tu fait, Carew, espèce de pendard ?

— Une fantaisie, c'est tout.

— Une fantaisie en sucre ?

— Ma spécialité. Celle-ci, c'était un bateau, entièrement fait avec du sucre filé. Le vieux Bull a bien
un peu râlé parce que je lui ai vidé ses réserves, mais
pas moyen de faire autrement. Un navire marchand
au grand complet, un de mes plus réussis...

Paul accentua la pression.

— ... d'accord, d'accord, c'était une reproduction
du *Celia*.

— Corrige-moi si je me trompe : tu as envoyé une
fantaisie représentant le *Celia* – le navire marchand
de Lamprey, celui qui a fait naufrage – au palais du
Grand Turc ? récapitula Paul, avant de relâcher finalement son emprise.

— Pas seulement au palais, je l'ai envoyée au
harem, précisa Carew en se frottant la gorge. L'Embrumé voulait qu'on envoie des friandises anglaises
aux femmes du sultan. Apparemment, c'est la mode
chez les Français et les Vénitiens et vous n'ignorez
pas que nous devons les suivre en tous points.

dé de les impressionner ?

ur ça que vous m'avez amené ici,

er un peu de lustre à ce pauvre

n a guère. Ha, ha, je plaisante, bien

udrait s'encombrer de moi ? ajouta-

chant la tête de côté.

— je ... ouer, Carew, que tu as parfois des idées bien étranges, soupira Paul. Mais celle-ci, poursuivit-il en se retournant soudain pour frapper du poing le bras de Carew, celle-ci est diablement futée. Je dirais même brillante. Si toutefois le bateau arrive jusqu'à elle, ce dont je doute.

— Vous avez une meilleure idée ?

Paul ne répondit pas. Il se leva et retourna vers la fenêtre. Il reprit le compendium et le tourna de façon à pouvoir lire la devise gravée tout autour du bord. *Le Temps et les heures passent, et la vie de l'Homme s'efface. Nul ne peut rattraper le Temps, dépense-le donc sagement.* Puis il l'ouvrit à nouveau et, de l'index, trouva un autre fermoir caché dans la base. Un couvercle secret s'ouvrit, révélant un portrait.

La miniature d'une jeune fille. Des cheveux d'or roux ; des perles ornant une peau laiteuse. *Celia*. Était-ce possible ?

— Et j'ai déjà perdu assez de temps, déclara-t-il, absorbé dans ses pensées, avant de se retourner vers Carew, le regard déterminé. Ce qu'il nous faut, c'est plus de renseignements.

— Pourquoi pas cet eunuque blanc qui enseigne à l'école du palais ? Celui qui, à ce qu'on dit, est un Anglais devenu turc ?

— Et il y a aussi plusieurs drogmans dans le même cas. Ils seraient peut-être plus faciles à approcher. L'un d'eux est du Lancashire, apparemment. Peut-être pourrions-nous demander à Dallam de lui parler... mais non, on ne peut jamais faire confiance à ces devenus-turcs. De plus, il paraît que seuls les eunuques noirs peuvent pénétrer dans les quartiers des femmes. Non. Ce qu'il nous faut, c'est quelqu'un qui a accès au palais, mais qui n'y vit pas. Quelqu'un qui a la liberté d'aller et venir.

— Cela existe ?

— Bien sûr. Beaucoup de gens entrent et sortent tous les jours. Il va seulement falloir trouver la bonne personne.

Carew vint près de lui. Bien que le soleil fût maintenant haut dans le ciel, le disque pâle d'une lune presque pleine était encore visible, sombrant lentement vers l'horizon. Il s'accouda au rebord de la fenêtre et leva les yeux vers le ciel.

— Peut-être les étoiles pourraient-elles nous aider. Vous devriez demander à votre ami, comment s'appelle-t-il, déjà ?

— Tu parles de Jamal ?

— Si c'est ainsi qu'il s'appelle. L'homme des étoiles.

— Oui, c'est lui. Jamal. Jamal-al-Andalus, répondit Paul qui enfilait déjà sa robe ottomane. Appelle le janissaire, mais sois discret. Va ! Nous n'avons pas de temps à perdre.

4

Cher Ami, j'ai reçu votre lettre, etc. Vous souhaitez avoir entière connaissance des événements du malheureux voyage et naufrage du navire Celia, *et de l'histoire plus tragique encore de Celia Lamprey, fille du défunt capitayne de ce navire, qui, à la veille de son mariage avec un marchand de la Compagnie du Levant, devenu plus tard sir Paul Pindar, ancien honorable ambassadeur de Sa Majesté à Constantinople, fut emmenée comme esclave par les Turcs, puis vendue à Constantinople, et de là choisie pour servir comme* cariye *dans le sérail du Grand Signor, ce que, aussi fidèlement que Dieu voudra, je vais vous faire savoir.*

Le cœur d'Elizabeth battait la chamade. *Je le savais.* Bien que l'encre ait pâli avec l'âge jusqu'à un brun sépia presque transparent, elle restait encore parfaitement lisible, les lettres régulières et pas trop serrées : une belle écriture de secrétaire, nette et étonnamment facile à déchiffrer. Le papier, à part la

62

tache d'humidité le long d'un des plis, était en bien meilleur état qu'elle n'aurait osé l'espérer.

Elizabeth releva les yeux. Il était à peine plus de 9 heures et, en ce samedi matin, ils n'étaient que deux ou trois dans la salle de lecture de la bibliothèque orientale. Elle s'était arrangée pour s'installer dans un coin, aussi loin que possible du comptoir du bibliothécaire. Bientôt, elle le savait, il lui faudrait faire part de sa découverte, mais elle voulait une chance de lire le document la première et d'en faire une copie pour son usage personnel sans que quelqu'un la surveille d'un œil soupçonneux.

Elle se pencha de nouveau sur le papier.

Le Celia *fit voile de Venise, par bon vent, le 17, et une cargaison de soyes, velours, tissus d'or et mousselines, piastres, sequins et sultanines dans la cale, le dernier voyage que ferait le capitayne Lamprey avant les tempêtes d'hiver.*

La nuit du 19, à dix lieues de Raguse, sur la côte rocheuse et désolée de Dalmatie, il plut à Dieu d'envoyer du gros temps et bientôt le vent prit une telle force que tous à bord craignaient pour leur vie...

Les lignes suivantes étaient rendues illisibles par la tache d'humidité, mais Elizabeth continua.

Et le Celia *gîtant un peu sur le flanc, tous ses sabords ouverts, les sabords sous le vent étaient dans l'eau, et tous les coffres de soyes, de velours, de tissus d'or et de mousselines, dont plusieurs n'étaient pas des marchandises mais la dot de la mariée, ainsi que tous les autres objets flottaient dans la cale et la pièce de canon qui y était renfermée rompit ses*

63

amarres et glissa vers le côté sous le vent, manquant de percer le flanc du bateau.

Là, encore, quelques lignes indéchiffrables.

À la longue, ils aperçurent cette voyle arrivant de l'ouest et rendirent grâce, croyant leur délivrance à portée de main... de cent tonneaux ou environ, et ils comprirent alors que c'était un corsaire turc. Et quand le capitayne Lamprey le vit, il sut qu'il n'avait point d'espoir de fuir, mais qu'ils devraient combattre ou se jeter à la côte et s'écraser sur les rochers. Alors le capitayne appela ses compagnons, et leur demanda ce qu'ils feraient, s'ils se tiendraient à ses côtés et se comporteraient comme des hommes, afin qu'on ne dise pas qu'ils avaient fui devant un navire guère plus gros que le leur, bien qu'il fût mieux armé.

... Le capitayne Lamprey ordonna que toutes les femmes du bord, des nonnes du couvent de Santa Clara, se cachent dans l'entrepont, en tirent la porte sur elles et l'assurent de l'intérieur, et qu'elles y gardent la plus jeune des nonnes ainsi que sa fille, Celia, et veillent à ce qu'elles ne sortent pas, sous aucun prétexte, jusqu'à ce qu'il leur fasse savoir.

Elizabeth était arrivée à un des plis du papier, où plusieurs lignes de texte étaient oblitérées par l'humidité.

Mais le capitayne Lamprey, en les voyant, les traita de chiens, des chiens galeux et rongés de scorbut, et leur proposa tous les plats d'argent, tous les sequins et toutes les piastres qu'ils pourraient porter du moment qu'ils s'en aillent, il n'y avait là rien d'autre pour eux. Mais un des chefs de ces hommes, un Renegado, un de ceux qui parlait en bon anglais, le menaça : « Chien de marchand, si je trouve autre chose que ce que tu m'as confessé, je t'en donnerai cent fois plus, et quand j'aurai fini, je te ferai jeter à la mer. » Mais le capitayne Lamprey ne disait toujours rien...

Et pendant ce temps, les femmes restaient enfermées dans l'entrepont, dans la terreur de mourir, l'eau leur venant presque à la taille, leurs jupes lourdes comme le plomb. Ainsi que le capitayne les en avait priées, elles ne faisaient pas un bruit N'osant souffler mot, elles suppliaient Dieu dans leur cœur de les délivrer, car si les Turcs ne les prenaient pas, elles avaient grand'peur d'être noyées dans la mer.

Et ils dirent à trois hommes de le saisir et de le coucher face contre terre sur le pont inférieur ; deux d'entre eux lui tenaient les jambes, le troisième s'assit sur son cou, et ils lui donnèrent tant de coups que, malgré les supplications des nonnes, sa fille débarra vivement la porte de la cabine, sortit de sa cachette en courant et en criant : « Arrêtez, arrêtez, prenez-moi mais épargnez mon pauvre père, je vous en supplie », et, lorsqu'elle vit que son père portait six ou sept blessures ensanglantées, elle tomba à genoux, pâle comme la mort, et pria encore les Turcs de la prendre et de laisser la vie sauve à son père. Sur quoi, le capitayne des Turcs s'empara d'elle et, dans une rage sanglante, devant ses propres yeux il frappa le flanc de son père de son coutelas et le cloua contre la porte de l'entrepont, le perçant de part en part –

— Et ça s'arrête là, comme ça ?

— Oui, en plein milieu d'une phrase. Ce que je prenais pour un récit complet n'est finalement qu'un fragment.

La salle de lecture fermait à 13 heures le samedi et Elizabeth déjeunait avec Eve chez Alfie, sous le marché couvert. Noël n'était que dans six semaines, mais la serveuse portait un tablier rouge et blanc et des bois de renne en guirlande verte.

— Oh, quand même ! C'est une découverte extraordinaire, s'exclama Eve en tartinant de beurre son dernier morceau de pain. Et je crois que tu me dois cinquante billets.

— C'est ça !

— Tant pis, j'aurai au moins réussi à te faire sourire, se résigna Eve, satisfaite. Tu as l'air presque joyeuse ce matin, ma fille...

— Elle parut sur le point d'ajouter quelque chose, puis se ravisa.

Est-ce que je lui parle d'hier soir ? se demanda Elizabeth, encore toute à sa joie, mais Eve semblait de si belle humeur que ce serait dommage de tout gâcher par une nouvelle dispute à propos de Marius.

— Et maintenant ? Est-ce que tu vas encore pouvoir l'examiner ?

— Ils l'ont emporté pour le montrer à leur expert en manuscrits anciens, mais le bibliothécaire a l'air de penser qu'il reviendra à la bibliothèque orientale... un jour ou l'autre.

— Ne te fais pas d'illusions, fit Eve, cynique. Crois-en mon expérience, dès que les experts s'en mêlent, c'est fini, pouf, disparu ! Il ne reverra plus jamais la lumière du jour. Tu aurais dû garder ça pour toi.

— De toute façon, maintenant c'est trop tard, répondit Elizabeth avec un haussement d'épaules.

— Est-ce que tu as pu en copier une partie ?

— Presque tout, même si c'est très fragmentaire par endroits.

Elizabeth parla de la tache d'humidité pendant que la serveuse leur apportait deux tasses de café.

— Mais c'est suffisant pour travailler dessus. Il y a par exemple la question de savoir qui est l'auteur. C'est à la troisième personne, mais le récit est si incroyablement vivant que j'ai du mal à croire que celui ou celle qui l'a écrit n'était pas là en personne.

— Et cette histoire de lettre, ça ne te donne pas une piste ?

— Aucune. Ça m'indique seulement que le récit a été écrit à la demande de quelqu'un, mais ça ne me dit pas qui. Un vrai mystère.

— Fascinant, j'adore les mystères, commenta Eve entre deux gorgées de café, les lunettes embuées de vapeur. Rien d'autre ?

— Eh bien, j'ai passé pas mal de temps sur Google, hier. Inutile de préciser qu'il n'y avait aucun résultat sur le nom de Celia Lamprey.

— Et sur Pindar ?

— Sur un obscur marchand de l'époque élisabéthaine ? Tu ne vas pas le croire, mais il y en a des centaines, littéralement des centaines. Pas que des sites sur Pindar lui-même, bien sûr. Beaucoup concernent un pub à Bishopsgate, construit sur le site où se trouvait sa maison. (Elizabeth avala une dernière gorgée de soupe.) Une sacrée baraque, apparemment, qui faisait partie du domaine qu'il a fait bâtir à la campagne quand il s'est retiré des affaires ; la maison a été démolie au XIXe siècle, quand on a agrandi la gare de Liverpool Street. Mais ce n'est pas ce qui nous occupe. (Elle agita sa cuiller en l'air.) Le plus intéressant à son sujet, ça semble bien être la mission de la Compagnie du Levant à laquelle il a participé en 1599.

— Je me souviens, tu m'en as déjà parlé.

— Apparemment, j'y reviens toujours. La Compagnie voulait renouveler ses droits à commercer dans la partie de la Méditerranée contrôlée par les Ottomans et, pour ce faire, l'étiquette stipulait qu'ils devaient faire un magnifique cadeau au sultan. Quelque chose qui surpasse ce qu'avaient offert les autres – tout particulièrement les Français et les Vénitiens, leurs grands rivaux en matière de commerce. Alors, après bien des discussions, ils ont engagé un facteur d'orgues du nom de Thomas Dallam, avec mission de créer ce qui semble avoir été un merveilleux jouet mécanique.

— Tu n'avais pas parlé d'une horloge ?

— Plutôt un genre d'automate : mi-horloge, mi-instrument de musique. L'horloge en était le mécanisme principal, mais dès qu'elle arrivait à l'heure pile toutes sortes de choses se produisaient : un carillon sonnait, deux anges soufflaient dans des trompettes d'argent, l'orgue jouait une mélodie et, pour finir, des oiseaux dans un buisson de houx – des merles et des grives – se mettaient à chanter en battant des ailes.

— Et ça a marché ?

— Ça a bien failli tourner au désastre complet.

68

Thomas Dallam. a fait le voyage jusqu'à Constantinople avec sa fabuleuse machine – six mois sur un
navire de la Compagnie, le *Hector* – pour s'apercevoir à l'arrivée que le voyage l'avait pratiquement
détruite. De l'eau de mer s'était infiltrée dans les
caisses et les boiseries n'étaient pas seulement
mouillées, la plupart avaient complètement pourri.
Les marchands étaient effondrés. Ça faisait des
années qu'ils attendaient de pouvoir offrir leur
cadeau au sultan. Quoi qu'il en soit, Dallam n'a pas
eu d'autre solution que de tout reconstruire en
partant de zéro. Il a laissé un récit de ses aventures.
Elle fouilla dans ses notes. Ah oui, c'est là, dans le
Hakluyt[1], apparemment : *D'un orgue apporté au
Grand Signor et autres curiosités, 1599.*

— Je me demande bien quelles peuvent être les
autres curiosités.

— Je te tiendrai au courant, promit Elizabeth en
refermant son carnet. J'espère arriver à le débusquer
cet après-midi.

Eve regarda sa montre.

— Mon Dieu, il est déjà si tard ? Désolée, ma
chérie, faut que j'y aille. (Elle se leva d'un bond et
sortit un billet de dix livres.) Ça suffira ?

— Largement. Vas-y.

Elizabeth regarda son amie enfiler le manteau de
mohair rose vif qu'elle portait ce jour-là. À mi-
chemin de la porte, Eve se ravisa soudain et revint
vers la table.

---

1. Collection de récits de voyages réunie par Richard Hakluyt
(1552-1616), historien et géographe anglais. *(Toutes les notes sont
de la traductrice.)*

— Bien joué, ma belle, lui glissa-t-elle, lui posant un petit baiser sur la joue.

Elizabeth n'était pas pressée. Elle commanda un autre café et resta tranquillement à regarder ses notes. À la perspective du travail qui l'attendait, elle se sentait soudain pleine d'énergie. Plus calme et plus concentrée qu'elle ne l'avait été depuis des jours, en fait.

Elle remarqua les voix de femmes qui lui parvenaient de la table derrière elle. Tournant légèrement la tête, elle reconnut la plus âgée des deux, une collègue américaine de Marius en visite à Oxford. Elle l'avait rencontrée l'été précédent à un cocktail de l'English Faculty où Marius l'avait emmenée au tout début de leur liaison. Pour une raison dont elle avait maintenant du mal à se souvenir, la femme ne lui avait pas beaucoup plu. « Il y a quelque chose de... factice chez elle, avait-elle confié à Marius. Je ne sais pas pourquoi. » Mais il n'avait fait qu'en rire.

Bien qu'on soit en hiver, l'Américaine avait les orteils à l'air dans des Birkenstock blanches. Sa peau, trop bronzée, avait la couleur exacte (et peut-être aussi la texture, s'amusa Elizabeth avec une agressivité qui ne lui ressemblait pas) d'un de ces bois exotiques menacés de disparition. Elle s'était montrée assez condescendante envers Elizabeth, comme c'était le cas maintenant avec l'autre femme, plus jeune, qui lui faisait face – une de ses étudiantes, probablement. Sa voix avait cette tonalité particulière à certains universitaires ; pas exactement stridente, non, mais d'une netteté qui avait quelque chose... d'implacable. Une cadence qui s'attardait sur les voyelles, montant et descendant comme les vagues de l'océan Pacifique. Elles parlaient de thèses de doctorat en philo ; les mots « sexué » et « discours » émaillaient régulièrement leur conversation.

Elizabeth revint à ses notes et tenta de se concentrer, mais les deux femmes étaient si près d'elle qu'il lui était difficile de ne pas entendre leurs propos. Elle cherchait la serveuse du regard quand elle entendit le nom de Marius.

— En fait, un de mes amis vient juste de publier un article précisément sur ce sujet. Le Dr Jones, Marius Jones ? Vous le connaissez sûrement.

La réponse de l'autre se perdit dans un gloussement.

— Décidément, il faut croire que toutes les étudiantes connaissent Marius !

Entendre le nom de Marius dans sa bouche avait quelque chose de déplacé. *Vous ne le connaissez pas si bien que ça, chère madame*, pensa Elizabeth, consciente que son irritation était absurde.

— Et à ce sujet, je dois vous dire... (La voix de la femme se fit confidentielle.) Je sais que je ne devrais pas mais... (Elle dit quelque chose, d'un ton faussement dégagé, mais Elizabeth n'entendit que la fin.)... absolument fou d'elle. Et vous ne savez pas la meilleure ? Elle se fiche complètement de lui. Toutes ses autres petites amies sont au désespoir, ma chère.

Elizabeth n'attendit pas l'addition. Elle ajouta un billet de dix livres à celui d'Eve et sortit du restaurant. À la porte, elle croisa une femme aux cheveux blonds qui entra sans la voir, semblant chercher quelque chose. Par les vitres de la devanture, Elizabeth la vit saluer l'Américaine et

71

l'étudiante et prendre une chaise pour s'installer avec elles. C'était la blonde qu'elle avait vue chez Blackwell, pas de doute là-dessus. Elle ne voyait pas son visage, seulement celui de l'Américaine, levé vers la nouvelle venue. Un visage sans beauté, plus âgé qu'il n'y paraissait, des cheveux abîmés par le soleil lui tombant aux épaules. Et, derrière le sourire, Elizabeth perçut soudain une telle désolation que toute son hostilité s'évapora.

Oh, mon Dieu – pas vous aussi ? Pas étonnant, alors. Oh, Marius !

5

CONSTANTINOPLE, 1er SEPTEMBRE 1599

Lever du jour

En ce même matin – tandis que John Carew mangeait des pistaches sur le mur de l'ambassade d'Angleterre et qu'Hassan Aga glissait inexorablement vers la mort –, la sultane validé Safiye contemplait l'aurore depuis ses appartements privés donnant sur les eaux de la Corne d'Or.

Malgré la présence de ses quatre chambrières personnelles il n'y avait, comme de coutume, pas le moindre bruit dans la pièce. Les jeunes femmes se tenaient debout, dos au mur, immobiles comme des statues, et elles attendraient là, jour et nuit s'il le fallait, qu'elle leur donne un ordre ou les congédie, selon son bon plaisir.

Calme et indifférente en surface, Safiye continuait à regarder par la croisée, le regard apparemment fixé sur les eaux gris-rose en contrebas. Intérieurement, grâce à une longue habitude et à ce mystérieux sixième sens qui lui donnait la capacité de voir sans regarder, elle passait ses femmes en revue d'un œil critique. La première, visiblement levée en hâte ce matin-là, avait épinglé sa coiffe de travers sur ses boucles brunes ; la deuxième conservait sa mauvaise habitude de se balancer d'avant en arrière sur la plante des pieds – ne voyait-elle pas que cela lui donnait l'air d'un éléphant dans sa stalle ? Quant à la troisième, Gulbahar – avec qui elle était quand on avait découvert Petit Rossignol –, elle avait des cernes noirs sous les yeux.

— On dirait que tu as des yeux derrière la tête, lui avait souvent chuchoté Cariye Mihrimah, admirative.

— C'est une ruse que je tiens de mon père, répondait Safiye sur le même ton. Chez moi, dans les montagnes, nous sommes tous chasseurs, vois-tu. Il faut savoir garder une longueur d'avance. Je t'apprendrai, Cariye Mihrimah.

Mais Cariye Mihrimah n'avait pas survécu assez longtemps pour apprendre grand-chose, à part à parfumer d'ambre gris les lèvres de son sexe mignon et à teinter de rose les pointes de ses seins de petite fille.

La validé repensa à la nuit précédente. Elle était assurée du silence d'Esperanza. Mais peut-être avait-ce été une erreur que de laisser Gulbahar en voir autant. Une légère brise venue de la fenêtre la fit frissonner. Même si on n'était qu'au début de septembre, l'air du matin semblait déjà plus frais et les feuilles des arbres, en bas dans les jardins du palais, portaient les premières traces rousses de l'automne. Elle sentit les lourds pendants de ses boucles d'oreilles, des perles et des rubis en cabochon d'une taille et d'une transparence improbables, lui heurter la gorge. Leur poids lui meurtrissait les lobes et elle aurait aimé les enlever, mais elle avait appris de longue date à ignorer l'inconfort physique, comme tout signe extérieur de faiblesse ou de fatigue.

— Ayshe, ma fourrure, ordonna Safiye, détournant légèrement son regard de la fenêtre.

Ayshe, la quatrième et la plus nouvelle de ses chambrières, avait devancé son ordre et à peine Safiye avait-elle ouvert la bouche qu'elle se précipitait déjà pour lui draper autour des épaules sa cape, un châle brodé doublé de zibeline. Ayshe se débrouillait bien, pensa Safiye, revenant au présent pour accorder un sourire à la jeune fille. Elle avait l'esprit vif et savait anticiper ce qu'on attendait d'elle – un talent à cultiver dans la Maison de la Félicité. Elle avait eu raison, finalement, d'accepter les cadeaux de la favorite : les deux esclaves, Ayshe et l'autre, comment s'appelait-elle ? Safiye regarda les doigts d'Ayshe qui ramenait adroitement le bas de la cape sous ses pieds. L'une si brune, et l'autre si pâle – elle avait la peau si claire, cette autre fille, que c'en était presque miraculeux. Pas le moindre défaut. Le sultan Mehmet, son fils, avec son goût pour l'inhabituel, avait dû l'apprécier la nuit dernière, elle en était certaine. Tout était bon pour le guérir de son engouement pour la favorite, celle qu'au harem on appelait simplement la *haseki*. Il fallait l'éloigner d'elle, et vite. Elle en faisait une affaire personnelle.

À l'extérieur de ses appartements, dans le corridor qui longeait la cour des femmes et menait aux quartiers des eunuques, Safiye perçut un menu tintement de porcelaine. La maîtresse du café et sa suite attendaient à la porte. Même sans le bruit, elle aurait su qu'il y avait des femmes, là, dehors : une légère appréhension dans l'air, une atmosphère soudain plus lourde. Comment expliquer de quelle façon elle savait ces choses-là ? Bien qu'elle n'ait pas dormi de la nuit, Safiye avait donné l'ordre qu'on ne la dérange pas. Elle n'avait besoin ni de nourriture ni de repos ; une vie entière passée à veiller au chevet de son maître, le défunt sultan Mourad, l'avait depuis longtemps accoutumée à s'en passer. Ce dont elle avait besoin, pour le moment, c'était de silence et d'espace pour réfléchir.

À une époque, quand Safiye venait d'arriver dans la Maison de la Félicité, le silence l'oppressait et la dérangeait. C'était si différent du palais de Manisa. Tous les trois, les rossignols, étaient encore ensemble. Les souvenirs de ces temps-là regorgeaient de soleil. Mais maintenant, depuis qu'elle était devenue sultane validé, elle reconnaissait enfin le silence pour ce qu'il était : une arme à utiliser, une ruse de chasseur comme toutes les autres.

Resserrant les fourrures autour d'elle, Safiye se tourna de nouveau vers le paysage familier de la Corne d'Or. Sur l'autre rive, au bord de l'eau, s'élevaient les entrepôts des marchands étrangers et, derrière eux, la silhouette familière de la tour de Galata. À droite de la tour, les murs de l'enclave étrangère surplombaient la campagne et les maisons des ambassadeurs entourées de vignes, derrière lesquelles le soleil s'était maintenant levé. Au-delà de Galata s'étendait le Bosphore, dont la rive orientale, verte et boisée, était encore dans l'ombre.

Elle revoyait la dame grecque, Nurbanu, la précédente sultane validé, assise sur ce même divan et portant ces mêmes boucles d'oreilles, et c'était elle, Safiye, qui la servait. « Ils croient peut-être que je ne sais pas qu'il sont là, dehors, à attendre », lui avait-elle dit un jour. « Ils croient que je n'entends pas. Que je ne vois pas. Mais dans ce silence, Safiye, il n'y a rien qui m'échappe, je vois à travers les murs. »

Les premiers rayons du soleil arrivaient sur les persiennes ouvragées des fenêtres, faisant scintiller leurs incrustations de nacre. Safiye sortit le bras de ses fourrures et le posa sur la croisée, humant le subtil arôme du bois chaud. La peau de ses bras et de ses mains était lisse et d'un blanc laiteux, une peau de concubine encore, miraculeusement épargnée par les ans. Et à son doigt, capturant le soleil, luisait l'émeraude de Nurbanu, aux profondeurs vertigineuses semées d'éclairs noirs.

Que ferais-tu maintenant, se demanda Safiye, *si tu étais à ma place ?*

Elle ferma brièvement les yeux, alors qu'elle savourait l'arrivée du soleil sur son visage. L'image de Petit Rossignol – un corps enflé, des organes génitaux absents – lui revint à l'esprit. Et finalement, une réponse dans sa tête, calme et sûre. « Ne fais rien. C'est le destin. »

Ce n'était pas Nurbanu qui lui avait répondu. C'était quelqu'un d'autre, une voix venue d'outre-tombe.

« Cariye ? Cariye Mihrimah ? »

« Ne fais rien. C'est le destin. Après toutes ces années. Kismet. La seule force que nul ne peut déjouer. Pas même toi. »

— Fatma !

Les yeux de Safiye s'ouvrirent si brusquement que même la vive Ayshe sursauta.

— Oui, Majesté ? bégaya la première chambrière en rougissant, prise de court.

— Eh bien, ma fille, est-ce que tu dors ?

La validé avait parlé avec douceur, comme toujours, mais sa voix n'en gardait pas moins quelque chose d'implacable. La jeune femme en avait les mains moites et le sang aux oreilles.

— Non, Majesté.

— Mon café, alors. Si tu veux bien être assez bonne.

À pas feutrés, les chambrières de Safiye s'affairèrent dans la pièce.

Le soleil était maintenant haut dans le ciel, mais il ne pénétrait jamais bien loin dans les appartements de la validé. Au centre de la Maison de la Félicité, quartiers personnels du sultan, les pièces étaient tournées vers l'intérieur, non vers l'extérieur. Les chambres des femmes, des logements plus spacieux réservés aux concubines favorites jusqu'aux appartements privés du sultan lui-même, donnaient tous sur les quartiers de la validé. Nul, pas même la *haseki* du sultan, concubine favorite entre toutes, ne pouvait entrer ou sortir sans passer par son domaine.

À l'exception des appartements du sultan, la suite de la validé était de loin la plus vaste de toutes. Ses pièces ombreuses, baignées d'une lumière tamisée aux reflets verts et bleus, étaient fraîches en été ; l'hiver, on les chauffait grâce à des braseros et on y empilait fourrures et zibelines. Le ballet bien réglé des chambrières évoquait un banc de poissons argentés glissant dans les profondeurs marines.

En quelques instants, elles installèrent devant Safiye un plateau de cuivre, posé sur une paire de pieds pliants, et un minuscule brasero, parfumé de cèdre, fut placé en dessous. À genoux devant elle, la première servante tendit un bol, puis la deuxième, munie d'une aiguière en cristal de roche, versa lentement de l'eau de rose sur le bout des doigts de Safiye. Elles se retirèrent sans bruit pour laisser place à la troisième qui, agenouillée elle aussi, lui offrit une petite serviette brodée pour se sécher les mains. Ensuite, elles apportèrent le café. L'une tint devant elle une minuscule tasse ornée de joyaux tandis qu'une autre versait le café. La troisième posa délicatement sur la table un second plateau de cuivre où des grenades, des abricots et des figues étaient disposés sur un lit de pétales de roses en sucre cristallisé, pendant que la quatrième apportait des serviettes propres.

Safiye but lentement son café, laissant son corps se détendre. Elle ne détectait après tout aucun signe de nervosité chez ses femmes, ce qui aurait signifié à coup sûr que les rumeurs allaient bon train dans le harem. C'était une chance extraordinaire que presque toutes les femmes se trouvent encore au palais d'été. Le sultan avait décidé de rentrer au palais pour une nuit et elle l'avait suivi, n'emmenant avec elle qu'une poignée de ses femmes les plus proches. Si la Maison de la Félicité avait été pleine, il n'y aurait eu aucun moyen de garder secrets les événements de la nuit. Sur la loyauté d'Esperanza et de Gulbahar, les deux seules qui l'accompagnaient,

79

elle n'avait aucun doute. Mieux valait quand même les laisser un peu dans l'expectative – elle savait d'expérience que c'était un excellent test pour les nerfs. La première servante était nerveuse, évidemment, comme souvent, surtout depuis que la gouvernante du harem avait découvert les lettres d'amour que lui adressait l'eunuque Hyacinthe, une amourette malavisée dont elle était toujours naïvement persuadée que personne n'était au courant.

« N'agis jamais à la hâte, lui avait recommandé Nurbanu. Et n'oublie jamais que c'est dans la connaissance que réside le pouvoir. »

Tu as tort, Cariye Mihrimah, songea Safiye. *C'est peut-être le* kismet, *comme tu le dis* – en esprit, elle se pencha pour embrasser Cariye Mihrimah sur la joue –, *mais depuis quand cela m'a-t-il empêchée de savoir exactement quoi faire ?*

— Écoutez-moi toutes, requit Safiye en finissant son café. J'ai envoyé Hassan Aga, chef de nos eunuques noirs, à Edirne pour quelques jours, afin qu'il veille à certaines de mes affaires.

C'était là plus d'information qu'elle n'estimait normalement nécessaire d'en donner à ses femmes ; allaient-elles trouver cela étrange ? Un risque à prendre, décida-t-elle.

— Gulbahar, tu restes avec moi, j'ai besoin que tu portes des messages. Les autres, sortez, ordonna-t-elle avec un signe pour leur donner congé. Ayshe ?

— Oui, Majesté ?

— Amène-moi ton amie, l'autre nouvelle, j'ai oublié son nom...

— Vous parlez de Kaya, Majesté ?

— Oui. Attendez dehors que Gulbahar vienne vous chercher. Et, d'ici là, ne laissez entrer personne.

Soudain, Hassan Aga reprit conscience. De courts moments de lucidité ponctuaient ses étranges rêves fantasmagoriques, mais il n'aurait pu dire depuis combien de temps il se trouvait dans cet état. Il avait l'habitude d'être constamment en alerte, attentif au moindre bruit, au plus petit changement dans la routine du palais.

Ses yeux s'ouvrirent d'un coup. Il n'était plus dans sa chambre, il en était certain, mais où l'avait-on emmené ? Il faisait noir, plus noir que la nuit. Plus noir encore que quand il fermait les yeux, ce qui faisait jaillir des cascades et des fontaines de lumière derrière l'horizon de ses paupières.

Était-il donc mort ? L'idée lui traversa brièvement l'esprit et il s'aperçut qu'elle ne l'effrayait pas. Mais la douleur lancinante qui lui brûlait le ventre et, curieusement, les oreilles, lui rappelait que non. Il tenta de changer de position, mais, sous l'effort, son front se couvrit d'une sueur froide et moite ; il avait un étrange goût métallique dans la bouche. Une violente convulsion lui souleva le corps, mais son estomac n'avait plus rien à rejeter. Une boule aussi dure qu'une pierre lui écrasait la gorge et l'air autour de lui sentait l'humidité. Se trouvait-il quelque part sous terre, et, si oui, comment était-il arrivé là ?

Et, aussi brusquement qu'il s'était éveillé, Hassan Aga glissa de nouveau dans l'inconscience. Combien de temps resta-t-il à flotter dans ces limbes de ténèbres ? Il n'en avait aucune idée. Dormait-il ? Rêvait-il ? Et soudain, après une éternité qui aurait aussi bien pu n'être que quelques heures... de la lumière.

D'abord, il vit deux lignes, l'une verticale et l'autre horizontale. Elles étaient très pâles quand il les remarqua, aussi pâles que la première lueur grise et terne de l'aube. Elles se fondirent d'un seul coup, vertigineusement, en un seul point lumineux. Et, derrière, il aperçut deux silhouettes familières, deux femmes, qui s'approchaient. Une voix s'éleva.

— Petit Rossignol...

Venue de très, très loin, il entendit sa propre voix répondre.

— Lili, Lili, est-ce que c'est toi ?

6

Elizabeth appela Eve de sa chambre.

— Où est-ce que tu dis que tu es ?

Eve avait une petite voix.

— Istanbul, répéta distinctement Elizabeth, avant d'éloigner le récepteur de son oreille.

— Istanbul ? (Elle marqua une pause.) Mais, bon Dieu, qu'est-ce que tu fiches là-bas ?

— J'ai pris l'avion. Hier soir.

— Mais on a déjeuné ensemble. Tu n'as rien dit du tout.

— C'était un vol en *stand-by*. J'ai eu de la chance, c'est tout.

Elizabeth aurait voulu lui parler de l'Américaine et de ce qui était arrivé chez Alfie, mais elle s'en sentait incapable, même avec Eve.

— J'ai besoin..., commença-t-elle, luttant contre la douleur qui lui étreignait la gorge. J'ai besoin... que tout ça s'arrête. (Il y eut un silence au bout du fil, Eve écoutait.) Tu sais bien... tout ça, parvint-elle finalement à articuler.

Le trancher net. L'arracher. Le faire sortir de mes veines. Si seulement je savais comment, je déchirerais de mes ongles le cœur encore battant de cette monstruosité qui m'étouffe... Elle sentit monter l'hystérie.

— Je veux juste... que ça s'arrête. Par pitié.

— Ça va aller, ça va aller. (La voix d'Eve tremblait.) Ne dis rien, respire seulement. D'accord, ma belle ? Contente-toi de respirer.

Elizabeth se surprit à rire à travers ses larmes.

— Eve, ma chérie, tu pleures, toi aussi.

— Pas moyen de m'en empêcher. C'est contagieux. (Au bout du fil, Eve se moucha bruyamment.) Mais, tu sais, tout ça serait tellement plus facile à Oxford, ronchonna-t-elle.

— Je sais. (Elizabeth pressa la paume de sa main sur ses yeux brûlants.) C'est justement le problème. Il faut que... je me reprenne. Je ne supporte pas d'être dans cet état. Et je ne veux pas que tu m'aies sur les bras.

Elle se sentait misérable.

— Liz chérie, je n'ai jamais l'impression de t'avoir sur les bras.

— J'ai décidé d'en finir avec Marius. Pas de retour en arrière cette fois. (Là, elle l'avait dit. Et si elle l'avait dit, c'était sûrement vrai.) En tout cas, ajouta-t-elle, consciente que c'était plus près de la vérité, je lui ai dit que je ne pourrais plus le voir.

À l'autre bout du fil, elle sentit qu'Eve évaluait ses paroles, testait la température. Mais, quand elle parla, le soulagement dans sa voix était palpable.

— Tu l'as largué ? Oh, génial ! Génial, Lizzie ! C'est pour de bon cette fois ?

— Oh oui, cette fois, c'est pour de bon.

— Et, au fait, où es-tu, là ? Quel hôtel, je veux dire. Je présume que tu es à l'hôtel ?

— Eh bien, en fait...

Elizabeth regarda autour d'elle. À vrai dire, elle n'avait pas la moindre idée du nom de l'hôtel. Un taxi l'y avait amenée tard dans la nuit. Il y avait un lit et il était propre. Elle n'avait pas posé de questions, elle n'était pas en état. Elle regarda sur la base du téléphone à l'ancienne en Bakélite posé près de son lit.

— Je suis dans la chambre 312, et voilà le numéro de l'hôtel.

Elle lut les chiffres.

Eve parut satisfaite.

— Combien de temps penses-tu rester ?

— Sais pas. (Elizabeth haussa les épaules.) Le temps qu'il faudra.

— Pour effacer Marius ?

— Oui, répondit Elizabeth en riant. Mais je compte bien travailler aussi. Quand j'ai parlé du fragment à ma directrice de thèse, elle m'a suggéré de faire une demande pour chercher ici dans les archives, alors je me suis dit que je pouvais aussi bien faire ça maintenant.

Tout plutôt que rester à Oxford et risquer d'être tentée de pardonner.

— Le Dr Alis est de mon avis, elle pense que l'autre moitié du récit de Celia Lamprey se trouve sûrement quelque part, et j'ai comme l'intuition que c'est ici. Tu te souviens de Berin Metin ?

— La fille du programme d'échange ?

— C'est ça. Je l'ai appelée après... enfin, hier

85

après-midi, et elle pouvait m'avoir une carte de lectrice pour l'université du Bosphore. Ils ont une bibliothèque en anglais, alors je vais pouvoir continuer mes recherches, en attendant que ma demande aux archives aboutisse.

Après avoir raccroché, Elizabeth se recoucha sur le lit. Il était encore tôt : 7 heures du matin à Istanbul, 5 heures en Angleterre, s'aperçut-elle. Pauvre Eve.

Sa chambre était grande, mais très simple. Des lits jumeaux en fer forgé. Une armoire démodée. Sous la fenêtre se trouvait un renfoncement, comme une petite alcôve, avec une table et une chaise des plus ordinaires. Le plancher, légèrement en pente vers le devant de la pièce, était teinté en brun foncé et aucun tapis, pas même un *kelim* en coton, n'en atténuait la nudité. Absolument rien dans cette pièce ne suggérait qu'on se trouvait à Istanbul, ni d'ailleurs où que ce soit d'autre.

Avec précaution, Elizabeth leva la main vers le mur. Les yeux fermés, elle laissa délicatement courir ses doigts sur le plâtre. Mais rien. La pièce avait la nudité dépouillée d'une cellule monastique. Ou d'un bateau.

Demain, je déménage, décréta-t-elle.

Elizabeth se rallongea. De sa sacoche, elle sortit les notes qu'elle avait prises dans la salle de lecture de la bibliothèque orientale.

Et ils dirent à trois hommes de le saisir et ils le couchèrent face contre terre sur le pont inférieur et deux d'entre eux lui tenaient les jambes et un s'assit sur son cou et ils lui donnèrent tant de coups que, les nonnes eurent beau la prier, sa fille débarra vivement la porte de la cabine, et sortit de sa cachette en courant, et cria : « Arrêtez, arrêtez, prenez-moi mais épargnez mon pauvre père je vous en supplie », et, voyant que son père portait six ou sept blessures d'où le sang coulait, elle tomba à genoux, pâle comme la mort, et pria encore les Turcs de la prendre et de laisser la vie sauve à son père. Sur quoi, le capitayne des Turcs s'empara d'elle et, dans une rage sanglante, devant ses propres yeux il frappa le flanc de son père de son coutelas et le cloua contre la porte de l'entrepont, le perçant de part en part –

Celia. Pauvre Celia.

Tenant le papier contre sa poitrine, Elizabeth sombra dans un sommeil sans rêves.

7

CONSTANTINOPLE, 1er SEPTEMBRE 1599

Matin

Ayshe, servante de la validé, trouva Kaya près de la fontaine dans la cour des favorites.

— Elle veut te voir.

Dans la Maison de la Félicité, personne, pas même les plus récentes recrues, n'avait besoin qu'on lui précise qui « elle » était.

— Tout de suite ?

— Oui. Viens avec moi. Vite, mais sans courir, prévint Ayshe en retenant l'autre fille par le bras. Ils n'aiment pas qu'on coure.

— Ne fais pas tant d'histoires, personne ne peut nous voir, ici.

L'exode annuel vers le palais d'été de la validé sur le Bosphore, où tout le monde résidait encore hormis une poignée des plus jeunes *kislar* et les plus âgées des servantes, avait en grande partie vidé le harem du sultan et ses confins désertés résonnaient du vide des vacances.

— Tu n'as donc rien appris ? la rabroua Ayshe. Quelqu'un te verra forcément. Il y a toujours quelqu'un.

De la terrasse pavée avec sa fontaine, Ayshe fit descendre à Kaya un escalier de pierre et la mena dans les jardins du palais ; deux petites silhouettes, écarlate et or, voletant comme des libellules dans le silence matinal du jardin.

— Est-ce que tu vas rester ici ? Ou bien est-ce que tu crois que tu vas repartir avec elle ? (Kaya, qui avait du mal à suivre le pas rapide d'Ayshe, trébucha et faillit tomber.) Ne marche pas si vite, se plaignit-elle.

— Débrouille-toi pour suivre. Et patience, je te le dirai quand on sera à l'intérieur.

— Patience ! Si tu savais... Je te jure, j'en suis malade d'être patiente.

Arrivées au mur du jardin, elles tournèrent brusquement à gauche, longèrent l'hôpital du harem, puis traversèrent une seconde cour. Encore à gauche, elles empruntèrent le raide escalier de bois qui menait dans la cour pavée rectangulaire, au cœur du quartier des femmes. Au bout d'un corridor, dans un petit vestibule carrelé qui marquait l'entrée des quartiers des eunuques, Ayshe s'arrêta enfin.

— Et maintenant ?

— Nous devons attendre ici. Quand elle sera prête, elle enverra Gulbahar te chercher.

— Dans combien de temps ?

— Et comment veux-tu que je le sache, espèce d'oie ? répliqua Ayshe en fronçant les sourcils, Une heure. Peut-être deux.

— Deux heures !

— Tais-toi donc !

Elles se mirent toutes les deux en position d'attente, debout côte à côte, le dos au mur. Kaya attendit que les battements désordonnés de son cœur se calment et ferma les poings sur ses paumes moites, essayant de maîtriser sa respiration.

Il n'y avait pas grand monde ce matin-là dans les quartiers des femmes. Deux très vieilles esclaves noires, trop décrépites et ralenties par l'âge pour suivre la validé dans ses déplacements, balayaient la cour à l'aide de branches de palmier.

— Ne restez pas là, allez-vous-en, les chassa Ayshe avec un geste impatient. La validé va bientôt arriver et il ne faut pas que la vue de deux vieux débris comme vous offense son regard.

— Oui, *kadine*. Oui, madame.

Les deux esclaves battaient déjà en retraite, s'inclinant respectueusement.

Kaya regarda son amie.

— Qu'est-ce qu'elles faisaient de mal

— Je veux juste que personne ne puisse nous entendre, Vraiment personne. Et ne parle pas si fort, intima Ayshe à voix basse. Je te jure, elle entend tout.

— Tu sais pourquoi elle veut me voir ? demanda Kaya. L'appréhension lui serrait le ventre.

— Comme si tu ne le savais pas ! Elle veut probablement savoir si tu as... enfin, tu sais bien, répondit Ayshe, la main sur la bouche pour dissimuler son sourire. Si tu es toujours *gözde*, « dans l'œil du sultan ». (Elle jeta à son amie un coup d'œil narquois.) Et alors ?

— Oh, elle doit bien le savoir.

— Elle sait sûrement, acquiesça Ayshe, acide. Il est même probable qu'elle y assiste en personne.

Kaya émit un son inarticulé.

— Vraiment. Je ne dis pas ça pour plaisanter. Il n'y a rien qui lui échappe, il faut qu'elle sache tout, elle en fait une affaire personnelle.

— Oui mais personne n'y... assiste, en fait. (Kaya regarda de nouveau son amie.) Ils... ils l'écrivent dans un livre. Je le sais, ajouta-t-elle, l'eunuque Hassan Aga me l'a montré. (Un bref silence.) Et non, ils n'y ont pas encore écrit mon nom.

Elles restèrent un moment sans parler, brusquement intimidées l'une par l'autre. Dans la cour désertée par les vieilles femmes, le soleil faisait lentement son chemin. Des voix de servantes et des bruits d'eau leur parvenaient du hammam des femmes qui donnait sur un des côtés de la cour. Même ici, au cœur du harem, on ressentait cette impression de vide. Kaya, peu habituée à monter ainsi la garde, se balançait inconfortablement, levant l'un après l'autre ses petits pieds chaussés de souples bottes en chevreau.

— Combien de temps, encore ? J'ai mal au dos.

— Patience, espèce d'oie.

— Tu l'as déjà dit.

— Et ne te balance pas, pour l'amour du ciel, elle a horreur de ça. Essaie de te tenir un peu tranquille.

Un autre silence.

— Tu me manques, Annetta.

— Toi aussi, Celia.

Dans la cour, un filet d'eau, échappé de la porte du hammam, s'écoulait lentement sur les pierres chaudes.

— Ne pleure pas, espèce d'oie.

— Moi ? Je ne pleure jamais.

— Tu vas avoir le nez tout rouge.

— C'est ce qu'il nous a dit, tu te souviens ? Le jour où on nous a vendues.

— Oui, je me souviens.

Comment l'oublier ? Celia repensa au jour de leur arrivée dans la Maison de la Félicité. Après le naufrage – ça faisait combien de temps ? Deux étés, maintenant, d'après ses calculs ; il y avait eu un long voyage, suivi d'un séjour encore plus long chez la marchande d'esclaves à Constantinople. Et quelques mois seulement auparavant, sans le moindre avertissement, une litière portée par des eunuques était arrivée un jour et on les y avait mises toutes les deux pour les emmener au palais. Une grande dame les avait achetées pour les offrir en cadeau à la mère du sultan, leur avait-on dit. Elles n'étaient plus Celia et Annetta, mais Kaya et Ayshe ; à part cela, personne n'avait pris la peine de leur parler de ce qui les attendait.

Celia se souvenait du balancement nauséeux de la litière à travers la ville jusqu'à une porte cloutée de cuivre, la plus grande et la plus lugubre qu'elle ait jamais vue de sa vie. Il faisait si sombre à l'intérieur qu'au début elles y voyaient à peine. Elle se rappelait surtout sa terreur quand les eunuques les avaient fait descendre de la litière, et sa propre voix qui criait – « Paul, oh, Paul ! » – tandis que la porte se refermait lourdement sur elles.

Dans un bruissement d'ailes, deux pigeons vinrent se poser sur le toit en pente au-dessus de leurs têtes, faisant sursauter les deux jeunes filles.

— Annetta ?

— Quoi ?

— Est-ce que tu crois qu'un jour on oubliera ? Nos vrais noms. J'ai demandé un jour à Gulbahar et elle ne se souvient plus du sien.

— Mais elle n'avait que six ans quand elle est arrivée. Bien sûr qu'on se souviendra. On se souviendra de tout. (Les yeux d'Annetta se rétrécirent.) Comment est-ce qu'on pourrait oublier ?

— Et tu as envie de te souvenir, non ?

— Évidemment, espèce d'oie. (Un bref silence.) Seulement, maintenant, on est ici, et il faut qu'on en tire le meilleur parti possible. Tu sais Celia, peut-être que ce serait mieux si... (Annetta se raidit soudain.) Chut !

— Je n'entends rien.

— Gulbahar arrive.

— Mais comment...

— Je l'ai observée, c'est comme ça qu'elle fait, souffla Annetta à l'oreille de Celia. Mais aucune importance, écoute. Quoi que tu fasses, essaie de ne pas trop en dire. Tout ce que tu lui diras, elle s'en servira, et je dis bien tout. Mais elle n'aime pas non plus avoir affaire à une chiffe molle. Et quoi que tu fasses, n'essaie pas de jouer les idiotes.

Ses yeux noirs revenaient sans cesse vers la porte. Près d'elle, Celia était maintenant aussi immobile qu'une morte. Sous la peau derrière son oreille, son pouls battait comme un oiseau affolé.

— Écoute, Celia : il s'est passé quelque chose.

— Quel genre de chose ? (Alarmée, Celia se tourna vers elle.) Et comment ? Comment est-ce que tu le sais ?

— Je... je ne sais pas vraiment. C'est juste une impression que j'ai. (Annetta appuya sa main au

93

creux de son estomac.) Rappelle-toi bien tout ce que je t'ai dit, c'est le mieux que je puisse faire. Maintenant, vas-y.

Depuis qu'elle était arrivée avec Annetta dans la Maison de la Félicité, Celia s'était naturellement déjà trouvée de nombreuses fois en présence de la validé. Il y avait beaucoup d'événements dans la vie des femmes du palais – la musique et les danses pour le sultan, les pique-niques à la fraîche dans les jardins du palais et les sorties en bateau sur le Bosphore – où la validé se montrait. Dans ces moments-là, lorsque la musique résonnait et que les voix des femmes, leurs rires s'élevaient dans l'air parfumé de roses, lorsqu'on les emmenait voir jouer les dauphins dans la mer de Marmara, ou lorsque la lune étincelait sur les eaux du Bosphore et que les petits bateaux des femmes, éclairés comme des lucioles, suivaient le sultan embarqué sur la barge de sa mère Safiye, dont la poupe, toute brillante d'ivoire, de nacre et d'or, était incrustée de pierres précieuses, dans ces moments-là, pensa Celia, on aurait presque pu croire, parfois, que la validé était leur mère à toutes.

C'étaient des moments de grâce ; des moments où les femmes du palais semblaient vraiment les plus heureuses et les plus fortunées de tout l'Empire. Ces jours-là, personne n'observait, ne guettait ni n'espionnait. Les formalités et l'étiquette du palais étaient oubliées. Oubliés aussi le chagrin, la peur et même cette étrange sensation oppressante – maintenant presque constante – qui lui tenaillait le côté gauche, juste sous les côtes.

Dans le cadre de leurs diverses attributions, les

femmes du palais voyaient souvent la validé, tous les jours pour beaucoup d'entre elles, mais elles n'étaient que très peu à pénétrer dans ses appartements privés. Parmi elles, les quatre chambrières que la validé avait choisies elle-même et qui ne la quittaient jamais ; la gouvernante du harem, bras droit de la validé et, après elle, la femme la plus puissante du palais ; les maîtresses de la lingerie et du garde-manger, du café et de l'aiguière des ablutions et certaines autres hautes dignitaires responsables de la gestion quotidienne du quartier des femmes : la trésorière, la scribe et la grande muette qui était maîtresse de la coiffure.

Quand Gulbahar l'introduisit chez la validé, Celia garda le regard fixé au sol, comme on le lui avait appris, n'osant pas relever les yeux. Gulbahar s'était retirée, sans que Celia la voie ou l'entende partir. Elle resta là un bon moment, écoutant le profond silence qui régnait entre les murs de la chambre de la validé, sous les hautes voûtes où pénétrait indirectement une froide lumière teintée de vert et d'or.

— Tu peux lever les yeux, maintenant.

Alors c'était bien vrai, ce qu'on racontait. La voix était basse et légère, une voix d'or, mais aussi pleine de mystère ; comme on le lui avait dit, c'était la voix d'un ange.

— Approche, *cariye*. (Une main se leva et à ses doigts, l'éclair d'une émeraude.) Approche, esclave, que je te regarde.

Celia fit trois pas en direction de la voix. Une silhouette très droite, étonnamment menue, se détachait sur la fenêtre. Une cape de fourrure était négligemment drapée sur ses épaules. À ses oreilles, à son cou, des joyaux lançaient mille feux, et sa tunique, sous la fourrure de la cape, était tissée uniquement de fils d'or. De longs rangs de petites perles s'entrelaçaient dans ses cheveux qui retombaient en une lourde natte sur une de ses épaules comme la chevelure d'une sirène.

— Quel est ton nom ?

— Kaya... Majesté.

Encore un peu intimidée, Celia leva les yeux. Elle fut surprise de constater que la validé souriait. La fourrure de la cape bougea et Celia vit qu'un gros chat, au pelage d'un blanc immaculé, était pelotonné sur ses genoux. Il avait un œil bleu et l'autre vert.

— Ah. (L'émeraude scintilla de nouveau.) Assieds-toi donc, petite Kaya. Assieds-toi un moment avec moi, dit la validé en désignant des coussins posés à côté d'elle sur le divan. Voici Chat. Aimes-tu les chats ? C'est mon fils, le sultan, qui me l'a donné. Ce n'est pas un nom très original, je le crains, mais c'est ainsi que les eunuques l'appellent et, finalement, cela lui va bien. (Sa voix était douce, souriante même.) Vois-tu ses yeux ? (Le chat, sachant qu'on parlait de lui, fixa Celia de son regard minéral.) Ces chats-là viennent de Van, à l'est de notre Empire, près des monts du Caucase. Ils sont beaux, non ?

— Oui, acquiesça Celia, hochant la tête avec raideur. (Puis, se rappelant les paroles d'Annetta, elle ajouta bravement :) J'ai toujours aimé les chats.

— Ah oui, vraiment ? (À entendre Safiye, rien n'aurait pu lui faire plus plaisir que d'apprendre cela.) Alors nous avons quelque chose en commun, toi et moi, dit-elle en caressant le chat sous le menton de ses doigts chargés de pierreries. Et toi, *signorina* Kaya ? D'où étais-tu, avant de nous arriver ? *Da dove vieni ?* (Elle se mit soudain à rire, ravie.) Tu vois, je parle le langage de Venise. Est-ce que cela te surprend ? Tu es de Venise, non ?

— Non... enfin, oui, Majesté, se reprit Celia, anxieuse de ne pas la décevoir. C'est-à-dire que je m'y suis très souvent rendue avec mon père. Il était marchand et commerçait à Venise avant... avant qu'il ne meure.

— *Poverina*, s'exclama la validé d'une voix douce et pleine de compassion.

— Je viens d'Angleterre. C'est Annetta qui est de Venise, continua Celia, espérant ne pas trop bafouiller. Nous étions à bord du même navire quand nous avons été... (Elle hésita, ne sachant trop comment mentionner l'épisode de brutalité sanglante qui hantait encore ses nuits.) Enfin, se corrigea-t-elle, avant qu'on ne nous amène ici. À la Maison de la Félicité.

— Annetta ? Tu parles d'Ayshe, ton amie aux cheveux noirs ?

Celia hocha la tête. Elle commençait à se détendre un peu et s'installa plus confortablement sur les coussins.

— Je crois que ton amie est née à Raguse, la ville d'où sa mère était originaire, dit la validé.

— Oh, vous saviez cela ?

— Mais bien sûr. (Sur les genoux couverts de soie de la validé, le chat bailla subitement, montrant des dents blanches aussi aiguisées que des rasoirs.) Il n'y a pas grand-chose que j'ignore au sujet de mes femmes, mais cela, elle te l'a probablement dit, n'est-ce pas ?

— Non... (Celia baissa la tête et rougit.) Oui, Majesté.

— Tu me dis la vérité : c'est très bien. Ayshe est une fille intelligente. Elle voit beaucoup de choses, mais elle est assez maligne pour ne pas révéler ce qu'elle sait. Enfin, la plupart du temps. Elle pourrait bien aller très loin. Mais ce n'est pas seulement pour cela que j'ai fait d'elle une de mes *cariye*. Sais-tu pourquoi je l'ai choisie ?

Celia fit signe que non.

— Je l'ai choisie parce qu'elle vient de tout près de là où je suis née – dans le village de Rezi, près des montagnes d'Albanie. Raguse aussi a autrefois appartenu aux Vénitiens. Nos montagnes se trouvent dans l'empire du sultan, mais si proches que beaucoup de gens là-bas parlent encore la langue vénitienne. Comprends-tu ?

Safiye se tourna pour regarder par l'embrasure de la fenêtre les eaux grises de la Corne d'Or, maintenant zébrées de soleil.

— Les montagnes, soupira-t-elle. Quand j'avais ton âge, combien j'ai pu mourir d'envie de les revoir. Je vais t'avouer quelque chose, *cariye*, même moi je me sens seule parfois. Est-ce que cela te surprend ? Oui, même au milieu de tout ceci. (Les doigts chargés de bijoux décrivirent un arc gracieux pour désigner la pièce autour d'elles.) Mon maître, le vieux sultan, est mort. Et tous nos compagnons de l'époque de Manisa, avant que nous venions à Constantinople, eux aussi sont presque tous partis, maintenant.

Elle se tourna vers la jeune fille, qui n'en revenait pas.

— Nous arrivons toutes ici en tant qu'esclaves, toutes autant que nous sommes : les esclaves du sultan. Nous abandonnons tout, jusqu'à nos noms. C'est étrange, ne penses-tu pas, qu'aucune de nous ne soit née ottomane, ou même musulmane. Pas une seule d'entre nous. Il n'y a rien qui nous unisse, sinon le grand honneur d'être les femmes du sultan. Et ne l'oublie pas, *cariye* : il n'y a pas de plus grand honneur que celui-là. (Safiye se tut un instant.) J'ai choisi de venir ici, vois-tu, quand je n'étais encore qu'une enfant ; j'ai choisi cette vie de plein gré, comme beaucoup d'entre nous ici. Mais tu dois déjà le savoir. Tout le monde parle, n'est-ce pas ? Chaque femme ici a son histoire à raconter. Toi aussi, *poverina*. Tu as ton histoire et, un jour, tu me la raconteras.

Safiye marqua une autre pause, un peu plus longue cette fois, afin de laisser à ses paroles le temps de bien pénétrer. Son regard se fixa sur le navire marchand anglais ancré de l'autre côté de l'eau, ses oriflammes rouges et blanches flottant dans la brise de l'après-midi. Le *Hector*. Un vaisseau impressionnant, de loin le plus grand de tout le port, comme les Anglais l'avaient sans nul doute prévu : un symbole de la puissance de leur pays. Elle se rappela la sensation qu'avait causée, à peine quelques jours plus tôt, son arrivée en grande pompe dans la Corne d'Or. Le souvenir lui revint de cet Anglais, envoyé pour lui apporter les cadeaux de la reine anglaise. Un personnage inquiétant, tout en noir. Pâle, les yeux durs. Pour une raison qu'elle ne parvenait pas à s'expliquer, l'image de cet homme s'attardait dans un coin de son esprit. Était-il possible, était-il concevable – la pensée lui en vint subitement – que le bateau en sucre qu'elle avait trouvé dans la chambre de Petit Rossignol ait été envoyé par lui ? Ce serait tout naturel, en somme, et bien dans leurs intérêts, de vouloir attirer l'attention sur eux, afin de ne pas perdre l'avantage. Et il y avait bien un nom – n'est-ce pas ? –, un nom écrit sur le flanc de ce bateau. Mais ce n'était pas le *Hector*.

Elle se retourna vers Celia, la gratifia d'un sourire éblouissant.

— Chacune d'entre nous ici a quelque chose, une chose qui nous rappelle ce que nous étions, avant. Et, pour moi, ce sont les montagnes. Les montagnes de Rezi, où je suis née. Mais, pour toi, je me demande ce que c'est. Viens ici, plus près. (Elle fit signe à Celia d'approcher.) Regarde en bas et dis-moi ce que tu vois.

Celia regarda par la croisée.

— Je vois de l'eau.

— Et quoi d'autre ?

— Les arbres dans les jardins du palais, ajouta Celia, consciente que la validé l'observait attentivement. Des nuages ?

Une pause.

— Et les bateaux ?

— Des bateaux. Oui, bien sûr, il y en a aussi.

La sultane Safiye se tut, enroulant autour de ses doigts une mèche de cheveux ornée de perles.

— Quand j'étais jeune, je regardais souvent les bateaux sur le Bosphore, raconta-t-elle après un moment. Je me demandais lesquels venaient de mon pays ; s'ils m'y remmèneraient un jour. Mais j'étais sage, même enfant. Je savais que, même si j'en avais la possibilité, jamais je ne repartirais. (Subitement, la validé sembla sortir de sa rêverie.) Mais allons ! Je ne t'ai pas fait venir ici pour te donner une leçon d'histoire.

D'un mouvement impatient, le chat sauta des genoux de Safiye et resta devant elle à secouer méticuleusement une de ses pattes, faisant tinter la clochette accrochée à son cou par une chaîne d'or.

— C'est cela, Chat, va-t'en donc. File. (La validé fit ostensiblement mine de le chasser, avant de se retourner vers Celia avec un faible sourire.) Comme si Chat allait m'obéir. Même le sultan ne peut dicter à un chat ce qu'il doit faire. C'est pourquoi nous les aimons tant, ne crois-tu pas, *cariye* ?

— Certainement, Majesté.

Enhardie, Celia tendit le bout des doigts au chat, qui les renifla.

— Ah, regarde, tu lui plais. Tu es même sa préférée. Regarde, il vient sur tes genoux !

Le chat s'installa à côté de Celia, la laissant passer les doigts dans sa fourrure. Elle pouvait sentir ses os et ses côtes, étonnamment fragiles sous l'épaisseur des poils.

— Et il y a quelqu'un d'autre de qui j'aimerais que tu sois la préférée. Quelqu'un qui, je crois, pourrait même en venir à t'apprécier énormément. Mais tu n'as pas très bien joué ton rôle, hier soir, si je ne me trompe ?

La soudaineté de son approche prit Celia par surprise. Elle leva les yeux, rougit, les baissa de nouveau.

— Le... Sa... je n'ai pas été...

Quel était le mot ? Quel terme utiliser pour désigner l'acte qui, finalement, n'avait pas pris place ?

— Je n'ai pas été... honorée, hier soir, non.

— Chut ! Je ne t'ai pas fait venir ici pour te critiquer. Voyons, ne suis-je pas ton amie ? Eh bien, tu trembles ? Allons, Kaya, petite sotte, donne-moi ta main. (Saisissant le poignet de la jeune fille, la validé fit entendre son rire argentin.) Mais qu'est-ce qu'on t'a donc raconté ? Je suis vraiment si effrayante que cela ?

Celia sentit la caresse de ses doigts, doux et légers, sur la paume de sa main.

— Ce ne serait pas très malin de ma part de critiquer celle qui pourrait bien devenir la nouvelle concubine du sultan ; et pourquoi pas, un jour peut-être, sa favorite, sa *haseki*. N'est-ce pas ?

Celia parvint à sourire faiblement.

— Voilà qui est mieux. Et, maintenant, tu vas tout me raconter. Mais d'abord, petite Kaya, déclara Safiye en refermant sa main autour des doigts de la jeune fille, dis-moi ton nom. Je parle de ton nom de naissance. Celui que ton père t'a donné.

— Mon nom était Celia, Majesté. (Et pourquoi, à ces mots, Celia vit-elle passer l'ombre d'un froncement de sourcils sur le visage de la validé ?) Mon nom était Celia Lamprey.

8

ISTANBUL, DE NOS JOURS

Elizabeth s'éveilla si doucement qu'elle se demanda un instant si elle avait vraiment dormi. Sa montre indiquait 10 heures. Elle avait dormi trois heures. Elle s'habilla, descendit, et trouva le buffet du petit déjeuner encore en place dans une petite pièce sans fenêtre au sous-sol. Il n'y avait personne et elle se servit elle-même des œufs durs, des olives, du concombre et des tomates, des petits pains et une confiture maison rose et épaisse, apparemment à base de pétales de rose.

En remontant vers sa chambre, elle vit une vieille dame assise dans l'entrée. La femme avait placé sa chaise – un curieux objet qui avait l'air d'avoir été fabriqué avec de la ficelle – à un endroit stratégique, entre deux gros palmiers en pot, au pied de l'escalier. Elle était habillée tout en noir. Elizabeth se dirigea vers elle.

— Excusez-moi, ma question va peut-être vous sembler bizarre, mais pourriez-vous me donner le nom de cet hôtel ?

La femme, occupée à lire un journal turc, la regarda par-dessus des lunettes à monture d'écaille. Contrastant avec ses vêtements noirs informes, d'exquises boucles en or, de style byzantin, pendaient aux lobes de ses oreilles.

— Un hôtel ? Ma chère petite, ceci n'est pas un hôtel.

— Ah non ?

Il devait y avoir une note d'inquiétude dans la voix d'Elizabeth car la femme sourit soudain, amusée.

— Ne prenez pas cet air affolé. Je vous en prie...

Elle désigna une seconde chaise en ficelle à côté d'elle. Surprise, Elizabeth s'assit sans discuter.

— Vous avez bien dormi ?

— Oui, répondit Elizabeth, la regardant avec de grands yeux. Merci.

— J'en suis ravie. Vous avez dormi, vous avez mangé et dans un moment vous allez me dire quels sont vos projets. Mais d'abord, je vous prie, prenez donc le thé avec moi. Avez-vous déjà goûté à notre thé à la pomme ?

— Non...

Se rendant compte que c'était impoli de la fixer ainsi, Elizabeth se força à détourner le regard.

— Non ? Alors vous devez absolument essayer. Au fait, je m'appelle Haddba et je suis ravie de faire votre connaissance.

— Comment allez-vous ? dit machinalement Elizabeth en serrant la main tendue. Excusez-moi, mais si ce n'est pas un hôtel...

— Un instant, s'il vous plaît. Rachid !

Un garçon d'environ dix ans apparut et fut expédié chercher le thé.

— À nous, maintenant.

Haddba examina la jeune femme d'un œil pensif. Ses yeux, nota Elizabeth, étaient d'une forme exquise, comme des larmes ; leurs paupières, qui avaient la texture épaisse et crémeuse de pétales de magnolia, étaient un peu tombantes, lui donnant un air endormi que démentait un regard noir et perçant.

— Je crois qu'il faut que je vous explique, nous sommes une pension de famille, pas un hôtel.

— Oh, je vois ! s'exclama Elizabeth, soulagée. Alors c'est pour ça que vous n'avez pas de nom ?

— Ici, à Beyoglu, on nous connaît simplement comme le numéro 159... (Elle donna le nom de la rue.) C'est l'adresse à donner à vos amis.

Son anglais, bien que teinté d'un fort accent, avait des sonorités distinguées, comme si elle l'avait appris dans un manuel d'avant-guerre.

Nos hôtes restent en général un moment : quelques semaines, parfois même quelques mois. (Les lourdes paupières battirent très lentement une, deux, trois fois.) On préféré ne pas figurer dans les guides touristiques.

— Je me demande comment le taxi a su qu'il fallait m'amener ici.

— Vous prévoyez de rester longtemps. C'était une évidence.

— En fait, oui. (Elizabeth fronça les sourcils.) Mais je ne me souviens pas de l'avoir dit au chauffeur.

— Il était tard, dit Haddba en retirant avec un soin exagéré une peluche blanche de la manche de son cardigan. Et il a sans nul doute vu la taille de votre valise.

Elle rit, faisant danser ses boucles d'oreilles.

9

Jour et nuit

Hormis la validé elle-même, aucune des hautes dignitaires du palais ne se trouvait à la Maison de la Félicité le jour où Celia fut conduite auprès du sultan. En leur absence, les ablutions rituelles – parfumer son corps et ses vêtements, choisir avec soin robes et bijoux et tous les autres préparatifs dictés par la coutume pour une nouvelle concubine – avaient été conduites par Cariye Lala, sous-maîtresse des bains.

Nul ne savait depuis quand Lala se trouvait à la Maison de la Félicité. Il se murmurait parmi les autres *cariye* qu'elle était déjà là quand la sultane validé, alors jeune femme, était arrivée, et qu'elle était une des très rares à avoir servi sous les ordres de l'ancienne validé Nurbanu et de sa gouvernante du harem, la redoutable Janfreda Khatun. À la mort du sultan Mourad, la plupart de ses gardes, de ses

106

femmes et de ses filles étaient partis pour l'*Eski Saray*, le Vieux Palais.

— On l'appelle le « Palais des Larmes », avait coutume de dire Cariye Lala quand une des jeunes femmes l'interrogeait sur sa vie. Je me souviens du jour où ils sont tous partis. Comme nous avons pleuré, ce jour-là. Et les petits princes, morts, tous morts, assassinés pour protéger le nouveau sultan. Certains n'étaient encore que des bébés. Nous avons tant pleuré que nous avons cru en devenir aveugles, racontait-elle, et ses yeux larmoyants débordaient à ce seul souvenir.

Cariye Lala était maintenant courbée par les ans et son visage ridé sombrait dans l'anonymat de la vieillesse. Même dans sa prime jeunesse, elle n'avait jamais été assez jolie pour attirer le regard du sultan. Après avoir été vendue, elle était passée en apprentissage, comme toutes les nouvelles, dans chacun des départements de la maisonnée du sultan et avait fini par arriver chez la maîtresse des bains, au service de qui elle était restée toutes ces années. Ni assez intelligente ni assez ambitieuse – de l'avis général – pour atteindre le sommet de la hiérarchie, elle n'en était pas moins une sorte d'institution dans la vie du palais, une dernière relique poussiéreuse du passé, experte en tout ce qui était rituel et étiquette.

— Et il n'y a pas que sur cette étiquette-là qu'elle s'y connaît, avait un jour dit la première chambrière de la validé aux deux nouvelles esclaves, Kaya et Ayshe.

— Il paraît qu'elle connaît toutes les astuces, avait renchéri la deuxième chambrière.

— Quel genre d'astuces ? avait demandé Celia.

Elles s'étaient contentées de la regarder en riant.

— Tu dois la soudoyer pour qu'elle t'apprenne ce qu'elle sait, avait décidé Annetta le matin même où Celia avait appris qu'elle était *gözde*.

— La soudoyer ? répéta Celia, encore sous le choc.

— Lui donner de l'argent, nigaude. Tu en as mis de côté ?

— Oui, comme tu me l'as dit.

Celia montra sa bourse.

— Cent cinquante aspres, compta rapidement Annetta. Bien. Et j'en ai cent de plus. Qu'est-ce que je t'ai dit ? Ça ne sert à rien de tout dépenser en colifichets, comme font les autres. Notre pécule quotidien, c'est à ça qu'il doit servir. Tiens, prends-les.

— Annetta, je ne peux pas...

— Ne discute pas. Prends-les.

— Mais ça fait deux cent cinquante aspres !

— Probablement guère plus d'une semaine de gages pour cette vieille Lala, fit judicieusement remarquer Annetta. Et c'est peu pour quelque chose dont tu te souviendras toute ta vie. Du moins, espérons-le. Mais je te le dis, elle a intérêt à être à la hauteur. Je me souviens d'un poème que ma mère récitait – enfin, avant qu'elle me mette au couvent. *Cosi dolce e gustevole divento / Quando mi trovo in letto...*, récita Annetta, moqueuse. « Si douce et appétissante je deviens / Quand je me trouve dans un lit / Avec celui qui m'aime et m'apprécie / Que notre plaisir surpasse toutes les délices. » Il faut que tu apprennes comment te rendre douce et appétissante, voilà tout. Pauvre Celia.

Pliée en deux, celle-ci pressa les mains sur son côté gauche, sous les côtes, et gémit.

— Tu ne pourrais pas y aller à ma place ?

— Pourquoi ? Parce que j'ai été élevée dans un bordel ? *Santa Madonna*, non, je ne pense pas.

— Mais toi... toi tu es au courant de ces choses-là.

— Moi ? Ah non, ma douce Celia, pas moi, répliqua légèrement Annetta.

— Mais si, tu sais tellement de choses. Et moi... (Celia haussa les épaules, désespérée.) Moi, je suis restée en mer.

— Tss ! Tu es folle ? la rabroua Annetta en lui pinçant rudement le bras.

— Aïe !

— Tu ne vois donc rien ? Tu n'as pas remarqué comment ils te regardent, tous, maintenant que tu es *gözde* ? lui siffla-t-elle à l'oreille. Alors épargne-nous tes rougeurs de pucelle effarouchée. Nous avons une chance et cette chance, ma petite, c'est toi. Et ce sera peut-être la seule que nous aurons.

Plus tard dans la journée, on vint chercher Celia pour l'emmener sans cérémonie au hammam privé de la validé. Cariye Lala l'y attendait.

— Déshabille-toi, allez, ne fais pas la timide.

Cariye Lala examina attentivement Celia. Les iris de ses yeux, remarqua la jeune fille, étaient encore d'un bleu saisissant et leur blanc, très blanc.

Sa servante, une jeune fille noire qui ne devait pas avoir plus de douze ans, aida Celia à enlever sa robe de dessus et sa chemise. Elle paraissait si craintive qu'elle osait à peine lever la tête, encore moins les yeux, et ne se risquait pas à les regarder en face. Ses mains, aux paumes menues et roses, semblaient celles d'une pauvre créature en cage et tâtonnaient en tremblant sur la longue rangée de minuscules boutons de nacre fermant la robe de Celia.

Je me demande d'où tu viens, se surprit à penser Celia. Es-tu heureuse d'être ici, comme beaucoup de femmes prétendent qu'elles le sont, ou bien voudrais-tu rentrer chez toi, comme je le souhaite à chaque instant ? Elle se sentit soudain pleine de pitié pour cette petite fille et tenta de l'encourager d'un sourire, ce qui n'eut apparemment pour effet que d'accroître sa fébrilité.

Je dois lui sembler si loin au-dessus d'elle, comprit soudain Celia. *La nouvelle concubine du sultan. Du moins peut-être*, se ravisa-t-elle, *puisque je ne suis pas son choix, mais un cadeau que veut lui faire sa mère, la validé. Les choses seraient tellement différentes si c'était Annetta qui avait été choisie plutôt que moi. Annetta – délurée, entreprenante et aussi futée qu'un singe – saurait parfaitement jouer son rôle. Alors qu'à moi, tout cela me paraît si étrange, si irréel.*

Cariye Lala prit Celia par la main et l'aida à glisser ses pieds dans de hautes sandales de bois incrustées d'éclats de nacre, avant de la conduire vers une deuxième pièce. Il y faisait plus chaud et presque noir, à part la lueur d'un petit brasero dans un coin. L'air était saturé de nuages de vapeur au léger parfum d'eucalyptus. Sur trois des murs, de l'eau coulait depuis des niches de marbre, emplissant la pièce d'un bruit de cascade.

— Allonge-toi là-bas.

Cariye Lala désigna la table en marbre de forme octogonale qui occupait le milieu de la pièce. Juste au-dessus, le plafond formait un dôme, ajouré pour laisser entrer la lumière.

Celia traversa la pièce avec précaution, mal à l'aise dans les sandales dont les semelles de bois claquaient sur le sol. Elle avait beau être perchée dix centimètres plus haut que d'habitude, elle se sentait toute petite dans sa nudité. Pour la première fois, elle hésita. Au lieu de s'allonger, elle s'assit gauchement sur la table, frissonnant au contact du marbre froid sous ses fesses nues. À la main, elle tenait maladroitement la bourse qu'Annetta lui avait donnée.

— Cariye ?

Le cœur de Celia battait plus vite. Il ne fallait plus attendre. Dans sa paume, la bourse semblait lourde, et étrangement peu rassurante. Et si Cariye Lala ne comprenait pas ? Comment parviendrait-elle à lui expliquer ce qu'elle espérait recevoir en échange de cet argent, deux cent cinquante aspres, une petite fortune pour Celia qui, même si elle était *gözde*, occupait encore un des rangs les plus bas dans la hiérarchie du harem ? À cette seule pensée, Celia rougit de honte. Elle pensa à Annetta et se força à rassembler son courage.

— Cariye Lala ?

Mais Cariye Lala ne l'entendait pas, perdue dans un monde de lotions et de crèmes dépilatoires, parmi les inestimables fioles d'essence de rose, de baume de la Mecque et les pots d'onguent au miel alignés devant elle en rangs étincelants comme dans la vitrine d'un apothicaire. Elle chantait toute seule en travaillant : sa voix, étonnamment douce et claire, résonnait sur les murs de marbre. Celia avait la bouche sèche ; des perles de sueur minuscules lui picotaient le front. En désespoir de cause, elle se leva, vacilla sur les hautes sandales.

— Pour vous, Cariye Lala, offrit Celia, lui touchant légèrement l'épaule.

Sans un mot, la vieille femme prit la bourse qui disparut en un éclair. L'avait-elle escamotée dans un repli caché de sa robe ? Celia cligna des yeux. Où était-elle passée ? Deux cent cinquante aspres ! Elle essaya de ne pas penser à ce que dirait Annetta. La transaction s'était passée si vite que c'était comme si rien n'était arrivé.

Celia battit encore des paupières, ne sachant que faire, mais déjà Cariye Lala la ramenait vers la table de marbre. La petite pièce était de plus en plus chaude. Avec un frisson, elle imagina, derrière les murs, les mains invisibles qui alimentaient la chaudière sous le sol avec des bûches gargantuesques, apportées spécialement pour cet usage par les bateaux du sultan depuis les forêts de la mer Noire. Depuis les jardins du palais, les femmes les regardaient souvent remonter le Bosphore.

Pour ne pas se mouiller en lavant Celia, Cariye Lala s'était presque entièrement déshabillée. Un mince tissu noué autour de sa taille dissimulait ses maigres cuisses, mais ses vieux seins aux longs mamelons bruns et ridés comme des pruneaux se balançaient librement au rythme de ses mouvements, heurtant parfois le dos et les jambes de Celia qui était à plat ventre sur le marbre.

112

Et maintenant? se tourmentait la pauvre Celia. *Qu'est-ce que je fais ? Est-ce que je dois dire quelque chose ou juste me taire ?* Le marbre, devenu brûlant au toucher, lui piquait la joue et le cou. Pour une femme d'apparence si frêle, Cariye Lala était dotée d'une énergie surprenante. Elle attrapa le bras de Celia et se mit à l'ouvrage.

La servante lui apportait des brocs d'eau, d'abord chaude, puis glacée. Cariye Lala versait et frottait. À l'aide d'un rude gant de crin, elle frictionna Celia de la tête aux pieds. La peau de Celia était si claire que sa blancheur laiteuse, qui dans quelques heures serait offerte au sultan pour son plaisir, ne tarda pas à virer au rose vif, puis à un rouge écarlate et brûlant. Un petit gémissement s'échappa de ses lèvres. Elle tenta de se libérer mais elle était prisonnière d'une poigne d'acier. Cariye Lala parvenait à la maintenir aussi facilement que l'aurait fait un champion de lutte. Celia se débattit un peu, puis se tint tranquille.

Retournant Celia sur le dos, la vieille femme se remit à la tâche avec une ardeur renouvelée. Aucune partie du corps de la jeune fille ne semblait pouvoir échapper à son zèle purificateur. Aucun endroit de sa personne n'était trop intime. Celia rougit et sursauta en sentant les mains de Cariye Lala lui écarter les fesses et ses doigts s'aventurer dans les plis couleur de rose en haut de ses cuisses.

Du brasero, la servante rapporta un petit pot de terre cuite, plein de cette substance nommée *ot* que Celia avait appris à bien connaître. Depuis son arrivée dans la Maison de la Félicité, elle s'était habituée à ces bains qui revenaient constamment dans la vie des femmes du palais ; ces rites de propreté, requis par la nouvelle religion qu'elles étaient tenues d'embrasser, avaient d'ordinaire lieu dans les bains collectifs de la Cour des Cariye où une foule joyeuse et bavarde s'entassait dans la vapeur. Une activité qui aurait sûrement ébahi, peut-être même affolé ses amies italiennes et anglaises qui se baignaient rarement, voire jamais, et dont l'odeur corporelle était nettement plus prononcée. Celia en était venue à apprécier ces longues heures parfumées, un des rares moments sans surveillance ni contrainte où elle et Annetta pouvaient converser à voix basse avec les autres filles. Le *ot*, néanmoins, restait le seul rituel du hammam à l'emplir de peur et de dégoût.

Cariye Lala prit un instrument en bois, comme une sorte de cuiller plate, et préleva un peu de pâte dans le pot qu'on lui tendait pour l'étaler expertement ici et là sur la peau de Celia. Le *ot* n'était pas désagréable au premier abord ; la substance collante, assez semblable à de l'argile, était lisse et parfumée, chaude sur la peau. Celia se rallongea et se força à respirer lentement et calmement – un conseil que lui avait donné Gulbahar après la première fois ; ce jour-là, non prévenue de ce qui allait arriver, elle s'était couverte de honte en envoyant une formidable gifle à la grande maîtresse des bains en personne. Mais rien n'y faisait. Une douleur cuisante, comme la brûlure d'un fer rouge, se propagea dans la chair délicate de son sexe et elle se redressa violemment dans un cri.

— Quelle enfant ! Tu en fais des histoires ! l'admonesta Cariye Lala sans s'émouvoir. C'est ainsi qu'il faut que ce soit. Regarde comme tu es lisse et douce.

Celia baissa les yeux et vit sourdre sur sa peau nue des gouttelettes de sang, pas plus grosses que la piqûre d'une fine aiguille à broder. Et là où, quelques instants auparavant, se trouvait une toison féminine aux boucles dorées, elle contemplait maintenant, avec une fascination horrifiée, une fente en forme d'abricot, nue comme celle d'une petite fille.

Cependant, Cariye Lala n'en avait pas encore fini. Elle la fit se rallonger et, à l'aide d'une petite pince en or, arracha un par un les quelques poils qui avaient échappé au *ot*. La servante l'éclairait avec une bougie, la tenant si près que Celia avait peur qu'elle ne lui renverse de la cire sur la peau. Même avec l'aide de la bougie, la vieille femme devait se pencher si bas pour travailler que Celia sentirait son souffle et le chatouillement léger de ses cheveux sur sa peau encore endolorie.

Celia n'aurait su dire combien de temps elle passa entre les mains expertes de Cariye Lala. Une fois que la sous-maîtresse des bains se fut assurée qu'il ne restait sur son corps aucun poil offensant, Celia fut autorisée à se remettre en position assise. Sa peau, récurée, épilée et enduite d'une succession d'herbes et d'onguents, luisait d'une blancheur translucide et presque irréelle dans la pénombre nacrée du hammam. Ses ongles étaient vernis. Ses cheveux, séchés et ondulés pour qu'ils brillent comme un soleil couchant, étaient tressés, entrelacés de rangs de petites perles d'eau douce. D'autres perles, aussi grosses que des noisettes, pendaient à ses oreilles et s'enroulaient discrètement autour de son cou.

Celia ne savait pas si c'était dû à la chaleur qui régnait dans le hammam ou au parfum de myrrhe dégagé par le brasero que la servante alimentait dans le coin de la pièce mais, petit à petit, elle avait commencé à se détendre. Si la façon de faire de Cariye Lala était parfois un peu brusque, elle ne faisait pas exprès de faire mal, contrairement à certaines autres maîtresses des bains qui, au moindre manquement aux règles, vous pinçaient sournoisement ou vous tiraient les cheveux. Une sorte d'indifférence passive à son sort s'était emparée d'elle. Les gestes lents et impersonnels de Cariye Lala avaient un effet apaisant. C'était reposant de ne pas avoir à penser.

Elle n'éprouva donc qu'une légère appréhension à se laisser teindre les lèvres et les pointes de seins à l'aide d'une poudre rose, une appréhension qui s'accrut soudain quand elle sentit Cariye Lala glisser adroitement une main entre ses cuisses. Un doigt écarta les lèvres de son sexe, tâtonna expertement, puis s'insinua à l'intérieur.

Dans un cri, Celia bondit sur ses jambes comme si on l'avait mordue. Le pot de *ot* posé à leurs pieds valsa à travers la pièce et se fracassa contre le mur.

— Ne vous approchez pas de moi !

Reculant vers le coin le plus éloigné de la pièce, elle se retrouva dans un renfoncement sans lumière, la dernière des trois pièces en enfilade qui formaient le hammam de la validé. Hormis l'ombre, il n'y avait rien là pour dissimuler sa nudité. Au-dessus de sa tête, elle entendait un bruit d'eau courante. Celia s'accroupit, le dos au mur. Une petite goutte d'un liquide chaud et sombre lui coulait sur l'intérieur de la cuisse.

Cariye Lala ne s'avança pas. Celia la vit rire et secouer la tête. Puis elle se tourna vers la servante et, dans le langage des signes utilisé par tous les ser- viteurs du palais, lui donna rapidement un ordre.

— Tu peux sortir, maintenant. N'aie pas peur.

La petite silhouette de Cariye Lala, les mains sur les hanches, resta un moment à la porte de la petite alcôve. Dans le noir, Celia avait l'impression que son cœur allait jaillir de sa poitrine. Pourtant la vieille femme n'avait pas l'air en colère.

— Voilà ce que c'était, petite idiote, regarde. Du parfum. (Elle lui montra une petite boîte en bois de cèdre ornée de filigrane d'argent.) C'est la validé elle- même qui l'a envoyé pour toi.

— Allez-vous-en ! cria Celia, les yeux brûlants.

— Tss, tss ! (Cariye Lala fit impatiemment claquer sa langue.) C'est bien ce que tu voulais, non ? (La tête inclinée de côté, les yeux brillants, on aurait dit un vieux petit merle.) Regarde, avec toi je ne me sers que de celui-ci.

Elle leva les mains et Celia vit qu'elle avait les ongles longs et recourbés. Seul l'index de sa main droite, qu'elle agita pour le lui montrer, portait un ongle court et bien taillé.

— Dis-toi que tu as de la chance. Les autres ne prennent pas toujours la peine de se les couper.

Celia se laissa reconduire dans l'autre pièce. Elle n'avait plus la force de lutter. On lui enfila une chemise de linon, si fine qu'elle était presque trans- parente. Cariye Lala parlait sans arrêt, tantôt pour elle-même, tantôt pour Celia, mêlant reproches et paroles d'apaisement.

— En voilà une histoire ! Il n'y a pas à avoir peur. Ce n'est qu'un homme, après tout. Et regardez-moi cette peau, comme elle est belle, c'est bien ce qu'on m'avait dit : blanche comme la neige et pas un seul défaut. Du plaisir, elle va donner beaucoup de plaisir. Mais on ne doit pas avoir peur, ça non, ce n'est pas bon, pas bon du tout.

Pour le moment, elle ne se risqua pas à toucher Celia. De ses rangées de fioles, elle tira deux petites boîtes ; l'une en or, l'autre en argent. Elle les emporta vers le milieu de la pièce, là où la lumière du jour éclairait le mieux, pour les ouvrir et examiner attentivement leur contenu.

Celia l'entendit se parler à elle-même.

— Hum, hum... Brûlant ? Ou chaud ?

Cariye Lala posa les deux boîtes à plat sur sa paume, promenant au-dessus d'elles les doigts étendus de son autre main, comme un sourcier avec sa baguette.

— Chaud ? Ou bien brûlant ? (Elle considéra pensivement Celia et secoua la tête.) Non, le désir n'y est pas, conclut-elle d'une voix presque inaudible. Pas encore.

Dans la boîte en or, elle prit ce qui ressemblait à une perle brillante et la tendit à Celia.

— Mange.

C'était une petite pastille enrobée de feuille d'or. Docile, Celia l'avala.

La servante revint dans la pièce, apportant une boisson chaude pour Celia dans une petite tasse, et une assiette de fruits. Cariye Lala les prit et lui fit signe de s'en aller. Elle choisit un fruit, une poire longue et fine, puis s'assit à côté de Celia.

— Allons, ma fille, dit-elle en lui tapotant le bras. Tu ne vas plus avoir peur, maintenant ?

C'était à la fois une question et un ordre.

— Non, Cariye, répondit Celia, tandis que son cœur bondissait douloureusement dans sa poitrine.

— Ne t'inquiète pas, il reste du temps.

Cariye Lala tendit la poire, comme pour l'offrir à Celia. Celle-ci refusa d'un signe de tête : la seule idée de nourriture lui donnait la nausée. Et puis elle vit que la vieille femme avait l'air de vouloir la manger elle-même.

— Maintenant regarde bien, reprit Cariye Lala, en refermant sa main sur la base arrondie de la poire. D'abord, tu la tiens comme ça. Fais bien attention à mettre ton pouce juste là. Son doigt caressait d'un mouvement circulaire la peau verte et tachetée du fruit.

Le regard de Celia allait et venait de la poire à Cariye Lala. La vieille femme porta le fruit à ses lèvres comme pour y mordre mais, au lieu d'ouvrir la bouche, elle sortit la langue pour décrire les mêmes petits cercles sur la base de la poire. Celia sentit naître au creux de ses aisselles fraîchement épilées un picotement de chaleur qui lui envahit lentement les épaules, la nuque et les joues. La langue de Cariye Lala remonta le long de la poire, toujours avec de petits mouvements circulaires, jusqu'à la pointe qu'elle enveloppa brièvement avant de repartir vers le bas.

Celia aurait voulu détourner le regard mais elle en était incapable. À l'extérieur du hammam, une main invisible, peut-être celle de la servante, avait arrêté l'eau des fontaines et il régnait maintenant dans la pièce un silence absolu. La vieille langue rose de Cariye Lala parcourait activement le fruit sur toute sa longueur. Et, soudain, ses lèvres ridées se refermèrent sur la pointe de la poire et elle se l'enfonça profondément dans la bouche.

Un éclat de rire, aigu et strident, monta de la gorge de Celia pour venir mourir sur ses lèvres. Au même instant, elle se rendit compte qu'il arrivait des choses étranges au reste de son corps. Une chaleur l'enveloppait, sans rien à voir avec la vague de honte brûlante qui l'avait précédée ; elle éprouvait maintenant une chaude sensation de bien-être et de lassitude. Avec un petit soupir, elle sentit ses épaules se détendre. Ses poings serrés s'ouvrirent, son cœur se calma. Cariye Lala n'avait pas encore fini sa démonstration, mais Celia s'aperçut qu'elle n'avait plus peur de la regarder. Son visage qui était resté figé en un sourire tendu se relâcha. Elle se sentait légère, presque en apesanteur, et en même temps comme enrobée de velours. Elle ne le savait pas, mais c'était l'opium administré par Cariye Lala qui commençait à faire effet.

Elle flottait maintenant, voletait comme un oiseau en cage vers le dôme ajouré du plafond.

À ce moment, des coups – des gourdins frappant sur du bois – se firent entendre dans le corridor extérieur.

— Ils sont prêts à venir te chercher, annonça Cariye Lala, s'essuyant tranquillement les lèvres sur un coin de tissu. Viens, c'est l'heure.

Celia se remit sur ses pieds ; elle avait l'impression de ne plus rien peser. La servante, discrètement réapparue, l'aida à enfiler une longue robe sans manches, en soie légèrement ouatinée. Cariye Lala prit un encensoir empli de braises fumantes et ensemble elles baignèrent Celia de ses nuages odorants, le passant sur les plis de sa robe, sous le fin linon de sa chemise, entre ses jambes, derrière ses cheveux.

Celia restait passive, les observant avec un détachement rêveur. Il lui semblait se voir elle-même à côté des deux autres femmes. Un rayon de soleil couchant entra par le dôme, traçant une ligne oblique dans la vapeur. Tous ses mouvements s'étaient ralentis, comme si elle marchait dans un rêve. Les eunuques, lui avait-on expliqué plus tôt, venaient pour l'escorter jusqu'à la chambre du sultan, mais même cette pensée n'avait plus le pouvoir de lui faire tambouriner le cœur contre les côtes ni de lui donner la bouche sèche. Elle leva la main pour examiner les anneaux d'or que Cariye Lala y avait placés. Elle pensa à Paul. Que penserait-il s'il la voyait en cet instant ? Elle sourit à ses doigts, même si elle avait l'impression qu'ils ne lui appartenaient plus. Ils s'agitaient en face d'elle comme les petits tentacules roses et blancs d'une anémone de mer.

— *Kadine.*

Celia prit graduellement conscience que la servante essayait de lui parler. Des deux mains, elle lui tendait la boisson qu'elle lui avait apportée et qui était restée sur le plateau. Mais Celia n'avait envie ni de manger ni de boire.

— Non, fit-elle en secouant la tête.

— Si, madame, si.

Pour la première fois, la fille osa la regarder en face. Son visage était mince et pointu et ses yeux semblaient affolés, allant et venant de Celia à Cariye Lala qui leur tournait le dos, occupée à cadenasser soigneusement ses coffres. Même sous l'emprise de la drogue, Celia pouvait lire la peur sur son visage ; elle en sentait presque l'odeur sur sa peau.

— S'il vous plaît, *kadine*, buvez.

Lentement, Celia porta le petit bol à ses lèvres. Le liquide avait refroidi et elle l'avala facilement en trois gorgées. Elle remarqua un arrière-goût amer, juste comme celui de la petite pilule dorée de Cariye Lala.

Suivie par Cariye Lala et la servante, Celia émergea du hammam et traversa la cour de la validé. À la porte, elle hésita ; et puis, pour la première fois depuis qu'on l'avait amenée au palais, elle franchit le seuil de la Maison de la Félicité. Une trompeuse sensation de liberté lui donna un frisson dans le dos.

Mais elle n'était pas libre, loin de là. Hassan Aga, chef des eunuques noirs (dont le sort, même s'il ne le savait pas, serait scellé aussi prochainement que celui de Celia) et quatre de ses eunuques attendaient à la porte pour l'escorter vers les appartements du sultan.

Les eunuques, Celia ne pouvait les voir sans un petit frisson de dégoût. Même après plusieurs mois passés au harem, elle ne s'était toujours pas habituée à ces créatures ni chair ni poisson, avec leurs ventres flasques et leurs voix anormalement haut perchées. Elle se souvenait d'en avoir un jour vu un avec son père, sur la place Saint-Marc à Venise. L'eunuque faisait partie d'une délégation de marchands envoyée par le Grand Turc. C'était un Blanc, bien que vêtu des robes flamboyantes de son pays d'adoption, et il était devenu, pendant un jour ou deux, la merveille de cette cité des merveilles, un phénomène capable de rivaliser avec les bohémiens acrobates, les lutteurs circassiens et même la miraculeuse madone parlante sur la porte de l'église de San Bernardo, dernières attractions en date de la Serenissima cet été-là.

Elle n'était alors qu'une petite fille, assez petite pour que son père la porte sur ses épaules.

— Regarde le *castrato*, l'homme coupé, lui avait-il dit, même si elle n'avait qu'une très vague idée de ce que cela signifiait.

Elle se rappelait la douceur rugueuse de la barbe de son père tandis qu'elle s'accrochait à son cou, et le spectacle fascinant de cette étrange créature dépourvue de poils dont le visage, doux comme celui d'une femme sous les plis du turban, lui avait rendu son regard sans animosité.

Il n'y avait rien de doux chez les eunuques qui gardaient la Maison de la Félicité. Celia les avait toujours regardés comme des êtres d'un autre monde, avec leurs corps lourds et leurs yeux injectés de sang, leur peau si noire qu'elle semblait privée de toute lumière : des créatures qui se mouvaient à pas feutrés, sans qu'on les voie ou presque, le long des corridors mal éclairés qui entouraient les quartiers des femmes ; à peine plus réels et tout aussi terrifiants que les *efrits*, qui, d'après les vieilles servantes noires, hantaient la nuit venue les ombres du palais.

Bien sûr, Annetta, qui, au tout début de leur séjour au palais, avait travaillé quelques semaines dans les quartiers des eunuques, se moquait de ses effrois.

— Des hommes sans *coglioni* ! s'exclamait-elle, indignée, la main sur la hanche. Et qu'est-ce que c'est que ces noms ? Hyacinthe, Pivoine, Bouton de

Rose et je ne sais quoi encore. Pouah ! Pourquoi devrions-nous en avoir peur ?

Mais même elle avait peur d'Hassan Aga.

— Il ressemble à l'ours savant que j'ai vu un jour à Raguse, avait-elle chuchoté à Celia la première fois qu'elles l'avaient vu. Regarde-moi ces joues ! On dirait deux gros puddings. Ma parole, la vieille mère supérieure de mon couvent avait plus de poil au menton. Et ces petits yeux rouges. *Santa Madonna*, ils l'ont bien choisi, celui-là ! Il est aussi laid que le rhinocéros du pape.

Pourtant, sous son regard – un regard qui aurait fait s'évanouir n'importe quelle autre *cariye* –, elle ne tarda pas à se taire et baissa vivement les yeux.

Mais, maintenant, Celia n'avait plus peur. Hassan Aga la regarda sans rien dire, tourna les talons et partit en avant le long d'un sombre corridor.

Le soir était tombé et chacun des quatre eunuques qui l'accompagnaient portait une torche allumée. Celia regarda s'éloigner la silhouette de l'eunuque noir en chef, la haute coiffe blanche, symbole de sa fonction, dansant devant elle, forme fantomatique dans le couloir obscur. Pour un homme de son embonpoint, elle fut frappée par la légèreté de sa démarche.

Flanquée des quatre eunuques subalternes, elle se mit elle aussi en marche le long du couloir. Elle ne sentait plus ses jambes, mais pouvait se voir glisser, flotter presque, ses babouches dorées touchant à peine terre. Une délicieuse langueur s'était emparée de son corps. Celia porta la main à son cou pour toucher les perles qui l'ornaient et sourit. Il régnait un tel silence qu'elle pouvait entendre le glissement de soie que faisait sa robe en traînant derrière elle sur le sol de pierre. Tout cela ressemblait fort à un rêve et il n'y avait aucune raison d'avoir peur.

La silhouette d'Hassan Aga se brouilla, puis redevint subitement nette. Un des eunuques tendit la main pour la soutenir, mais elle s'écarta de lui avec dégoût. Devant elle, le corridor s'étendait sans fin. D'étranges ombres noires et orangées, dépourvues de forme, couraient sur les murs de pierre. C'était sa nuit de noces, non ? L'emmenait-on vers Paul ? À sa pensée, le cœur de Celia fit un bond dans sa poitrine. Mais ses paupières lui semblaient de plomb.

— Tenez-la donc ! Cette fille ne tient plus debout.

Deux mains, une de chaque côté, vinrent lui soutenir les avant-bras et cette fois elle ne résista pas.

Lorsqu'elle reprit conscience, elle se trouvait sous les vastes voûtes de la chambre à coucher du sultan. Elle ne savait pas comment elle était arrivée là, elle avait juste un vague souvenir d'Hassan Aga, son gros cou boudiné ruisselant de sueur, qui la déposait au centre d'un énorme divan au coin de la pièce, sous un dais chamarré soutenu par quatre colonnes torsadées semblables à de gros sucres d'orge dorés. Paul ? Mais non, elle s'en souvenait maintenant, ce n'était pas Paul qu'elle allait voir. Elle fixa l'intérieur du dôme au-dessus de sa tête, aussi grand que celui d'une basilique.

— Qu'est-ce que tu lui as fait ?

Celia n'avait jamais surmonté la sensation d'étrangeté que lui donnait la voix d'Hassan Aga, haute et flûtée. Il était absolument interdit de parler dans les appartements du sultan, et voilà que le grand Hassan Aga chuchotait comme un petit garçon. Il n'avait plus rien du maître de la Maison de la Félicité.

Cariye Lala, pour sa part, était véhémente.

— Je n'ai rien fait ! (Ses doigts, si sûrs et si agiles dans le hammam de la validé, tâtonnaient maintenant sur les boutons de la robe de Celia.) Elle a dû trouver un moyen se procurer plus d'opium ; quelqu'un lui aura donné une double dose...

— Qui ? demanda Hassan Aga.

— Et qui crois-tu que ce soit ? cracha la vieille femme. Qui d'autre est-ce que ça pourrait bien être ?

La tête de Celia tomba en avant sur sa poitrine. De quelque part, tout près, lui parvint un petit gémissement de détresse. Elle voulut regarder mais ses yeux se révulsèrent et elle sentit que le sommeil l'aspirait, la faisant sombrer toujours plus bas vers un gouffre sans fond. Des mains, plus nombreuses, la déshabillèrent. Elle ne protesta pas. Elle avait le corps aussi mou et faible qu'un bébé. Ils lui enlevèrent sa robe mais lui laissèrent sa chemise qui couvrait toujours pudiquement ses épaules et ses seins. Le gémissement semblait plus proche.

— Aide-la donc, veux-tu ?

Encore cette étrange voix flûtée, venue de quelque part, tout près. Celia sentit d'autres mains, plus petites cette fois, arranger autour d'elle et dans son dos un assortiment de couvre-pieds et de coussins de soie, la bordant jusqu'à la taille. Le visage de la petite servante, tout gonflé et luisant de larmes, apparut prés d'elle, puis se recula. La joue d'Hassan Aga touchait presque celle de la fille. Et c'était d'elle, comprit Celia, que venait le gémissement ; un son de pure terreur, animal et inarticulé.

Celia se laissa de nouveau glisser dans les ténèbres.

Elle était chez elle, en Angleterre. Dans l'embrasure d'une fenêtre, sa mère était assise et cousait, vêtue de sa robe rouge. Elle avait le dos tourné et Celia ne pouvait voir son visage, seulement ses cheveux bruns bien lissés, souplement rassemblés sur la nuque dans un filet d'or. Le soleil de la fin d'après-midi dansait sur les carreaux en losange de la fenêtre. Celia voulut l'appeler, voulut s'élancer vers elle, mais s'aperçut qu'elle en était incapable. Aucun son ne sortait de sa bouche ; ses jambes refusaient de bouger, comme prises dans des sables mouvants.

Quand elle s'éveilla de nouveau, elle était allongée à plat ventre sur le divan. Un murmure d'eau parvenait de l'autre côté de la pièce, où un renfoncement du mur recelait une fontaine mais, à part cela, il n'y avait pas le moindre bruit dans la chambre. Parmi les coussins et les traversins qui l'entouraient, elle vit une peau de tigre dont les rayures ambrées chatoyaient à la lueur des bougies. Elle tendit la main pour caresser la fourrure et un mouvement arrêta son regard : le bas d'une robe d'homme.

Pendant quelques instants, Celia se tint immobile, les yeux fermés. Elle avait la bouche sèche et un arrière-goût amer sur la langue, mais une douce et chaude somnolence lui paralysait les membres. Elle ouvrit précautionneusement un œil. Le bas de la robe était toujours là, mais aucun pied n'en dépassait. Il devait lui tourner le dos. La robe bougea encore et Celia entendit un léger tintement de porcelaine, le bruit d'une assiette ou d'une tasse qu'on repose, suivi d'une petite toux. Ses yeux ensommeillés se refermèrent. Son corps flottait doucement sur les couvertures de soie comme dans une mer chaude.

— Enfin réveillée, petite dormeuse ?

Au prix d'un effort, Celia refit surface. Elle parvint à s'agenouiller sur le divan : elle avait les bras croisés sur la poitrine et la tête inclinée si bas qu'elle ne pouvait rien voir de l'homme qui s'approchait d'elle.

— N'aie pas peur. (Il était juste devant elle.) Ayshe, c'est cela ?

Celia pensa à Annetta ; elle se souvint comme elles s'étaient cramponnées l'une à l'autre, au moment où le bateau avait coulé. « Nous avons survécu à cela, lui avait dit Annetta, et nous survivrons au reste. »

— Non, Majesté. (Celia dut forcer sa langue à articuler les mots.) C'est Kaya.

Sa voix lui semblait pâteuse.

— Kaya, donc.

Il était assis prés d'elle, maintenant. Il tendit la main et tira sur sa chemise pour découvrir une de ses épaules.

Il avait la peau claire, parsemée de taches de rousseur ; ses ongles soignés luisaient comme de petites lunes. Il portait au pouce un anneau de jade sculpté. S'attendait-il à ce qu'elle lève les yeux vers lui ? Elle n'en savait rien, et cela ne semblait pas très important. Il lui caressait l'épaule et, dans le mouvement, sa robe s'ouvrit ; elle vit qu'il était nu en dessous, lui aussi, et si près qu'elle pouvait maintenant sentir son odeur. Un homme imposant. Une senteur douce et musquée montait des plis de sa robe, mais, mélangé à ce parfum, il y en avait un

128

autre, bien distinct : une riche odeur masculine de peau et de transpiration, d'aisselles et d'entrejambe.

— Comme tu es blanche... (Ses doigts descendirent doucement dans son cou et le long de son dos, la faisant frémir.) Est-ce que je peux te regarder ?

Il fallut quelques instants à Celia pour comprendre ce qu'il lui demandait. Toujours agenouillée, elle leva les bras pour enlever la chemise. Bien que la nuit soit chaude, l'air de la pièce lui parut frais. Elle frissonna légèrement, mais elle était calme. Soumise. *Est-ce que ça va faire mal ?* se demanda-t-elle. *Regarde : je n'ai pas peur*, dit-elle en pensée à Annetta, *pas peur du tout, finalement.*

— Allonge-toi pour moi.

Sa voix était douce. Avec un petit soupir, Celia se renversa sur les coussins bleu paon. Ses membres étaient chauds et souples, presque liquides. Quand il lui écarta les jambes, elle tourna la tête sur le côté et regarda ailleurs. Mais, en fait, c'était plutôt agréable d'être allongée là et le contact de ses mains était si doux sur sa peau qu'elle n'essaya pas de lui échapper, même quand il glissa les doigts entre ses jambes pour caresser la chair tendre et laiteuse de ses cuisses. Toutes ses sensations étaient amplifiées : la fourrure ambrée de la peau de tigre sous sa joue, le poids des bijoux à son cou et aux lobes de ses oreilles. N'être vêtue que de bijoux, comprit-elle, la faisait se sentir doublement nue, et pourtant elle n'éprouvait aucune honte. La main de l'homme se referma sur un de ses seins et il en pinça et suça la pointe jusqu'à ce qu'elle durcisse. Arquant le dos, elle s'enfonça encore plus profondément dans le lit.

Combien de temps resta-t-elle ainsi allongée, Celia

n'aurait pu le dire. Il y avait de longs moments, comme des transes, où elle arrivait presque à oublier qu'il était là. Il ne semblait pas avoir envie de l'embrasser, alors elle garda la tête tournée sur le côté et se retrouva à regarder la chambre. Sur une table pliante au milieu de la pièce se trouvaient un plateau de fruits et de fleurs ainsi qu'un flacon de boisson fraîche, eau ou sorbet glacé.

Posé à côté d'eux, un curieux objet attira son regard. C'était un bateau. Un bateau miniature. Et pas n'importe quel bateau : le vaisseau avait la forme bien reconnaissable d'un navire marchand anglais. Celia cligna des yeux, incrédule. Elle avait sous les yeux la réplique exacte du bateau de son père. Il semblait fait d'une substance fine et fragile, couleur de caramel. C'est une fantaisie, une fantaisie en sucre comme en faisait John Carew ! *Mais c'est impossible*, pensa-t-elle, *qu'est-ce qu'un objet pareil pourrait bien faire ici ?*

C'était un rêve, bien sûr. Mais le petit navire semblait si réel que, l'espace d'un instant, elle crut voir ses voiles se gonfler, ses oriflammes flotter dans la brise et des marins, des petits hommes pas plus gros que son petit doigt, courir sur le pont. Un tel chagrin l'envahit qu'elle faillit crier tout fort.

Soudain il y eut du bruit et de l'agitation à l'extérieur : des coups forts frappés à la porte, et les pas d'une femme qui traversait la pièce en courant vers eux. Quatre eunuques, ceux-là même qui avaient plus tôt escorté Celia vers la chambre du sultan, entrèrent en courant derrière elle.

— Gulay ! (Le sultan se redressa.) Qu'est-ce qui se passe ?

— Mon seigneur... mon lion...

Une jeune femme, en qui Celia reconnut la *haseki*, la favorite du sultan, pleurait, accroupie à ses pieds, les lui embrassait, les essuyait de ses longs cheveux noirs.

— Ne la laissez pas..., sanglota-t-elle, ne la laissez pas m'enlever à vous.

— Gulay ! (Il essaya de la relever mais elle se cramponnait à ses pieds en pleurant.) Qu'est-ce qui te prend, Gulay ?

Elle ne répondit pas mais agita la tête, incohérente.

— Emmenez la fille, dit-il brusquement aux eunuques. Prenez tout cela et sortez.

S'inclinant très bas, ils firent lever Celia et l'emmenèrent prestement hors de la chambre.

10

ISTANBUL, DE NOS JOURS

La demande qu'avait faite Elizabeth pour une carte de lectrice à l'université mettrait quelques jours à aboutir. En attendant, elle passait son temps à tenter alternativement de dormir et de ne pas penser à Marius. Sans succès, ni d'un côté ni de l'autre.

Ses nuits étaient agitées. Elle rêvait parfois qu'elle retrouvait Marius, d'autres fois qu'elle l'avait définitivement perdu, et, chaque matin, elle s'éveillait avec au cœur un tel désespoir qu'elle se demandait comment elle arriverait à le supporter.

Il faisait froid et elle n'avait pas envie de sortir. Son chagrin ne lui laissait même pas assez d'énergie pour du tourisme. Elle prit l'habitude de s'asseoir à côté d'Haddba dans l'entrée. Elizabeth trouvait sa compagnie apaisante. Haddba acceptait le besoin qu'avait la jeune femme de simplement rester assise tranquille et ne lui posait aucune question.

Elles ne parlaient pas beaucoup, buvant plutôt du thé que le petit Rachid leur apportait sur un plateau, dans de minuscules verres qui ressemblaient à des flacons de parfum. La boisson, d'une douceur sirupeuse, avait plus le goût de sucre que de pomme.

— Si vous avez besoin de quoi que ce soit – un journal, des cigarettes, n'importe quoi –, vous n'aurez qu'à envoyer Rachid, disait Haddba.

Demain, je serai partie, pensait Elizabeth. Mais le lendemain, elle était toujours là.

> *Eve chérie,*
> *Ça me paraît bizarre de t'écrire une lettre, mais c'est tout à fait dans l'esprit de cet endroit qui n'a pas l'air d'avoir changé du tout au cours des cinquante dernières années et ne possède aucune sorte de connexion Internet. Je crois d'ailleurs que ce bloc-notes est resté dans le même tiroir depuis au moins aussi longtemps que ça. Tu vois la vieille adresse pour les télégrammes en bas de la page ? Je me demande combien de temps ça fait que personne n'envoie plus de ces trucs-là !)*

Elizabeth retira ses chaussures et remonta ses pieds sur le sofa, les calant sous elle pour les réchauffer. Elle mordilla le bout de son stylo. *Le temps est gris et il fait froid...* écrivit-elle au bout d'un moment, mais il y avait dans sa tête une petite voix qui n'arrêtait pas de répéter : et moi aussi je suis grise, j'ai froid, je voudrais rentrer, et il n'y a que la fierté qui me retient ici. Elizabeth jeta un coup d'œil à son portable pour vérifier les messages. *Et Marius ne m'a pas envoyé de texto, même pas un seul, depuis que je suis ici... Non. Non. Non !* Elle raya la phrase sur la météo et regarda autour d'elle, cherchant autre chose à raconter.

Oh, et je ne t'ai pas dit ? écrivit-elle avec une animation qu'elle était loin de ressentir. *Finalement, ici, ce n'est pas un hôtel mais une pension de famille. Il y a un metteur en scène qui est là pour trois mois, un professeur français, idem, et aussi des Russes sinistres qui ne parlent à personne, et dont je suis sûre qu'ils ont quelque chose à voir avec la traite des Blanches. Oh, et une mystérieuse vieille Américaine qui porte des perles d'ambre et un turban et qui a l'air d'avoir lu trop de romans d'Agatha Christie...*

Il y eut un léger bruit de l'autre côté de la pièce. Elizabeth leva les yeux et constata qu'elle n'était plus seule. Un homme l'avait rejointe. Il était assis derrière le journal que Rachid était allé acheter pour lui.

Les autres pensionnaires sont surtout des Turcs, si on peut les considérer comme des pensionnaires. Ils n'ont pas l'air d'habiter ici mais ils viennent prendre le thé avec la propriétaire, Haddba, quand elle est là, ou bien ils restent simplement assis à faire des mots croisés ou à jouer aux dames.

Elle leva de nouveau les yeux. Le Turc était toujours là, à lire son journal. Le froissement du papier faisait un petit bruit paisible dans le silence de la pièce.

Je vois les autres occupants tous les matins au petit déjeuner et parfois dans le salon. Un endroit incroyable, avec plein de palmiers dans des pots en cuivre et des meubles édouardiens tout ce qu'il y a de plus guindé ; il y a aussi un vieil électrophone, comme celui qu'avaient mes parents (ça fait drôle

134

de penser que maintenant c'est plus ou moins devenu une pièce de musée). On y empile tous ces vieux trente-trois tours et ça joue pendant des heures, en général de la vieille musique qui gratte et qui crache. Il arrive qu'un disque reste coincé et il y a une sorte de jeu qui consiste à attendre pour voir qui craquera le premier et se lèvera pour aller le décoincer...

Dès que je peux, je cherche ailleurs...

Un peu plus tard, tentée par un soleil mouillé, Elizabeth sortit se promener. La main dans la poche de son manteau, elle caressait comme un talisman la surface lisse de son téléphone. Toujours pas de message. Elle parcourut les rues étroites avec leurs innombrables petits *pasaj*, où des hommes aux allures d'intellectuels étaient assis, occupés à jouer aux dominos ou à lire le journal ; elle passa devant les fantômes des anciennes ambassades dans la rue principale, Istiklal Caddesi, longea, des boutiques de pudding et des *büfe*.

En temps normal, elle aurait pris plaisir à observer cette vie ordinaire. Mais là, elle avait tout juste la force de continuer à marcher, baissant la tête pour se protéger du froid. Bien qu'on ne soit qu'en novembre, elle sentait déjà la neige dans l'air vif qui lui piquait le visage.

Tout est gris, je suis grise, songea-t-elle à nouveau, se forçant sans conviction à traverser le pont de Galata. Des hommes armés de cannes à pêche s'alignaient le long des balustrades. Derrière eux, sur l'autre rive, les minarets des mosquées et leurs curieux dômes trapus semblaient sinistres, se découpant sur l'horizon comme des insectes fantastiques.

Sur les quais de Karaköy, de l'autre côté du pont, Elizabeth s'arrêta. Elle s'attarda quelques instants sur les marches de la Yenni Cami, la « nouvelle » mosquée construite au XVIe siècle par une sultane validé, mais ne se sentit pas la force d'entrer. Elle descendit plutôt vers le quai d'arrivée des ferries.

Alors voilà Constantinople, se dit-elle. Et là, cet estuaire qui la sépare de Galata, c'est la Corne d'Or. Elizabeth frissonna. *Pas vraiment doré*, pensa-t-elle, contemplant les flots d'un œil morose. L'eau était sombre, presque noire, irisée de légers reflets huileux. Sur le quai, des hommes faisaient griller des marrons sur des réchauds à charbon de bois, d'autres portaient des plateaux de nourriture : des petits pains troués couverts de graines de sésame, des pistaches et d'étranges racines caoutchouteuses qui se révélèrent être des moules frites.

Elizabeth acheta un sac de pistaches pour Rachid et un sandwich au poisson pour elle. En mangeant, elle observa l'autre côté de l'eau, d'où elle était venue, et essaya de repérer la rue où se trouvait la maison d'Haddba ; mais, à cette distance, tout ce qu'elle pouvait voir, c'était la tour de Galata et, en contrebas, un fouillis de fils téléphoniques, de panneaux d'affichages et de bâtiments roses et jaunes qui s'étendaient jusqu'au bord de l'eau.

Les châtaignes en train de rôtir dégageaient des volutes de fumée odorante. Elizabeth scruta l'autre rive. Là se trouvait autrefois le quartier des Vignes de Pera, où avait vécu Paul Pindar. Elle tenta d'imaginer à quoi ressemblait à l'époque ce district de l'autre côté de la Corne d'Or où s'élevaient les maisons des marchands étrangers, leurs pontons et leurs hangars remplis de rouleaux de tissus aux noms de joyaux : batistes et brocatelles, damassés et futaines, lampas, taffetas et linon arachnéen.

Les Génois avaient été les premiers à commercer avec les Ottomans à Constantinople, puis les Vénitiens, suivis des Français. Les marchands anglais, derniers venus, avaient joué des coudes avec l'énergie et la fougue de la jeunesse pour se faire une place au sein des puissances commerciales déjà établies. Ils avaient sûrement dû tout bousculer, se dit Elizabeth en souriant toute seule. Était-ce ainsi qu'on les voyait ? Des ambitieux aux dents longues, des *nouveaux*[1] ? Elle se les imaginait : des jeunes loups de la City, avec gilet et chapeau melon curieusement assortis de culottes bouffantes et de collants.

Dans sa poche, Elizabeth sentit vibrer son téléphone. Elle le saisit avec tant de hâte que ses doigts engourdis par le froid faillirent le laisser tomber sur le trottoir.

Oh, Marius, Marius mon... Mais ce n'était pas Marius.

— Allô, Elizabeth ? C'est Berin.

— Berin !

Elizabeth fit de son mieux pour prendre un ton enthousiaste.

— J'ai de bonnes nouvelles pour toi. Du moins, j'espère qu'elles te feront plaisir.

— Tu as ma carte de lectrice ?

— Eh bien, non, pas encore, mais ça ne va plus

---

1. En français dans le texte.

tarder, maintenant. Non, il s'agit d'autre chose. Tu te souviens, je t'ai dit que je servais d'interprète pour une maison de production anglaise qui tourne un film ici ?

— Oui, je m'en souviens.

— Eh bien, j'ai discuté avec l'assistante du metteur en scène. Je lui ai parlé de ton projet et ça l'a beaucoup intéressée. Elle te propose de nous accompagner au palais lors du tournage, lundi. D'habitude, c'est fermé au public ce jour-là mais ils ont obtenu une permission spéciale pour filmer l'intérieur de l'ancien harem. Ils mettront simplement ton nom sur la liste, en tant que chercheuse faisant partie de l'équipe, et comme ça tu pourras regarder tant que tu voudras.

— C'est formidable, Berin !

— Normalement, on n'a droit d'entrer qu'avec des tickets à une heure précise et, même ainsi, on peut rarement rester plus d'un quart d'heure, avec un garde derrière le dos en permanence. Il doit y avoir quelqu'un...

La corne d'un ferry couvrit les derniers mots de Berin.

— Pardon ?

— Je disais : il doit y avoir quelqu'un là-haut qui t'aime beaucoup.

— Merci, Berin, fit Elizabeth avec un pâle sourire. Ça en fait au moins un.

11

Constantinople, 1er septembre 1599

Matin

La maison de l'astronome Jamal al-Andalus se trouvait tout en haut d'une rue étroite, dans le dédale d'allées sinueuses et escarpées qui descendait de la tour de Galata jusqu'aux pontons des marchands sur le bord de l'eau. Deux des janissaires de l'ambassade y escortèrent Paul et Carew. Il était encore tôt et il n'y avait pas grand monde alentour. Les maisons, aux murs de bois patinés d'un beau brun, se pressaient les unes contre les autres. Entre elles, des vignes poussaient sur des treillis, projetant au sol une ombre mouchetée.

— Alors, qui est-ce, ce fameux astronome, demanda Carew en chemin.

— Jamal ? Je le connais depuis que je suis arrivé à Constantinople. Tu sais combien de temps je suis resté ici à attendre, pendant que l'Honorable Compagnie discutaillait de quel cadeau il conviendrait d'envoyer au nouveau sultan. J'ai assez vite entendu parler de Jamal al-Andalus, ancien protégé de l'astronome Taqquiudin. Je l'ai cherché et lui ai demandé de m'apprendre l'astronomie.

— Taqquiudin ?

— Le maître est mort, maintenant, mais en son temps c'était un grand homme. Il a bâti un célèbre observatoire, ici à Constantinople, du temps de l'ancien sultan Mourad III. Jamal était un de ses élèves, le plus brillant d'entre eux, à ce qu'on dit.

— Et c'est là que nous allons, à l'observatoire

— Pas exactement. C'est bien une sorte d'observatoire, mais pas celui de Taqquiudin. Le sien a été détruit il y a des années.

— Qu'est-ce qui lui est arrivé ?

— Certains des chefs religieux ont persuadé le sultan que c'était contraire à la volonté de Dieu de tenter de percer les secrets de la nature. Ils ont envoyé une troupe de soldats qui ont entièrement détruit l'observatoire. Les livres, les instruments, tout, dit Paul en secouant la tête. Il paraît que les instruments construits par Taqquiudin étaient les meilleurs au monde – plus précis encore que ceux de Tycho Brahe à Uraniborg.

Ils étaient arrivés devant une maison qui ressemblait à une petite tour. Un des janissaires frappa la porte de son gourdin.

— Tout ça c'est bien beau, dit Carew en regardant autour de lui, mais quel rapport a-t-il avec le palais ? C'est bien pour ça qu'on est là, non ? Pour voir s'il peut nous aider ?

— Jamal se rend à l'école du palais, où il apprend leurs nombres aux petits princes.

— Et il y va souvent ?

— Je n'en suis pas sûr. Assez souvent. Les gens parlent, une fois qu'il saura ce qu'il doit écouter, il entendra forcément quelque chose.

— Et vous pensez vraiment qu'il vous rendra ce service ? objecta Carew, sceptique. Pourquoi le ferait-il ? Est-ce que ce ne serait pas dangereux pour lui d'espionner pour le compte d'un étranger, et un chrétien, en plus ?

— Je ne compte pas lui demander d'espionner, juste de nous aider à apprendre quelque chose.

— L'Embrumé n'aimerait pas du tout ça.

— L'Embrumé ne le saura jamais.

Le serviteur de Jamal, un jeune garçon d'environ douze ans, ouvrit la porte et les fit entrer. Carew attendit avec les janissaires pendant que Paul, comme il convenait à son rang supérieur, était introduit dans une antichambre. Après quelques minutes, un petit homme d'âge moyen, vêtu d'une longue tunique de coton d'un blanc immaculé, entra dans la pièce.

— Paul, mon ami !

— Jamal !

Les deux hommes se donnèrent l'accolade.

— Il est tôt pour te rendre visite. J'espère que tu ne dormais pas.

— Pas du tout, pas du tout. Tu me connais, je ne dors jamais. Ce qui compte, c'est que tu sois là. Ma parole, cela fait des semaines, je pensais que tu m'avais oublié.

— T'oublier, Jamal ? Tu sais bien que jamais ça n'arrivera.

— Bien sûr, tu étais occupé par les affaires de ton ambassade.

— En effet. Le *Hector*, le navire de notre compagnie, est enfin arrivé, il y a maintenant deux semaines.

— En vérité, mon ami, je ne vois pas comment le fait aurait pu échapper à mon attention, répliqua l'astronome, une étincelle dans les yeux. On ne parle que du *Hector* dans toute la ville. Et on raconte qu'il a apporté des cadeaux pour notre sultan et notre sultane validé – qu'ils soient bénis. Un carrosse anglais tiré par des chevaux pour la mère de notre sultan et pour Sa Majesté, une horloge mécanique qui joue de la musique. Est-ce vraiment possible ?

— La Compagnie fait présent d'un orgue au sultan, mais je crois bien qu'il comporte également une horloge, des anges qui jouent de la trompette, un buisson plein d'oiseaux chanteurs et je ne sais quoi encore. Autant de merveilleux automates que notre ingénieux facteur d'orgues a su en imaginer. Ce sera la machine la plus extraordinaire que le sultan ait jamais vue, du moins quand notre facteur d'orgues l'aura réparée. Six mois dans les cales du *Hector* l'ont hélas endommagée mais, crois-moi, le résultat sera à la hauteur de l'attente. Alors tu vois, conclut Paul avec le sourire, pour une fois les rumeurs sont vraies.

— Rumeur et vérité ? À ta place, je réfléchirais avant de les mettre dans la même phrase. Mais tu as quand même droit à toutes mes félicitations, lui accorda l'astronome en s'inclinant. Et, maintenant, ton ambassadeur va enfin pouvoir présenter ses lettres de créance. Tu vois, je fais l'espion au palais.

Je sais tout. Mais qui est ton ami, s'enquit-il en apercevant Carew, resté à l'extérieur de l'antichambre. Tu m'as amené quelqu'un ? Fais-le entrer, je t'en prie.

— J'ai amené John Carew avec moi.

— Le fameux Carew ? Celui qui s'attire toujours des ennuis ? Qui a-t-il fait frire, cette fois ?

— Le cuisinier de mon estimé ambassadeur, je le crains. Mais c'est une longue histoire. Ne fais pas trop attention à lui, Jamal. Ses manières sont, comment dire, parfois un peu rustres. Il a fait partie de la maisonnée de mon père durant de nombreuses années et, maintenant, je l'ai pris à mon service mais, à dire vrai, il est pour moi plus un frère qu'un serviteur.

— Alors, il sera également un frère pour moi.

Paul fit signe à Carew de s'avancer.

— Jamal demande si tu es celui qui s'attire toujours des ennuis ? Que dois-je lui répondre, John ?

— Dites-lui que je suis celui qui a parcouru la moitié du monde dans une bassine percée pour obéir aux ordres de son maître, répliqua Carew en regardant l'astronome. Dites-lui que je vous ai tiré d'affaire au moins autant de fois que je me suis moi-même attiré des problèmes. Dites-lui de s'occuper de ses...

— Salutations, John Carew. *As salaam aleikoum.*

L'astronome s'inclina, la main droite sur le cœur.

— Salutations, Jamal al-Andalus, *Wa aleikoum as salaam*, répondit John, lui retournant le salut d'usage avant de se tourner vers Paul. D'après ce que vous m'aviez dit, je l'aurais cru plus vieux.

— Eh bien je suis désolé de te décevoir, fit Jamal, dont le sourire s'élargit. Toi, en revanche, John

Carew, tu es exactement tel que ton maître t'a décrit, dit-il aimablement.

— Toutes mes excuses, Jamal, pour les mauvaises manières de mon serviteur, intervint Paul. Jamal al-Andalus est un érudit renommé et un homme d'une grande sagesse ; plus sage que le nombre de ses années, c'est vrai. Assez sage, heureusement, pour ne pas prêter attention à une tête de mule comme toi.

— Vous savez quoi ? fit Carew en souriant à l'astronome. Il y a des moments, quand j'écoute mon maître, où je jurerais entendre son père.

Le regard de Jamal al-Andalus allait de l'un à l'autre. Ses yeux, extraordinairement noirs et vifs, pétillaient d'amusement.

— Allons, messieurs ! Venez donc, je vous en prie, que je vous offre quelque chose à boire.

Il leur fit monter un escalier qui menait au premier étage de la maison, en passant par une autre petite antichambre. Des coussins étaient disposés sur une plate-forme surélevée et les fenêtres à croisillons donnaient sur la rue en bas. Par-dessus les toits, on apercevait tout juste le scintillement gris du Bosphore. Le petit serviteur qui leur avait ouvert apporta sur un plateau un pot et de minuscules tasses.

— C'est notre *kahveh*, une boisson arabe venue du Yémen. Voudrais-tu y goûter, John Carew ? Paul y a déjà pris goût.

Carew prit une petite gorgée du liquide aromatique et épais et lui trouva une saveur douce-amère sur la langue.

— Il a de nombreuses propriétés intéressantes, expliqua Jamal en vidant sa tasse. L'une d'entre elles

144

est de m'aider à rester éveillé la nuit, pour pouvoir travailler plus longtemps, mais, ajouta-t-il en se tournant vers Paul, tu es venu un peu tôt dans la journée pour observer les étoiles, mon ami.

— Ce n'est pas la raison de ma visite. Je suis venu t'apporter un cadeau, un petit témoignage de mon estime. (Paul sortit un volume relié de cuir et le tendit à l'astronome.) *De revolutionibus orbium celestium libri sex*, « Six livres sur les révolutions des sphères célestes ».

— Ah, votre Nicolas Copernic, sourit l'astronome. Mon maître, Taqquiudin – que la grâce lui soit accordée –, m'a souvent parlé de lui. Comment te remercier ? Tu sais qu'ils ont détruit tous les miens. Enfin, presque tous.

— Après tout ce que tu m'as appris, je t'en prie ne me remercie pas, répondit Paul.

— Ce n'est pas donné, les livres, fit remarquer Carew. Mais le secrétaire Pindar est riche ; j'ai entendu dire que ses années à Venise l'avaient rendu plus riche même que notre ambassadeur. Il peut se le permettre, ajouta-t-il joyeusement avec un coup d'œil à Paul.

— C'est un très bel objet.

Jamal examina le livre, caressant de ses doigts la reliure de cuir. Il ouvrit le livre avec précaution et regarda la première page.

— En latin, bien sûr.

— Je l'ai fait relier à Londres, je savais que tu voudrais avoir l'original, dit Paul. Il y a un scribe à l'ambassade, un juif espagnol. Je me suis arrangé avec lui pour qu'il te le transcrive.

— Mendoza ? Oui, je le connais, acquiesça Jamal.

Il fera cela très bien. Ce Copernic, ses idées sont toujours controversées dans ton pays, je crois ?

— Il est certain que nos hommes d'Église ne l'aiment pas. Il est mort depuis bien des années, et c'est seulement maintenant que ses idées commencent à trouver des partisans. Une vue héliocentrique des cieux, comme certains l'appellent. Pour d'autres, c'est de l'hérésie pure et simple.

— Vous les Européens, sourit Jamal. Si obstinés dans vos croyances.

— Quand j'étais petit, intervint joyeusement Carew, on m'a raconté que la Lune était faite de fromage bleu. Mais je n'en jurerais pas sur ma vie.

— Dans notre tradition, ici, il n'y a pas de pareils conflits, souligna Jamal en tournant pensivement les pages du livre. Le Qu'ran dit simplement : « C'est Lui qui a fait du Soleil un luminaire radieux et de la Lune une lampe, déterminant des phases pour cela afin que vous puissiez savoir le nombre d'années et comment les calculer ; Il explique les signes à ceux qui les comprennent. » (Les yeux fermés, il récita les *sura*.) « Dans la succession du jour et de la nuit et dans ce que Dieu a créé sur la terre et dans les cieux, il y a en vérité des signes pour ceux qui connaissent Sa présence. » Et ce que cela signifie, conclut Jamal en reposant le livre, c'est que le mouvement des étoiles et des planètes doit être étudié sérieusement, afin de découvrir la vraie nature de l'univers.

— Ce n'est pas ce que disaient les *oulema* quand ils ont détruit votre observatoire.

— Ah, bien sûr, il y a eu cela. Mais c'était il y a longtemps, soupira l'astronome. Je crois sincèrement que nous faisons l'œuvre de Dieu.

Comme désireux de mettre fin à la conversation, il se leva.

— Voudriez-vous voir mon observatoire ? Ce n'est pas grand-chose, mais j'ai un nouvel instrument, Paul, qui devrait t'intéresser.

Un rideau à leur droite s'ouvrit sur un étroit escalier en colimaçon en haut duquel se trouvait une petite pièce octogonale. Chacun des côtés était percé de fenêtres couvertes par des persiennes qui pouvaient s'ouvrit ou se fermer séparément.

— Comme vous le voyez, de quelque côté que se lève la Lune, je peux la trouver, expliqua Jamal. La tour n'est pas bien haute, mais c'est étonnant comme la vue d'ici est dégagée. Et pas seulement sur le ciel.

Se penchant à la fenêtre, Paul contempla les toits des maisons de Galata qui s'étendaient devant lui ; les bardeaux de leurs toits, rendus gris par l'âge, luisaient au soleil. De très loin lui parvint faiblement le cri d'un porteur d'eau et dans l'allée boueuse en contrebas, il vit passer deux femmes dissimulées sous de longues robes, dont le voile ne laissait qu'une fente pour les yeux.

Il se retourna vers la pièce, admiratif comme chaque fois devant sa beauté épurée. Sous chaque fenêtre, il y avait une simple niche blanchie à la chaux. Jamal y avait disposé ses instruments. Paul alla vers eux, les prit tour à tour en main.

— Ceci est un astrolabe. Il montra à Carew un disque de cuivre couvert d'un réseau élaboré de lignes où s'incrustaient plusieurs cadrans mobiles, gravés de minuscules chiffres arabes.

Jamal le lui prit des mains.

— Les astronomes l'utilisent pour beaucoup de

147

choses, expliqua-t-il, mais cet instrument est principalement destiné à trouver et à interpréter les informations que nous donnent les étoiles. (Tenant le disque entre deux doigts, il l'éleva en face d'un de ses yeux.) On peut savoir l'heure qu'il est grâce à la position des étoiles, et inversement déduire la position des étoiles d'après l'heure de la journée.

Jamal prit un autre instrument, une tablette de cuivre plus petite, gravée de lignes et d'inscriptions similaires.

— Celui-ci s'appelle un quadrant. C'est comme un astrolabe, mais divisé en quartiers. Nous nous en servons pour déterminer l'heure de nos prières quotidiennes. Tu vois, dit-il en indiquant les inscriptions en arabe, celle-ci est pour la latitude du Caire, celle-ci pour Damas, et cette autre pour Grenade, d'où est venue ma famille.

Il le passa à Carew qui le tint entre ses doigts pour l'examiner.

— Maintenant je sais pourquoi Paul venait ici. Les instruments ! Vous en êtes aussi fou que lui. C'est une belle collection que vous avez là.

Carew prit un autre instrument à peu près de la même taille que l'astrolabe et en étudia la facture.

— Celui-ci est un cadran solaire d'altitude, lui indiqua Jamal.

— *Charolus Whitwell Sculpsit*, lut tout haut Carew. Tiens, tiens, mais je connais Charlie Whitwell, le faiseur de cartes, il a sa boutique près de St Clements. Si je pouvais avoir un penny pour chaque livre que mon maître a dépensé chez lui, je serais un homme riche.

Il examina encore le cadran solaire. Les signes du

zodiaque, séparés par des fleurs et des arabesques, étaient gravés tout autour de ses bords.

— Tu les trouves beaux toi aussi, cela se voit, dit Jamal. Et tu as tout à fait raison, c'est l'amour des instruments tels que ceux-ci qui nous a d'abord réunis, Paul et moi. En fait, c'est à Paul que je dois beaucoup d'entre eux. Il les a trouvés pour moi et me les a fait envoyer, principalement : d'Europe et, comme tes yeux perçants l'ont tout de suite remarqué, il y en a un bon nombre qui viennent de Londres, certains des meilleurs, en fait.

— C'est Jamal qui m'a appris à me servir du compendium, poursuivit Paul. Surtout le nocturlabe ; j'ai toujours eu des difficultés avec celui-là.

— Et maintenant tu sais lire l'heure dans les étoiles aussi facilement que n'importe quel astronome. (Jamal se retourna vers Carew.) Ce sont là mes instruments de base, mais il y en a d'autres, regarde.

Il montra un coffret de cuivre qui contenait un aimant, une paire de compas diviseurs, une paire de globes et une sphère armillaire miniature.

— Je n'ai jamais vu celui-ci.

Il prit une boîte ronde en cuivre pour la montrer à Jamal.

— Ah, oui, voilà ce que je voulais vous montrer. C'est une *qibla*, un indicateur, expliqua-t-il à Carew. Avec ceci, il nous est toujours possible de connaître la direction de La Mecque. Il contient une boussole et regardez, dit-il en soulevant le couvercle pour leur montrer une série d'inscriptions à l'intérieur du couvercle, il y a là une liste d'endroits, avec pour chacun d'entre eux la direction de La Mecque à chercher sur la boussole. (Il se tourna à nouveau vers Paul.) N'est-elle pas de toute beauté ?

Juste à ce moment-là, on frappa en bas à la porte d'entrée. Peu de temps après, le garçon apparut et chuchota quelque chose à son maître.

— Je vous demande quelques instants, messieurs, s'excusa Jamal. Il semble que j'aie une autre visite, mais cela ne me prendra pas longtemps.

Quand il fut sorti, Carew se tourna vers Paul.

— C'est bien beau, tout ça, mais quand allez-vous lui demander ?

— Le moment venu. Il y a des choses qu'on ne peut pas brusquer, macaque.

— Bon, d'accord, mais j'espère que vous savez ce que vous faites.

Carew prit un des astrolabes de cuivre. Le plaçant devant un de ses yeux, il positionna l'alidade et plissa l'œil pour regarder à travers la minuscule ouverture, comme il l'avait vu faire à Jamal. Sur une table se trouvaient divers parchemins couverts de tableaux pleins de chiffres et de symboles étranges ; des règles et des crayons à dessin étaient éparpillés parmi des pinceaux de calligraphie, des flacons d'encre, des feuilles d'or et des pots de minéraux de couleur, du rouge, du bleu, du vert, finement broyés.

— Il a tout du sorcier, votre ami Jamal, fit observer Carew, dont l'œil vif allait d'un objet à l'autre. Êtes-vous bien sûr qu'il n'enseigne que les mathématiques ? (Il prit un pot et en renifla le contenu.) Vous savez, je ne vois toujours pas pour quelle raison il nous aiderait.

Reposant le pot, il prit un parchemin, un tableau

plein de chiffres, et le tint dans un sens, puis dans l'autre, essayant d'y comprendre quelque chose.

— Ce sont des éphémérides. Jamal les appelle des *zij*. Les astronomes se servent de ces tables pour prédire le mouvement des étoiles. Et, à ta place, je le reposerais avant de le déchirer.

Mais Carew n'entendait pas le laisser détourner la conversation.

— Vous n'avez pas répondu à ma question. Est-ce que c'est un de vos agents de renseignement ? Est-ce qu'il a un nom de code – comme le sultan et le grand vizir – pour que l'Embrumé puisse parler de lui dans ses lettres ?

— Pas exactement, répondit Paul en regardant pensivement Carew. Comme je te l'ai déjà dit, je connais Jamal depuis la première fois que je suis venu à Constantinople. Nous avons conclu un arrangement : il m'apprenait l'astronomie...

— ... et en échange vous l'aidiez à reconstituer sa collection d'instruments.

— Tu es trop malin pour ton bien, Carew.

— Oh, allons, Paul. Le cadran solaire de chez Charlie Whitwell ? J'étais avec vous quand vous l'avez acheté, vous vous souvenez ? Et je sais ce qu'il a coûté – plus que le prix d'une leçon d'astronomie, c'est certain.

— C'était un échange honnête. *Quid pro quo.*

— Vous ne me tromperez pas avec votre latin. Pour moi, ça ressemble à du renseignement.

— Tu comprendras quand tu connaîtras mieux Jamal. On pourrait parler d'une... communauté d'esprit. Et si l'un de nous deux y gagne, c'est moi.

— Si vous le dites, secrétaire Pindar, fit Carew en

151

passant son doigt dans le trou d'un astrolabe pour en éprouver le poids. Mais ce sont quand même des cadeaux plutôt chers.

— Ce ne sont pas tous des cadeaux. Je lui ai donné le cadran solaire de Whitwell et un des astrolabes. Les autres, c'est lui qui les a payés.

Carew embrassa d'un coup d'œil la pièce presque vide.

— Alors c'est qu'il doit vraiment être sorcier.

— Jamal ? (Paul se mit à rire.) Non, je ne pense pas.

Carew lui jeta un regard aigu.

— Mais il va quand même nous aider.

Jamal et son serviteur revinrent. L'astronome était habillé pour sortir, une robe de voyage sur ses vêtements d'intérieur.

— Mes amis, s'excusa-t-il, je crains de devoir vous quitter. On m'a appelé... quelque chose d'inattendu. (Soudain il semblait fatigué.) Mais que cela ne vous empêche pas de rester. Regardez tout ce que vous voudrez. Le garçon, ajouta-t-il en posant tendrement la main sur la tête de l'enfant, le garçon s'occupera de vous.

Juste avant de partir, Jamal se retourna.

— Paul, est-ce que tu vas bien ?

— Oui, bien sûr, pourquoi ?

— Tu sembles... agité. Mais je vois que je me suis trompé.

Et, là-dessus, il sortit. Après son départ, il y eut un silence.

— Vous ne pouvez pas dire que je ne vous avais pas prévenu.

— Ne t'inquiète pas, il va revenir.

152

Paul alla jusqu'à une des fenêtres à croisillons et contempla pensivement les toits. Dans l'allée, en bas, il aperçut Jamal qui émergeait de la maison. Il y avait une femme avec lui, non voilée mais vêtue d'une robe noire typiquement juive.

— Attendez, je suis sûr de l'avoir déjà vue quelque part, fit Carew qui était venu le rejoindre.

— Évidemment, confirma Paul. Tout le monde la connaît.

— La Malchi ?

— Esperanza Malchi, précisa Paul en se reculant de la fenêtre pour ne pas être vu. La *kira* de la validé, une sorte d'agent et de messagère. Voilà quelqu'un qui a accès au harem... (Il se frotta pensivement le menton.) Elle était avec la validé le jour où je suis allé lui porter les cadeaux de la reine.

— Et qu'est-ce qu'elle veut à Jamal, d'après vous ?

Paul ne répondit pas. Il regardait la Juive qui descendait la rue étroite devant Jamal, d'une démarche curieusement chaloupée. Elle semblait habituée à ce qu'on la suive, songea-t-il. Il prit son compendium dans sa poche, le soupesa nerveusement au creux de sa paume. Derrière lui, il entendit Carew.

— Et en supposant que Jamal obtienne pour vous la certitude qu'il y a bien une Anglaise – Celia – là-bas, au palais. Qu'est-ce que vous comptez faire, Paul ?

— Si Celia est en vie ? (D'une main tremblante, Paul porta le compendium à ses lèvres.) Si Celia est en vie, nous la ferons sortir, bien sûr.

— J'avais dans l'idée que vous diriez ça, fit Carew en regardant disparaître au loin Esperanza et Jamal.

Voilà qui promet d'être plus intéressant que je ne l'aurais cru, ajouta-t-il avec satisfaction.

Plus tard ce matin-là

Hassan Aga s'éveilla en entendant des voix.

— Est-ce qu'il parle ? Que dit-il ?

Il sut tout de suite que c'était Safiye qui avait parlé. Que faisait-elle ici, dans cet endroit obscur ? Mais avant qu'il puisse trouver la réponse, il se produisit une chose qui le stupéfia encore bien davantage : une voix d'homme lui répondit. Un homme, à l'intérieur du harem ? Ce n'était pas possible...

— Je ne peux pas... ce n'est pas clair. (La seconde silhouette se pencha sur lui comme pour l'écouter.) Un rêve, ou une hallucination, reprit la voix. C'est plutôt naturel compte tenu des circonstances.

— Il est donc toujours en vie. (Encore Safiye.) Est-ce qu'il peut nous entendre ?

— C'est très difficile à dire. C'est son corps qui est paralysé. Mais son esprit... (L'homme plaça doucement le bout de ses doigts sous les narines d'Hassan Aga, cherchant sa respiration.) Oui, confirma-t-il. Son esprit vit toujours.

— Peut-on faire quoi que ce soit ?

L'homme hésita.

— Je ne suis pas médecin.

— Je le sais bien, rétorqua-t-elle impatiemment. Je vous ai fait venir ici parce que vous avez... d'autres pouvoirs. Nous voulons – je veux – savoir s'il vivra. Il faut que je sache quel sort sera le sien.

— Je ne peux pas vous le dire sans faire de

calculs, et cela prendra du temps. Mais peut-être...
(Il y eut une courte pause, puis l'homme reprit doucement.) Peut-être que si je l'examinais ?

— Faites ce qui est nécessaire, sans aucune
crainte. Tout ce qu'il faudra, vous m'entendez ? Vous
savez bien que vous avez toujours ma bénédiction.

Hassan Aga entendit le bruit d'une lampe qu'on
allume, et la lumière fut approchée de lui. Il y eut
une brusque inspiration.

— Au nom de Dieu, le miséricordieux, le compatissant... (La voix douce de l'homme bégaya un *bis-
millah*.) Qui a bien pu faire une chose pareille ?

— Est-ce que c'est du poison ? demanda Safiye.

Elle était restée en dehors de la tache de lumière
qui éclairait maintenant le milieu de la pièce. Sa
silhouette, couverte de voiles épais, projetait de
longues ombres sur le mur derrière elle.

— Oui, c'est du poison, sans le moindre doute.

L'homme semblait avoir des difficultés à parler.

Des mains, chaudes et sèches, se promenèrent sur
la peau glabre et habituellement lisse de son visage
et de son torse. Hassan perçut un faible parfum de
bois de santaL

— Des lésions. Voyez, il y a des lésions partout.
Pauvre diable. (Hassan sentit qu'on lui tournait doucement la tête.) Et il a saigné par les oreilles. Et par
les yeux aussi. Qui a pu faire une chose pareille ?
Qui voudrait infliger de telles souffrances ?

— Ne vous préoccupez pas de cela. Va-t-il survivre ?

L'homme palpa avec douceur le ventre monstrueu-
sement distendu d'Hassan Aga.

— Ses organes internes ont énormément enflé. (Il

souleva le poignet d'Hassan Aga et le tint un long moment entre ses doigts.) Mais, par quelque miracle, son pouls est régulier, annonça-t-il.

— Alors, dites-moi, s'impatienta Safiye. Va-t-il vivre ?

— L'eunuque noir en chef possède la force de plusieurs hommes, répondit l'homme en se rasseyant sur ses talons. Avec des soins appropriés, il est possible qu'il survive.

— Alors vous devez l'aider, vous avez des pouvoirs...

— Hélas, je crains que mes pouvoirs, comme vous les appelez, ne lui soient pas d'un grand secours. Ainsi que vous pouvez le constater, le mal est déjà fait. (L'homme regarda la pièce humide et sans fenêtre.) Ce dont il a besoin, poursuivit-il, c'est d'être soigné convenablement. Pas ici. Il lui faut de l'air, de la lumière.

— Il aura tout cela, dit sèchement Safiye. Même moi, je ne peux cacher le chef des eunuques noirs indéfiniment. Mais je voulais que vous soyez le premier à le voir. Il y a une autre chose dont il va avoir besoin. Donnez-lui un talisman – un talisman de protection –, le plus puissant que vous soyez capable de faire. Et s'il vit, vous serez richement récompensé, je vous en fais le serment. Ne me suis-je pas montrée assez généreuse avec vous dans le passe.

L'homme resta un moment sans répondre. Finalement, il inclina la tête.

— Je ferai ce que vous désirez mais d'abord, il y a une chose que j'ai besoin de savoir : qui sont ses ennemis ? Et comment pouvez-vous être certaine qu'ils ne vont pas recommencer ?

— Il n'y a rien à craindre. (Safiye Sultane sortit de l'ombre pour s'avancer dans la lumière que projetait la lampe de l'homme.) Vous êtes sous ma protection.

— Vous savez que je ne crains pas pour moi-même, affirma l'homme, d'une voix si basse qu'elle était presque un chuchotement. Savez-vous qui a fait cela ? Majesté, vous devez absolument me le dire.

Il y eut une longue pause.

— Oui, je le sais.

— Alors il faut me donner leurs noms. Sans cela, le talisman n'aura aucun effet.

Hassan Aga s'efforça d'entendre la réponse de Safiye, mais ne perçut que le bruit du sang battant à ses oreilles.

Plus tard, beaucoup plus tard, Hassan Aga s'éveilla de nouveau. Il sentait une pression dans sa vessie et savait qu'il avait besoin d'uriner. Ils avaient dû lui donner a boire, de l'eau ou autre chose, pour compenser le liquide qu'il avait perdu.

La pression se fit plus insistante et il ne pouvait uriner sans l'aide de son calame. Il porta la main à sa tête, mais la coiffe blanche de sa fonction, à l'intérieur de laquelle le calame était toujours épinglé, n'était pas là. Rassemblant toute ses forces, Hassan Aga roula sur le côté. L'effort lui emballa le cœur. De là, il tendit le bras et sa main balaya à l'aveuglette la pierre froide du sol, mais il n'y avait rien. Des perles de sueur envahirent son front et les replis de chair sur sa nuque.

On avait essayé de l'empoisonner, il en était maintenant convaincu. On avait essayé de le tuer, mais sans succès. Il savait quelque chose que les autres ignoraient, qu'Hassan Aga avait la force de dix hommes. Pourtant, sans son calame, sans la possibilité d'uriner, même la force de cent hommes ne pourrait pas le sauver.

Hassan Aga, le Petit Rossignol, se rallongea sur son matelas de paille ; sa vessie enflée lui faisait souffrir le martyre. Ses yeux commencèrent à se refermer, mais à ce moment-là, il aperçut un rai de lumière qui pénétrait dans la pièce. Il y avait donc une porte. Son esprit se remit à vagabonder. Il se rappelait quand, enterré dans le sable jusqu'au cou, la fille venait le voir et pressait des morceaux de courge contre sa bouche pour soulager ses lèvres enflées.

Lili. Pauvre Lili. Ils n'étaient que des enfants, alors.

Faisant appel à toutes ses forces, il se remit sur le côté et s'aperçut qu'il lui était possible de s'accroupir sur le sol. Il attendit dans cette position que le martèlement de son cœur se calme. Un souvenir d'une étonnante clarté lui revint en mémoire. Lili et lui qui contemplaient ensemble le tournoiement des étoiles au-dessus d'eux durant les longues nuits du désert. Il sentit le pincement d'une émotion qu'il n'arrivait pas à identifier, dans un endroit qui était peut-être son cœur. Était-ce du remords qu'il éprouvait ?

Hassan Aga se redressa et se mit en marche vers la lumière.

12

Matin

— Annetta
— Celia.
— Tu es revenue.
— Comme tu peux voir.
— Je me demandais... Où étais-tu ?
— Chut ! (Annetta mit un doigt sur ses lèvres. Deux mèches de cheveux humides lui collaient sur le cou.) Elle va t'entendre !

Elle désigna du menton la maîtresse des filles, une Macédonienne au grand nez et à la mine revêche qui patrouillait la cour à l'extérieur du hammam des *cariye*. Elle tenait à la main une baguette de noisetier dont elle n'hésitait pas à se servir pour calmer les bavardes.

— Il s'est passé quelque chose, chuchota Celia, s'agenouillant avec Annetta au bord d'un des bassins de pierre.
— Quel genre de chose ?

159

— Je ne sais pas. Mais je pensais que toi, tu saurais peut-être – ne m'as-tu pas dit hier que tu avais une drôle d'impression ? Très tôt, ce matin, il y a eu du remue-ménage. Des gens qui criaient. Tu n'as pas entendu ?

— Qui criaient ?

Celia et Annetta vivaient depuis assez longtemps dans la Maison de la Félicité pour savoir que, dans le silence monastique des quartiers de la sultane validé, tout bruit intempestif était à prendre au sérieux. Un groupe de maîtresses se tenait dans la cour, discutant à voix basse. Des chambres du haut parvenaient des bruits de pas précipités et des échos de voix étouffées.

— En fait, je sais quand même quelque chose, avoua Annetta en jetant un rapide coup d'œil derrière elle à la maîtresse, occupée à donner des ordres à une de ses servantes. Mais tu dois me jurer de ne rien dire. Des *cariye* ont été mises dans un sac et noyées pour moins que ça.

— Mais de quoi est-ce que tu parles ? demanda Celia qui, inquiète, regarda autour d'elles.

— Ils l'ont trouvé, voilà ce qu'il y a.

— Trouvé qui ?

— Lui ! L'eunuque noir en chef.

Celia dévisagea Annetta sans comprendre. Elle revit la silhouette terrifiante de ce géant noir avec sa haute coiffe blanche, avançant devant elle dans le couloir de son absurde démarche dansante, Elle se souvint de sa peau sombre et luisante, et des plis de graisse à la base de son cou.

— Ah bon, il avait disparu ? risqua-t-elle.

— Mais tu ne sais donc rien, espèce d'oie ?

160

(Annetta semblait exaspérée mais, pour une fois, elle consentit à lui expliquer au lieu de la traiter simplement d'idiote.) On racontait que la validé l'avait envoyé en mission à Edirne. Ça, c'était hier. Et puis des gardes l'ont trouvé évanoui dans les jardins du palais. Personne ne sait comment il a pu arriver là, chuchota-t-elle, pressant ses lèvres contre l'oreille de Celia. J'ai fait parler l'eunuque Hyacinthe, tu sais, celui qui est amoureux de Fatma, la première chambrière. Il paraît qu'il est horriblement défiguré – empoisonné, ajouta-t-elle avec difficulté, comme si les mots avaient du mal à sortir. On ne sait pas encore s'il va s'en relever.

À son grand étonnement, Celia s'aperçut qu'Annetta avait les larmes aux yeux.

La Macédonienne avait été remplacée par une de ses sous-maîtresses, une Géorgienne qui se dirigeait maintenant vers elles, ses sandales de bois cliquetant sur le marbre.

— Cela suffit, *cariye*, la gronda-t-elle.

Elle abattit sa baguette de saule sur la pierre du bassin, sans toutefois autant de méchanceté que la maîtresse en chef, qui adorait prendre les bavardes par surprise et leur cingler le dos de la main jusqu'au sang.

— Tout le monde dans sa chambre, maintenant, par ordre de la validé.

Immédiatement, toutes les filles qui se trouvaient dans le hammam se levèrent docilement et se mirent en rang. Celia les vit échanger des signes, dans le langage que tous au palais utilisaient quand le silence était requis.

Celia se leva, protégeant Annetta du mieux qu'elle

pouvait. À l'expression de la Géorgienne, elle sut que celle-ci l'avait reconnue ; elle éprouva, pour la première fois, le pouvoir de son nouveau statut. Même si elle n'était pas encore officiellement une concubine, le visage de la femme lui disait néanmoins qu'elle était toujours *gözde*. Quelqu'un pour qui on pouvait faire une exception à la règle – du moins pour le moment. Savoir cela lui donna du courage.

— Madame... (Elle s'inclina respectueusement devant la Géorgienne, heureuse, pour la première fois, qu'on lui ait enseigné l'étiquette et les formalités du harem.) Il se trouve que je... je ne me sens pas très bien. Oui, affirma-t-elle avec toute l'autorité dont elle était capable, une main sur le ventre, et j'ai donc demandé à Ayshe, chambrière de la validé, de me raccompagner jusqu'à ma chambre.

— Eh bien...

La sous-maîtresse recula d'un pas, les regarda d'un œil dubitatif La voyant hésiter, Annetta glissa son bras sous celui de Celia.

— Sa majesté la sultane validé recommande dans ces cas-là une compresse froide. (Sans laisser à la femme le temps d'objecter, elle poussa Celia vers la porte.) Je m'en occupe immédiatement, sous-maîtresse des filles.

— Une compresse froide ? C'est sur le ventre que j'avais ma main, pas sur le front. Qu'est-ce qu'elle a dû penser ?

— Heureusement, ça n'a aucune importance puisqu'on ne lui a pas laissé le temps de réfléchir. (Annetta hocha la tête avec un petit rire.) Tiens, tiens, alors c'est là qu'on met le nouveau *culo* du

162

sultan, fit-elle en regardant la petite pièce dans laquelle Celia, conformément à l'étiquette du harem, avait été installée, le jour précédant sa rencontre avec le sultan.

Annetta caressa de la main les carreaux verts frais et lisses et regarda par les croisillons ajourant le haut de la porte qui donnait sur la cour de la validé.

— Hé, on peut tout voir.

— Oui, et tout le monde peut te voir.

— À quoi est-ce que tu t'attendais ?

Même si Annetta avait encore l'air un peu pâle, elle semblait avoir retrouvé sa vivacité d'esprit. Celia la vit parcourir la pièce d'un regard perçant, s'arrêtant sur les coussins de soie, les riches mosaïques qui ornaient les niches creusées dans le mur, les portes incrustées de nacre. Dans un coffre ouvert se trouvaient la chemise de linon qu'on lui avait fait revêtir pour l'emmener vers le sultan et la cape doublée de zibeline dont ils l'avaient enveloppée après. La pièce était très petite et complètement vide à part ces quelques objets mais dans les quartiers communs des *cariye*, comme Celia ne le savait que trop bien, une demi-douzaine de filles devaient se partager un espace spartiate et guère plus vaste.

Annetta n'était pas du genre à perdre son temps en mesquines jalousies. Elle entrouvrait déjà la porte donnant sur la cour pour en tester les gonds. Ils grinçaient.

— Hum. Je m'en serais doutée. Elle ne laisse jamais rien au hasard.

— Combien de temps est-ce qu'ils vont me garder ici, à ton avis ?

— Est-ce qu'il t'a fait demander à nouveau ? Est-ce qu'il t'a pris ta précieuse petite fleur et l'a fait inscrire dans son grand livre ?

— Pas encore.

Celia ne savait pas très bien si elle en ressentait de la honte ou du soulagement.

— Alors, qui sait ? dit Annetta avec un haussement d'épaules. Un jour, une semaine. (Son visage affichait une indifférence soigneusement étudiée.) Il t'a donné quelque chose ? s'enquit-elle nonchalamment.

— Juste ces boucles d'oreilles, répondit Celia, qui sortit une petite boîte d'une des niches. En perles et en or, je crois. On a le droit de garder tout ce qu'il laisse derrière lui. Tiens. Prends-les. J'ai une dette envers toi. Pour Cariye Lala, tu te souviens ?

— Pour ce que ça t'a servi ! Ma parole !

S'accroupissant sur le sol, elle leva les perles dans la lumière. Ses yeux noirs brillaient. Puis elle mit une des perles entre ses dents et la mordit.

— Perles d'eau douce, décréta-t-elle d'un ton presque accusateur, comme si Celia avait essayé de les faire passer pour autre chose. Pas d'aussi bonne qualité que les perles de mer, mais presque aussi grosses que des œufs de pigeon. (Elle les laissa négligemment tomber sur le lit.) Tu veux mon avis ? La prochaine fois, demande des émeraudes.

Celia remit soigneusement les boudes dans la boîte. Après un court silence, elle ajouta :

— Je ne voulais pas que ce soit moi, Annetta. En fait, j'aurais souhaité de tout mon cœur que ce soit toi.

— Du beau *culo* tout frais pour le gros vieux

164

bonhomme ? grimaça son amie. Non, merci. Tu ne comprends toujours pas, hein ? J'ai déjà grandi dans un bordel et ça m'a suffi. Parce que cet endroit n'est rien d'autre. Ce n'est qu'un bordel, avec un seul gros et vieux client. Et tout le monde fait comme si c'était un honneur extraordinaire d'être choisie par lui. *Madonna !*

Subitement furieuse, elle s'en prit à Celia.

— Je vais te dire, ils n'ont pas fait une bonne affaire en m'amenant ici. Tu ne t'es jamais demandé comment j'avais atterri dans un couvent ? Un jour, ma mère a essayé de me vendre à un vieil homme de ce genre et je l'ai mordu si fort que je te promets qu'il n'est pas près de retoucher à du *culo.* Je n'avais que dix ans, je n'étais encore qu'une petite fille. S'ils essaient de me mettre dans les pattes de ce vieux coq, dit-elle avec un mouvement de tête en direction des quartiers du sultan, je t'assure que je le mordrai aussi, ça tu peux y compter.

— Arrête ! (Deux taches rouges étaient apparues sur les joues de Celia.) Je te jure, un de ces jours tu vas nous faire tuer toutes les deux, si tu ne tiens pas ta langue.

— Je sais, je sais, désolée, désolée... (Annetta se mit à arpenter fiévreusement la petite pièce.) Il se passe quelque chose de bizarre aujourd'hui, tu ne le sens pas ?

Elle entrouvrit la porte sur la cour et mit son œil contre la fente, mais il n'y avait personne dans la cour. Elle se tourna de nouveau vers Celia, se tripotant nerveusement le cou.

— Pourquoi tout est-il si calme ? Je croyais que tu avais entendu crier ?

— C'est vrai. Tôt ce matin, ça venait de chez la *haseki*.

— De la chambre de Haseki Gulay ?

— Oui, sa porte est en face de la mienne. Juste là-bas. Elle désigna l'autre côté de la cour.

— Ah bon ? fit Annetta en s'immobilisant, l'œil toujours collé à la fente de la porte. Il y a un petit dôme au-dessus de sa chambre, c'est sûrement sur deux niveaux... (Elle allongea le cou pour voir plus loin dans la cour.) Très malin : je parie qu'il y a au moins trois entrées. Ses appartements doivent aussi communiquer avec le hammam de la validé.

— C'est le cas, confirma Celia, venant se placer derrière elle. La nuit, d'ici, je peux voir les étoiles. Ça me rappelle quand j'étais sur le bateau de mon père, avec Paul. Il connaissait toutes les étoiles.

— Oh, oublie donc les étoiles, idiote, la réprimanda Annetta. Oublie tout ce qui est le passé.

— Je ne peux pas.

— Il le faut.

— Comment ? Comment est-ce que je pourrais ? s'écria Celia, choquée. Je ne suis rien sans le passé.

— Mais bien sûr que si, tête de linotte, rétorqua vivement Annetta. Tu auras ton avenir devant toi.

— Mais tu ne comprends pas, gémit Celia en s'asseyant sur le lit, les mains crispées sur le ventre. Je rêve de lui toutes les nuits, de Paul... et, tiens, j'ai même cru le voir l'autre jour, j'ai cru les voir tous, dit-elle tristement, se souvenant du bateau en sucre et des petites silhouettes dans les haubans, certaine maintenant qu'elles ne pouvaient avoir été réelles.

— Alors il vaut mieux ne pas dormir. (Annetta tourna vers Celia un visage, dur.) Combien de fois

166

faudra-t-il que je te le répète ? Le passé ne te sert à rien, ici, *capito* ? Et tes rêves ne te mèneront nulle part.

Celia regarda pensivement Annetta. Elle s'était tant accrochée à elle, pendant leurs premières semaines de captivité. Un vrai démon, disaient d'elle les corsaires ottomans, qui avaient bien failli la jeter à la mer, comme ils avaient fait des autres femmes à bord, les deux nonnes du couvent d'Annetta avec qui elle voyageait, trop vieilles pour rapporter même un profit minimal sur les marchés aux esclaves de Constantinople. Mais c'était précisément le caractère d'Annetta, Celia en était bien consciente, son caractère et sa redoutable intelligence, qui les avaient sauvées. Annetta semblait toujours savoir quoi faire : quand il fallait se battre et quand il valait mieux amadouer l'adversaire, quand briller pour se faire remarquer, quand se rendre invisible. D'une manière ou d'une autre, elle avait réussi à manipuler tout le monde, même la marchande d'esclaves chez qui elles avaient passé presque deux ans, avant d'être enfin vendues à la favorite du sultan, comme cadeau pour la validé.

« La brune et la blonde ensemble, maîtresse. » Celia se rappelait comment Annetta avait passé un bras lascif autour de sa taille, appuyé sa joue contre la sienne. « Regardez, nous pourrions être jumelles. » Contre toute attente, Annetta avait réussi à les faire rester ensemble.

Mais maintenant ? En regardant son amie, Celia sentit monter sa propre inquiétude. Elle n'avait jamais vu Annetta si nerveuse. Elle avait même pleuré, se souvint Celia avec étonnement, à la nouvelle de ce qui était arrivé à l'eunuque noir en chef. Celia n'avait jamais vu Annetta pleurer auparavant. Si Hassan Aga mourait, quelle importance ? Presque toutes les *cariye* avaient peur de lui. Qui allait le pleurer, au harem ? se demanda-t-elle. Sûrement pas Annetta ?

— Est-ce que tu la vois, quelquefois ? La *haseki*.

Annetta, curieuse, regardait toujours par la fente de la porte.

— Haseki Gulay ? Eh bien, ça ne fait que deux jours qu'ils m'ont amenée ici, alors je ne l'ai pas encore vue. Pas ici, en tout cas. Mais je la verrai probablement. Quand le sultan nous envoie chercher – enfin, l'envoie chercher, elle –, la maîtresse des filles doit l'escorter à travers la cour et la remettre aux eunuques. Mais la plupart du temps, elle reste dans sa chambre. Nous ne sommes pas censées aller où que ce soit. Il n'y a rien d'autre à faire.

Le calme de la cour n'avait rien de naturel. Même Celia commençait à en prendre conscience. Un couple de tourterelles s'appelait sur le toit, et leurs roucoulements brisaient l'immobilité de l'air.

Annetta frissonna soudain, le visage pincé.

— On raconte qu'elle ne va pas bien. La *haseki*.

— Ah bon ? répondit tristement Celia. On dit beaucoup de choses, dans ce palais.

Le souvenir lui revint de l'homme dans la grande chambre éclairée de bougies et de la concubine, Gulay, qui pleurait à ses pieds.

— Tout ce que je sais, reprit-elle, c'est que le sultan l'aime.

— Qu'est-ce qu'il connaît à l'amour, celui-là ? Y

a-t-il même une seule personne dans ce palais qui connaisse quoi que ce soit à l'amour ? Tu ne penses tout de même pas même si tu es un joli petit morceau très appétissant qu'on t'a offerte au sultan pour qu'il tombe amoureux de toi ? Tu ne vas pas croire ça, espèce d'oie ?

— Non, soupira Celia. Même moi, je ne suis pas aussi bête que ça.

Un rai de soleil s'insinua dans la fente de la porte et traversa la petite pièce jusqu'au divan où elle était assise. Elle tendit la main, le regardant illuminer la pâleur de sa peau et le fin duvet d'or roux.

— Mais j'ai été amoureuse.

— L'amour ? Je te dis que ça n'existe pas.

— Si, insista Celia. Il existe.

Annetta la regarda.

— Tu t'imagines que tu étais amoureuse de ton marchand, je suppose ?

Celia ignora la pique.

— Mon père voulait qu'on se marie.

— Tu as eu de la chance, petite oie, la plupart des pères ne tiennent pas compte des beaux sentiments quand ils choisissent le mari de leur fille. Et alors, pourquoi est-ce que tu ne l'as pas épousé ?

— Tu sais pourquoi. Nous devions nous marier en Angleterre, et je retournais là-bas depuis Venise sur le navire de mon père quand... Enfin, tu sais ce qui est arrivé.

— C'est une bonne chose que tu ne te sois pas mariée plus tôt, ajouta Annetta, impitoyable, sinon tu te serais probablement fait jeter par-dessus bord avec les nonnes.

169

Sentant qu'elle était peut-être allée un peu loin cette fois-ci, elle se radoucit.

— Et alors ? Parle-moi de lui, même si j'ai déjà tout entendu, déclara-t-elle, une main sur la hanche. Ne me fais pas la grande scène des larmes, voilà tout. C'était un marchand, non ?

— Un ami de mon père.

— Un vieil homme, alors ? Pouah ! s'exclama Annetta, le nez froncé de dégoût. Mais très riche, as-tu dit. Crois-moi, jamais je n'aurais épousé un homme s'il n'était pas riche.

— Non, non, il n'était pas vieux du tout.

— Mais il était riche.

— Et intelligent, un vrai savant. Et gentil.

Et il m'aimait, cria son cœur. *Il m'aimait et je l'aimais. Je l'ai aimé tout de suite.* Elle se souvint du jour où ils s'étaient rencontrés dans le jardin du marchand Parvish à Bishopsgate. C'était à la veille de son départ pour Venise, deux ans avant le naufrage. Elle avait dix-huit ans. Il ne l'avait pas reconnue tant elle avait grandi.

— Vous ne me reconnaissez pas, Paul ? avait-elle ri en lui faisant la révérence.

— Celia ? Celia Lamprey ? s'était-il exclamé, plissant les yeux dans le soleil. Ma parole, comme vous voilà changée ! Suis-je vraiment parti si long-temps ? (Il la tenait à bout de bras pour la regarder.) Comme vous voilà changée, avait-il répété, et ses yeux dansaient.

Puis il s'était tu, comme s'il ne savait plus quoi dire.

— Nous rentrons ? avait-elle enfin proposé

espérant qu'il ne verrait pas à quel point elle en avait peu envie.

— Ma foi... Votre père est toujours occupé avec Parvish, avait répondu Paul en regardant vers la maison, avant de lui offrir son bras. J'espère que vous n'êtes pas devenue une trop grande dame pour faire d'abord un petit tour en ma compagnie ?

Celia se rappelait le bleu saisissant des massifs de lavande ; le vert argenté des saules dans le jardin dos. Sa façon de la regarder, comme s'il la voyait pour la première fois. De quoi avaient-ils parlé ? De Venise, de ses voyages, de la boîte à curiosités de Parvish. Il voulait lui montrer les curiosités – parmi lesquelles figuraient une corne de licorne, et une mèche de cheveux de sirène –, mais il y avait eu tant d'autres choses dont ils avaient envie de parler.

Quand Celia émergea de sa rêverie, Annetta se tenait toujours près de la porte.

— Un marchand riche et intelligent, ce n'est pas si mal, commentait Annetta. Et même pas vieux ! *Madonna*, pas étonnant que tu croies encore à l'amour. Moi aussi, j'y croirais si j'avais rencontré une pareille perle. Et ne me dis pas qu'en plus il était beau ? (Les yeux d'Annetta pétillaient.) Est-ce qu'il avait de jolies jambes ? Tu sais, je me suis rendu compte que même moi je pourrais épouser un homme avec de jolies jambes.

Celia fit un effort pour se reprendre.

— Oui, il avait de jolies jambes.

— Et il te racontait de jolies choses ? Oh, pas la peine de répondre, va, c'est écrit sur ta figure. (Annetta hocha la tête avec pitié.) Ma pauvre petite oie.

Celia garda le silence.

— Il a dû partir en voyage, à peine quelques semaines avant que nous prenions la mer, reprit-elle après un moment. En fait, je crois bien qu'il est venu ici, à Constantinople. Avec l'ambassade de la reine. Il devait nous rejoindre en Angleterre.

— Il est venu ici ? (Quelque chose dans la voix d'Annetta lui fit lever les yeux.) Tu ne m'as jamais dit ça, avant. Ici, à Constantinople ? Tu es sûre ?

— Oui, mais c'était il y a longtemps. Au moins deux ans, et pour un court séjour. Il doit être de retour à Venise, maintenant. Pourquoi ?

— Rien, rien.

Annetta sembla soudain frappée par une pensée.

— Celia...

— Quoi encore ?

— Est-ce qu'il sait que tu es morte ?

— Est-ce qu'il sait que je suis morte ? (Celia faillit rire.) Mais je ne suis pas morte, au cas où tu n'aurais pas remarqué. Quelle idée de dire une chose pareille ! Tu veux peut-être dire : est-ce qu'il sait pour le bateau de mon père ? Il y a des chances, répondit-elle avec ironie, la moitié de la marchandise à bord était à lui.

— Oui, mais nous ? insista Annetta, les yeux brillants. Petite oie, tu ne t'es jamais demandé si quelqu'un sait ce qui nous est vraiment arrivé ?

— Il y a eu une époque où je ne pensais à rien d'autre, confia Celia en lui lançant un regard désolé. Mais tu m'en as guérie, tu ne te souviens pas ? Pas de regard en arrière, prônais-tu. Si nous voulons survivre, il ne faut pas regarder en arrière.

— Oui, oui, bien sûr, tu as raison.

Encore ce même geste, la main tripotant nerveusement la gorge.

— Qu'est-ce qu'il y a, Annetta ? l'interrogea Celia, la regardant avec curiosité. Tu me parais bien étrange aujourd'hui.

Elle essaya de l'entourer de son bras, mais Annetta se dégagea d'une secousse.

— Celia, je dois t'avouer quelque chose... mais je ne sais pas comment... (Elle trébuchait sur les mots, semblant s'adresser à elle-même.) Mais non, non, pas maintenant. Je suis désolée, mais il est trop tard, trop tard...

Elle s'arrêta soudain et s'écarta de la porte, le corps tendu.

— Attention ! Il y a quelqu'un qui vient !

En provenance de la porte qui reliait le quartier des eunuques à la cour de la validé, une femme marchait dans leur direction. Bien que non voilée, elle était habillée pour l'extérieur, petite silhouette trapue aux vêtements recouverts d'une longue robe noire.

— Esperanza, chuchota Annetta. Esperanza Malchi.

Il y avait de nombreuses *kira* attachées au palais – des femmes, juives pour la plupart, qui gagnaient leur vie en faisant de petites commissions pour les membres du harem et qui, en vertu de leur statut de non-musulmanes, pouvaient circuler avec une certaine liberté entre le palais et la ville –, mais Esperanza, c'était bien connu, ne travaillait que pour la validé.

— Je ne l'aime pas. Elle a tous les eunuques dans sa poche, et personne n'a l'air de savoir vraiment ce qu'elle fait, commenta Annetta en fronçant les

173

sourcils. Et si tu veux mon avis, il vaut probablement mieux ne pas chercher à le savoir.

La vieille femme traversait lentement la cour. Elle avait un bâton à la main, une canne à tête d'argent, et ondulait légèrement en marchant, balançant d'un côté à l'autre.

— Regarde-moi cette affreuse vieille mégère, gronda Annetta. Des oignons aux pieds, je parierais. Elles en ont toutes. Tu n'as pas remarqué que toutes les femmes âgées ici ont la même démarche, comme des oies qui marchent sur des œufs ?

Sans savoir pourquoi, Celia sentit soudain la peur la prendre à la gorge.

— Tais-toi, elle va t'entendre.

Parvenue au milieu de la cour, la femme s'arrêta et regarda autour d'elle, puis, apparemment rassurée de ne voir personne, elle se remit à chalouper à une vitesse surprenante, tout droit vers la porte de Celia.

Instinctivement, elles se rejetèrent dans l'ombre. Annetta s'aplatit contre le mur, tandis que Celia se retrouvait coincée derrière la porte.

Dehors, elles entendirent un piétinement, puis le silence. Celia ferma les yeux. Rien. La femme devait avoir la main sur la porte entrouverte. Puis, enfin, un léger grincement. La porte s'ouvrit encore d'une dizaine de centimètres et s'arrêta. Celia sentait le sang courir furieusement dans sa tête. Elle avait l'impression de suffoquer. Finalement, n'y tenant plus, elle rouvrit les yeux et faillit hurler.

Un œil la fixait par un des trous du treillis. Terrorisée, Celia le regarda fixement. Son cœur tambourinait si fort dans sa poitrine que la femme devait sûrement l'entendre. Et en même temps sa tête lui

174

disait : *qu'est-ce que c'est que cette folie ? Pourquoi est-ce que nous nous cachons ? J'ai parfaitement le droit d'être ici. Il faut que j'ouvre la porte,* pensa Celia, *que je regarde cette femme en face.* Pourtant, elle en était incapable. Tous ses instincts lui criaient de ne pas faire un mouvement. Mais cela ne servait à rien ; elle sentait que ses genoux étaient doucement en train de se dérober sous elle.

Et juste à ce moment-là, apparemment satisfaite par ce qu'elle avait vu, Esperanza recula soudain. Elle referma la porte en prenant soin de la laisser exactement comme elle l'avait trouvée et, de son étrange démarche chaloupée, se dirigea vers l'autre côté de la cour. À l'entrée des appartements de la *haseki* elle s'arrêta de nouveau et, sans regarder autour d'elle cette fois, gratta doucement à la porte.

On lui ouvrit immédiatement. Celia vit la femme sortir des plis de sa large robe un paquet bosselé. Une main invisible le prit et la porte se referma aussi silencieusement qu'elle s'était ouverte. Esperanza Malchi reprit son chemin, sa canne frappant le sol.

Une fois qu'elle eut disparu de leur vue, il y eut un silence de quelques minutes. Puis Annetta se mit à rire.

— Tu devrais voir ta tête. Seigneur, quelle oie tu fais ! Tu as l'air d'avoir vu un fantôme.

— Elle m'a regardée. (Tremblante, Celia se laissa tomber sur le sol.) Je te jure, elle a regardé droit vers moi.

— Tu étais si drôle à voir !

Annetta s'affala sur les coussins du divan, se fourrant un poing dans la bouche.

— Tu crois qu'elle m'a vue ?

— Bien sûr que non, il y a tellement de lumière dehors qu'elle n'a rien pu voir. Ici, ça devait lui paraître noir comme un tombeau, en comparaison.

— Mais elle était juste à ça de moi...

Celia leva deux doigts et vit que sa main tremblait encore.

— Je sais... Oh si tu te voyais !

Annetta semblait prise d'une sorte d'hystérie. Elle roula sur les coussins, faisant tomber la coiffe dorée épinglée à l'arrière de sa tête.

— Arrête ça ! Arrête, s'il te plaît... la pria Celia en lui secouant l'épaule. Tu commences à me faire peur.

— ... peux pas.

— Il le faut. (Une autre pensée vint à Celia.) Et, en plus, tu n'es pas censée être ici, poursuivit-elle. Il faut que tu retournes là-bas. Est-ce que la validé ne va pas se demander où tu es passée ?

— Non. Elle nous a congédiées pour quelques heures. C'est ce qu'elle fait toujours quand la Malchi vient la voir.

La seule mention de la validé, cependant, lui fit reprendre instantanément son sérieux. Annetta se redressa et s'essuya les yeux, soudain redevenue elle-même.

— *Madonna,* j'ai une telle faim que je pourrais manger un cheval.

— Faim ? (Celia la regarda, stupéfaite.) La seule idée de nourriture lui donnait la nausée. Mais Annetta se lissait les cheveux et remettait sa coiffe en place, comme si rien ne s'était passé, comme si la tension qu'elle avait ressentie plus tôt s'était tout simplement évaporée.

— Au couvent, raconta-t-elle, aussi joyeuse qu'à

176

l'ordinaire, on me reprochait toujours de trop rire et de trop manger... (Elle s'arrêta subitement.) Qu'est-ce que c'est que ça ?

— Quoi donc ?

— Là, regarde, sur le seuil.

Celia se leva.

— C'est étrange.

— Qu'est-ce que c'est ?

— On dirait... On dirait du sable, répondit Celia. Du sable bleu et blanc. Ça forme un dessin, ajouta-t-elle en l'examinant de plus près. Un œil.

— Un œil ? (Annetta bondit du lit et fit mine de tirer Celia loin du seuil.) N'y touche pas !

— Ne sois pas bête, évidemment je ne vais pas y toucher.

Mais, encore instable sur ses jambes, elle perdit l'équilibre quand Annetta la saisit et fit un pas maladroit sur le côté, poussant Annetta qui marcha sur le sable. Il y eut un court et inconfortable silence.

— Qu'est-ce que j'ai fait ?

Choquée, Annetta regardait son pied.

— Rien, rien. Allez rentre, maintenant.

Faisant de son mieux pour la rassurer, Celia la tira à l'intérieur de la pièce et ferma la porte. Elles se regardèrent fixement.

— Eh bien, nous aurons quand même appris quelque chose sur Esperanza Malchi, dit Annetta, qui, pâle comme la mort, fixait Celia dans la pièce obscure. Je le jure devant Dieu, cette femme est une sorcière.

177

13

Midi

— Où l'a-t-on trouvé ?

— Près du kiosque nord, Majesté. À côté du mur d'enceinte.

La sultane Safiye regarda le corps enflé d'Hassan Aga qui reposait devant elle sur un lit de coussins.

— Qu'est-ce qu'il a dans la main ?

— Un morceau de roseau, Majesté. L'eunuque baissa les yeux. Il s'en est servi pour vider sa...

— Je sais pourquoi il en avait besoin, interrompit impatiemment Safiye. Est-ce que le médecin est là ?

— Oui, Majesté. Il attend dans les quartiers des pages. Dois-je le faire entrer ?

— Immédiatement.

À son signal, un des eunuques installa un tabouret et deux autres apportèrent un paravent derrière lequel elle se tiendrait pendant l'examen du médecin. La sultane Safiye s'assit et regarda autour d'elle. Faute de pouvoir encore transporter Hassan

178

Aga à l'infirmerie principale, on l'avait mis dans une grande chambre tout près des portes du harem. C'était une pièce sans soleil, nue à part ses murs carrelés. L'apparition de la validé dans cette partie du harem était chose si rare qu'elle pouvait sentir les eunuques entassés en grappe dans le couloir extérieur, leurs visages noirs rendus muets de stupeur par les événements des dernières heures. Rien que de les imaginer – les bouches ouvertes, les mâchoires pendantes, les mains échangeant des signaux dans le langage silencieux du palais –, elle fut subitement furieuse. *Quels idiots ! S'ils croient que je ne peux pas les entendre quand ils parlent avec les mains*, pensa-t-elle. *Alors que leur seule présence et leur peur m'assourdissent. Des idiots, tous, tant qu'ils sont, Chacune de mes femmes a plus de bon sens.* Tous, sauf Hassan Aga, bien sûr. Quelle idée de s'échapper ainsi. Ne lui faisait-il pas confiance pour le garder en sécurité ? Eh bien, qu'elle le veuille ou non, tout était étalé au grand jour, maintenant ; même elle n'aurait pu garder l'empoisonnement secret beaucoup plus longtemps. Elle avait cependant gagné un peu de temps, un temps précieux pour faire ses plans et manœuvrer. Safiya jeta un nouveau regard à la silhouette allongée. Trouvé dans les jardins... Il est facile de deviner qui tu cherchais. Un peu de la vieille sensation familière – était-ce de la peur ou de l'excitation ? – lui descendit le long de la colonne vertébrale. Il n'allait sûrement pas la trahir ? Pas maintenant, pas après toutes ces années.

À son signal, on fit entrer le médecin. Ce médecin officiel du palais était bien différent du précédent, songea Safiye. C'était un eunuque blanc attaché à l'école du palais. Son visage était d'une pâleur cadavérique, presque verdâtre, la couleur d'une araignée dans un très vieux jardin.

S'inclinant avec déférence devant le paravent, le docteur se dirigea vers le lit de fortune où gisait Hassan Aga. Les eunuques noirs de haut rang amassés autour du lit s'écartèrent un peu pour le laisser passer. Il se fit un silence total pendant que le médecin posait l'oreille sur la poitrine d'Hassan Aga, plaçant en même temps deux doigts sur sa gorge pour sentir son pouls.

— Au nom de Dieu, le miséricordieux, le compatissant, annonça-t-il d'une voix aiguë et chevrotante, il vit !

Le souffle collectivement retenu s'échappa d'un seul coup dans la pièce, comme un bruissement de vent à travers des feuilles d'automne.

Encouragé, le médecin prit le bras d'Hassan Aga et examina attentivement la paume de sa main. Les ongles étaient épais et recourbés, aussi jaunes que de vieux ossements d'éléphant. Le silence régna à nouveau durant un long moment. Les eunuques, formés à l'immobilité par de longues années de discipline, ne faisaient pas un mouvement. Finalement une voix s'éleva.

— Dites-nous, qu'est-il arrivé à notre chef ?

C'était le plus jeune des eunuques de haut rang. Plus grand et plus large d'épaules que les autres, sa voix – aussi douce et flûtée que celle d'une fille – contrastait étrangement avec son imposante carrure. Enhardis par cette démonstration d'indépendance, d'autres voix s'élevèrent à leur tour.

— Oui, dites-le-nous, dites-le-nous !

Subitement, comme si un charme avait été rompu, il y eut du mouvement dans la pièce obscure. De derrière son paravent, Safiye pouvait voir les coiffes blanches s'agiter.

— Est-ce qu'il a été empoisonné ?

À travers le treillis, Safiye constata que c'était encore le même individu qui avait parlé, l'eunuque Hyacinthe.

— Ah, non... ! les entendit-elle souffler. Pas le poison !

Certains des jeunes eunuques, restés silencieusement à attendre dans le corridor, se précipitèrent dans la pièce.

— Qui a fait cela, qui ?

Leurs voix montaient en trilles aiguës.

— Silence ! exigea l'un des eunuques les plus haut placés, le gardien des portes. Laissez le médecin l'examiner. Reculez !

Mais, à supposer qu'ils l'aient entendu, personne n'y prêta attention. Ils étaient trop occupés à se bousculer pour voir leur chef.

Levant la main pour avoir le silence, le médecin releva la robe d'Hassan Aga. Il le recouvrit immédiatement, pris de panique, mais une terrible puanteur, une odeur de charnier, de pus et de chair corrompue, s'était déjà répandue dans la pièce.

— Ah... il est en train de mourir !

— Il pourrit, il pourrit en partant des pieds !

Les eunuques gémissaient de leurs voix perçantes.

— Ceux qui ont fait cela devront payer. Nous les taillerons en pièces.

— Attendez. (Le jeune eunuque Hyacinthe s'était

agenouillé sur le sol près d'Hassan Aga.) Regardez !
Il bouge !

Et c'était vrai. Sous leurs yeux à tous, l'énorme
corps enflé commençait à remuer. Ses lèvres bou-
gèrent en silence.

— Au nom d'Allah, il parle ! s'exclama le gardien
des portes. Que dit-il ?

L'eunuque Hyacinthe se pencha et colla son oreille
contre la bouche d'Hassan Aga.

— Sa voix est trop faible, je n'arrive pas à l'entendre.

Hassan Aga bougea à nouveau les lèvres, la sueur
perlant à son front.

— Il dit... Il dit...

Le front lisse de l'eunuque Hyacinthe se plissa
dans son effort pour entendre les mots d'Hassan
Aga. Puis il se redressa, les traits perplexes.

— Il dit que c'est le bateau en sucre envoyé par
les Anglais. Que c'est leur bateau en sucre qui l'a
empoisonné.

À moins de deux kilomètres de là, Paul Pindar,
secrétaire de l'ambassade d'Angleterre à Constantinople, se tenait sur le pont du *Hector*.

Un jour entier s'était écoulé depuis sa visite inter-
rompue à la tour de Jamal al-Andalus, mais il n'avait
pas eu la possibilité d'y retourner. Les affaires de
l'ambassade – où l'on se préparait à remettre enfin
au sultan les cadeaux de la reine Elizabeth, et à lui
présenter, après une longue attente, les lettres de
créance de l'ambassadeur – avaient occupé chacun
de ses instants. Ce serait probablement aussi le cas

aujourd'hui. Le matin même, un des plus hauts dignitaires du palais, l'aga en chef des janissaires, avait envoyé une requête pour inspecter le *Hector*, et l'ambassadeur avait ordonné que tout le monde soit sur le pont pour le recevoir.

En dépit de toute l'activité qui se déployait autour de lui pour préparer l'arrivée du janissaire en chef, Paul se tenait à l'écart, solitaire, écoutant les grincements familiers de la coque du navire que la houle soulevait sous ses pieds.

Un soleil éblouissant frappait les eaux bleu marine de la Corne d'Or, maintenant encombrée par l'habituel trafic du milieu de la journée : les caïques des pêcheurs et les rapides petits canots, les longues barges étroites qu'utilisaient les dignitaires du palais pour vaquer à leurs affaires, les lourds radeaux qui parcouraient le Bosphore, venus des forêts silencieuses de la mer Noire avec leurs cargaisons de bois, de fourrure et de glace. Le long de la rive de Galata, une demi-douzaine de grands navires étaient à l'ancre. Un navire de guerre ottoman passa à la rame, en direction des chantiers navals du sultan.

Paul ne semblait rien voir de tout cela. Son regard restait fixé dans une seule direction : vers les toits dorés et les minarets du palais. Était-il possible que Carew ne se soit pas trompé, qu'il ait vraiment vu Celia ce jour-là ? Paul plissa les yeux pour mieux discerner les contours devenus familiers : la tour de la justice, les cheminées des cuisines alignées comme des pots à épices. Dans le lointain, entre les pointes des cyprès, il vit un éclair de lumière, le reflet fugitif du soleil sur une fenêtre qu'on refermait. Est-ce que cela aurait pu être elle qui les observait secrètement d'une croisée ? Alors qu'il était marchand, il avait entendu des récits de voyage encore bien plus étranges : des histoires d'honnêtes Anglais qui étaient devenus turcs et s'étaient fait de belles situations dans les royaumes d'Orient. Il savait de source sûre qu'il y en avait plusieurs ici même, dans le palais du sultan.

Mais Celia ? Tout le monde savait que Celia Lamprey était morte deux ans plus tôt, noyée dans un naufrage avec son père et tous ceux qui se trouvaient à bord du navire marchand de Lamprey. Il repensa au long voyage vers Venise, des années auparavant. Comme il avait aimé, alors, l'observer, assise à la proue du navire à regarder la mer. Elle était si douce, si audacieuse aussi. Il se souvint qu'il trouvait des excuses pour aller s'asseoir à ses côtés, et qu'ils parlaient pendant des heures. Elle le ravissait, lui et tous les hommes du bord, avec sa peau blanche et nacrée et ses cheveux d'or. Sa Celia. qui servait maintenant de nourriture aux poissons au fond de la Méditerranée. Paul frémit. Était-il vraiment possible qu'elle soit revenue d'entre les morts ? Elle venait encore parfois le voir dans ses rêves : il entendait sa voix, comme celle d'une sirène mourante qui l'appelait et la voyait, ses longs cheveux enroulés autour du cou, sombrer toujours plus bas dans les verts abysses.

Et si c'était vrai ? Si c'était réellement Celia que Carew avait vue, si miraculeusement elle se trouvait toujours en vie, prisonnière dans le harem du sultan, que faire ? Il avait perdu le sommeil et l'appétit à force d'y penser.

— Vous avez l'air bien pensif, Pindar.

Thomas Glover, son collègue secrétaire à l'ambassade, un grand et gros homme roux aux allures de sanglier, venait de le rejoindre.

— Bonjour, Glover.

Au prix d'un effort, Paul se tourna vers lui pour le saluer. Glover était accompagné de trois autres membres de l'ambassade, les frères Aldridge, William et Jonas, consuls d'Angleterre respectivement à Chios et à Patras, et John Sanderson, marchand de la Compagnie du Levant, qui faisait office de trésorier à l'ambassade. Comparés à la sobre tenue noire de Paul, ils formaient un groupe plutôt bigarré.

— Eh bien, qu'y a-t-il ? Vous n'allez pas encore faire la tête ? Vous savez bien que les Turcs n'ont jamais aimé les gens tristes, s'exclama Thomas Glover.

— Comme si qui que ce soit pouvait rester triste en vous regardant, mes amis, répliqua Paul en se forçant à sourire. Thomas, vous resplendissez comme une comète. Mais que vois-je... de nouvelles manches ?

Il tendit la main pour tâter les manches de soie écarlate aux crevés élaborés doublés de rose, attachées à un gilet clair fait de la peau la plus fine.

— Et presque autant de bijoux qu'une sultane, ajouta-t-il. Je crois qu'il y a quelque part une loi qui l'interdit.

— Je savais bien qu'ils vous plairaient.

John Glover lui adressa un large sourire, le soleil étincelant sur les lourds anneaux d'or qu'il portait aux oreilles. Deux grosses améthystes taillées en rose brillaient sur son chapeau noir à hauts bords ; des pierres fines, topazes, grenats et pierres de lune, ornaient les doigts et les pouces de chacune de ses mains.

— Alors, messieurs, quelles sont les nouvelles ?

— Justement, nous apportons d'excellentes nouvelles. On raconte que le sultan lui-même va venir en bateau ce matin pour inspecter le *Hector*.

— Tiens donc, voilà qui va porter un rude coup à l'ambassadeur de France, fit remarquer Paul qui sentit remonter son moral.

— Pas seulement M. de Brèves, mais aussi le *bailo* de Venise, ajouta Jonas, le cadet des frères Aldridge. Nous savons tous la position de ces deux-là en ce qui concerne l'étiquette diplomatique.

Les deux frères étaient vêtus presque aussi richement que Glover. Au lieu de pierres précieuses, ils arboraient sur leurs chapeaux des bouquets de plumes irisées.

— C'est un fait, approuva Paul. Qu'en dites-vous, Glover ? De nous tous ici, c'est vous qui connaissez le mieux les subtilités du palais. Le grand homme va-t-il vraiment venir ?

— C'est toujours difficile de savoir, avec la Porte, mais, dans le cas présent, je pense que c'est très probable.

Thomas Glover se caressa la barbe, faisant scintiller les pierres à ses doigts.

— Est-ce vraiment si important que le sultan vienne ou non inspecter le bateau ? s'enquit John Sanderson, le doyen du groupe.

— Si c'est important ? répondit Paul, s'asseyant sur la balustrade du navire. John, vous pensez comme un marchand. Il n'est pas question ici de raisins, d'étoffes ou de ferblanterie, du moins pas pour le moment. Avec l'ambassade, il s'agit de théâtre, de prestige. De se distinguer. Et on peut dire que le sultan nous a remarqués. Avec l'arrivée du *Hector*, nous avons abattu une carte maîtresse. De Brèves et les autres peuvent bien se moquer de nous parce que nous ne sommes qu'une bande de marchands mais, à la vérité, il s'agit là d'un jeu assez simple. Et ils nous détestent car nous sommes meilleurs qu'eux.

— Paul a raison, renchérit Thomas Glover. Tous les regards sont fixés sur le *Hector*, c'est-à-dire sur nous. À ma connaissance, il n'y a jamais eu dans ces eaux de vaisseau qui puisse rivaliser avec lui.

— Rivaliser avec un navire marchand anglais de trois cents tonneaux ? Cela m'étonnerait ! fanfaronna William Aldridge.

— Et si nous devons devenir leurs alliés contre l'Espagne, quel meilleur symbole du pouvoir de notre reine, et de la puissance de l'Angleterre ? souligna Glover. Et maintenant, messieurs, excusez-nous, je vous prie. Paul, un mot en particulier.

Il l'attira un peu à l'écart et les deux hommes eurent une rapide discussion.

— Quoi qu'il arrive, Paul, si le sultan vient vraiment inspecter le *Hector*, il ne faut pas prendre le risque de perdre l'avantage.

— Je suis bien de votre avis. De Brèves et le *bailo* feront tout leur possible pour nous nuire et nous empêcher de commercer librement.

— Et cela signifie que l'ambassadeur doit maintenant présenter ses lettres de créance le plus rapidement possible – ni le sultan ni le grand vizir n'accepteront de négocier avec nous sans cela. Quelles nouvelles de Dallam ?

— Il aura bientôt fini de réparer le cadeau de la Compagnie, du moins à ce qu'il me dit.

— Alors il faut lui faire comprendre qu'il est de la plus grande urgence de les terminer. Aujourd'hui, ou à défaut demain. Les cadeaux de notre reine au sultan doivent lui être présentés en même temps que les lettres de créance de l'ambassadeur.

— Je vais lui en reparler, promit Paul. Et autre chose, Thomas. Jusque-là, nous devons faire en sorte que sir Henry se tienne le mieux possible...

— Vous voulez dire que moins on le laissera faire de bêtises d'ici là, mieux cela vaudra ? explicita crûment Glover. Je suis bien du même avis... Oh, et, à ce sujet, j'allais oublier. Il veut vous voir de suite. Il vous attend en bas, dans la cabine du capitaine Parson. C'est à propos de la sultane validé.

— La validé ?

— Oui, acquiesça Glover en regardant Paul avec curiosité. Il semble qu'elle ait demandé à vous rencontrer à nouveau.

— Carew ? (L'ambassadeur, sir Henry Lello, faisait la tête de quelqu'un qui vient de mordre dans un citron.) Je ne pense pas qu'il soit nécessaire qu'il vous accompagne, secrétaire Pindar. Absolument pas.

— Non, bien sûr que non, monsieur, vous avez tout à fait raison.

Paul et l'ambassadeur discutaient ensemble dans la petite cabine du capitaine du *Hector*, à l'arrière du bateau. Sir Henry tirait sur les poils de sa barbe, comme c'était son habitude, avait remarqué Paul, chaque fois qu'il était nerveux ou troublé.

— Ce serait très irrégulier.

— Oui, monsieur. Il vaut mieux agir discrètement, je le vois bien.

— Hein ?

— Déplacé, monsieur. Comme vous le dites si bien, déclara Paul en s'inclinant respectueusement. (Il laissa à Lello le temps d'intégrer ses paroles, puis ajouta prudemment :) Après tout, l'ambassadeur de France risque de ne pas être ravi que la validé ait requis un entretien particulier avec quelqu'un de votre ambassade.

La graine prit immédiatement racine.

— M. de Brèves ? comprit Lello, le sourcil froncé. Non, il ne sera sûrement pas ravi. (Il rayonna à cette idée.) Il y a là matière à réflexion, ne pensez-vous pas, Pindar. Faire les choses discrètement, dites-vous ? Je n'en suis pas si sûr. Peut-être devrions-nous en faire un peu plus... d'étalage ?

— Et risquer de fâcher de Brèves ? (Paul secoua la tête.) Sans parler du *bailo* de Venise. Comme vous le savez, les Vénitiens sont persuadés d'avoir toujours eu une relation particulière avec la Porte. D'après nos informateurs, ils envoient chaque jour des présents à la validé et à ses femmes, croyant ainsi rester dans les bonnes grâces du sultan. L'ambassadeur français pourrait bien penser que nous sommes en train d'essayer de faire la même chose...

— Mais c'est justement cela ! s'écria Lello. C'est justement cela que nous devons l'amener à penser.

Paul mima une illumination.

— Mais bien sûr ! De Brèves pensera qu'il s'agit là

189

d'une stratégie délibérée de votre part. Et cela pourrait détourner son attention de notre véritable stratégie : gagner les bonnes grâces du vizir et renouveler les capitulations. (Il s'inclina légèrement, avec une ironie qui ne courait aucun danger d'être remarquée par l'ambassadeur.) Mes félicitations, monsieur ! C'est là une brillante idée.

— Hmm, hmm ! (Lello émit un petit hennissement que Paul reconnut comme le rire, plutôt rare, de l'ambassadeur.) Et mieux encore, Pindar, cela ne nous coûtera pas un sou. Nul besoin de soudoyer le grand vizir pour cela.

— Voilà une réflexion digne d'un véritable homme d'État, commenta Paul en riant à son tour. Ce n'est pas pour rien que vous avez été nommé ambassadeur de Sa Majesté, Votre Excellence.

— Prenez garde, monsieur Pindar, intervint sir Henry en fronçant les sourcils à la mention de la reine. Sa Majesté est la munificence incarnée. Elle a seulement demandé à la Compagnie de payer nos cadeaux pour le sultan – et à mon avis ce n'est que justice.

Et de payer également pour toute cette ambassade, mon cher Embrumé, pensa Paul, *une ambassade dont le coût considérable doit maintenant être réglé par une compagnie de marchands londoniens encore plus parcimonieux que la reine elle-même. Qui, si nous ne réussissons pas dans notre mission, sont fort capables de nous faire payer toute l'entreprise de nos poches.*

— Que se passe-t-il ? Eh bien, Henry, mon amour, qu'est-ce qui ne va pas coûter un seul sou ?

Sans cérémonie, lady Lello s'insinua dans la

minuscule cabine. D'une corpulence imposante, elle portait une énorme fraise ruchée sur laquelle son visage, petit et comme dénué de cou, semblait reposer en équilibre instable, telle une tête de cochon posée sur un plat, comme Carew ne se gênait pas pour le faire remarquer. À la vue de Paul, ses petits yeux s'élargirent et ses traits se fendirent en un sourire bienveillant.

— Et voilà le secrétaire Pindar ! Bonjour à vous.

— Madame, la salua Paul en s'efforçant de lui faire un peu de place dans l'espace exigu de la cabine.

— Alors, quelles nouvelles, sir Henry ?

Tout mouvement plus rapide que la plus majestueuse des pavanes privait lady Lello d'oxygène et elle s'assit, un peu haletante, ajustant plus confortablement sur ses hanches l'armature de son vertugadin.

— Qu'est-ce qui ne va pas nous coûter un sou ? s'enquit-elle de nouveau.

— Pindar a été convoqué pour rencontrer une nouvelle fois la validé.

— Eh bien !

Les yeux de lady Lello s'agrandirent encore.

— Et c'est la validé elle-même qui l'a fait demander, ajouta sir Henry.

— Eh bien ! (Lady Lello tira de sa manche un carré de batiste et s'épongea le front.) Eh bien ! répéta-t-elle.

— Vous voyez, Pindar, ma femme en reste sans voix, fit remarquer l'ambassadeur.

— J'en suis navré, madame. (Paul se tourna vers

elle en souriant.) Ferais-je donc un si mauvais émissaire ?

— Oh, non, bien sûr, monsieur Pindar. (Les plis de chair surmontant la fraise de lady Lello tremblotèrent comme un pudding rose.) Mais deux fois en si peu de jours ? Ma parole, n'est-ce pas là quelque chose de très inhabituel ? À ce que m'a dit M. Glover, les envoyés des Francs doivent souvent attendre des semaines avant d'être reçus par le Grand Turc, et quant à la sultane validé, c'est très rare qu'on la voie.

— Justement ! C'est un signe de grande faveur, affirma l'ambassadeur en se frottant les mains.

Grand, maigre et insignifiant, il méritait bien son surnom d'« Embrumé ». Ses doigts étaient longs et étiolés, telles d'étranges racines privées de soleil.

— Pindar et moi étions justement en train de dire, reprit Lello en se penchant confidentiellement vers sa femme, que l'ambassadeur de France n'allait pas du tout apprécier cela.

— Eh bien, ma foi...

Lady Lello les regarda l'un après l'autre.

— Il semble bien que le cadeau de notre reine à la validé...

— Vous parlez du carrosse dont M. Pindar lui a fait présent ?

— Oui, le carrosse. (Lello se frotta de nouveau les mains avec un petit bruit de râpe.) Eh bien, elle en est tout simplement ravie. On l'a déjà vue s'en servir, à ce qu'on m'a raconté. Il paraît même que le sultan l'accompagnait. Et si désormais elle veut revoir le secrétaire Pindar, c'est pour envoyer ses remerciements à la reine, je n'en doute pas.

— Et elle a demandé à le voir en personne – pour

le remercier lui aussi, je suppose. Eh bien, Paul, lui dit-elle avec un grand sourire qui fit presque disparaître ses petits yeux dans les plis dodus de son visage, voilà de grandes nouvelles. Reste à espérer que la boîte à sifflets de la Compagnie, si toutefois Dallam parvient à la réparer, ajouta-t-elle avec un petit reniflement sceptique, rencontre la même faveur. Et maintenant, sir Henry, il vous faut réfléchir à une escorte digne de ce nom pour M. Pindar. Nous ne pouvons pas donner à ces gens, je veux dire de Brèves et le bailly, l'occasion de faire des commentaires.

Baissant la voix, elle se pencha vers Paul.

— Apparemment, ils parlent de sir Henry d'une façon méprisante. Comme quoi il n'est qu'un marchand, enfin vous savez.

— Le *bailo*, mon amour. L'ambassadeur de Venise se nomme le *bailo*, corrigea Lello, mais sa femme ne l'écoutait pas.

— Peut-être M. le consul Aldridge et M. le secrétaire Glover pourraient-ils vous accompagner, qu'en pensez-vous ?

— Pas si vite, mon amour, s'interposa sir Henry avec un coup d'œil à Paul, qui s'empressa de venir à sa rescousse.

— Mais comme vous le savez, madame, la présence du consul Aldridge et du secrétaire Glover est nécessaire à l'ambassade. Il y a beaucoup d'affaires importantes dont il leur faut s'occuper.

— Alors, nous devons envoyer avec vous quelqu'un dont nous pouvons nous passer. Voyons : Ned Hall le cocher ? Non, trop rustre. Ou bien notre pasteur, le révérend May ? Non, trop timide.

Lady Lello écarquilla soudain les yeux, petite souche trapue frappée par l'éclair de l'inspiration.

— Bonté divine ! s'exclama-t-elle. Carew, bien sûr ! Votre cuisinier, John Carew. Monsieur Pindar, il doit vous accompagner, n'ai-je pas raison, sir Henry ? (Avec un grand sourire à fossettes, elle leva sa petite main pour toucher la coiffe qui ornait sa tête, mais ne le put en raison de la taille de sa fraise.) Il n'a pas besoin de dire quoi que ce soit, juste d'avoir l'allure qu'il faut. Il possède bien une livrée, je pense ? Et il a d'assez jolies jambes, je dois dire, même s'il a l'air plus bizarre qu'un singe dans ces vêtements à la mode vénitienne qu'il affectionne. Pourquoi les gens ne peuvent-ils se contenter de bon et solide drap anglais, c'est ce que je dis toujours, n'est-ce pas, sir Henry ? Sir Henry... ?

Elle tenta, en dépit de la fraise, de se tourner vers son mari, mais il avait déjà quitté la cabine.

— M'est avis qu'il est allé parler à ses gens, poursuivit-elle, placide. On nous a fait savoir que le grand homme lui-même allait venir inspecter le *Hector*. Nous devrions remonter, nous aussi, afin de lui présenter nos respects.

Elle commença à se hisser sur ses pieds. Paul lui prit le bras pour l'aider.

— Ma foi, dit-elle, un peu haletante, c'est un grand jour, n'est-ce pas. Et c'est si agréable d'être de nouveau à bord d'un bateau. Nous nous y sommes toujours trouvés bien, vous savez. (Elle secoua ses jupes, qui exhalèrent le fort parfum du camphre dont on les avait enveloppées pour les préserver durant les longs voyages en mer.) Entre nous, poursuivit-elle, je préfère cet endroit à cette grande maison pleine de courants d'air, avec tous ces ennuyeux janissaires qui ne font que nous encombrer.

Avec un petit soupir, elle jeta un coup d'œil circulaire à la minuscule cabine.

— Une place pour chaque chose, et chaque chose à sa place, c'est ce que nous disions toujours. J'ai beaucoup navigué avec sir Henry au début de notre mariage – et plus tard aussi, vous savez, quand mes bébés m'ont été enlevés. (Ses yeux pâles regardaient sans voir par la fenêtre de la cabine.) Allons, allons, se reprit-elle en tapotant le bras de Paul, cela ne sert à rien de s'attarder sur le passé. Je sais bien que vous, particulièrement, vous comprenez cela.

— Laissez-moi vous aider à monter les marches, proposa doucement Paul en lui tendant la main. L'ambassadeur nous attend.

— Merci. C'est une jolie pièce de drap que vous avez là, même s'il est vraiment bien noir, remarqua-t-elle en tâtant l'étoffe de sa cape. Vous avez tout à fait l'air d'un noble vénitien, si je peux me permettre, ajouta-t-elle avec un gentil sourire, mais à vous, je peux pardonner cela, Paul. Je ne les laisserai pas vous ennuyer parce que vous portez des couleurs sombres. Sir Henry était sur le point de vous en parler – les Turcs n'aiment pas cela, d'après lui –, mais je lui ai dit. « Laissez donc ce jeune homme en paix. Il a perdu la jeune fille qu'il aimait, noyée, à ce qu'on raconte. (Elle leva vers lui des yeux délavés par l'âge, d'un bleu aussi pâle que l'horizon lointain.) Laissez donc ce jeune homme tranquille. »

— Si nous montions, madame.

— Avec votre aimable appui, monsieur Pindar, je pense pouvoir affronter ces marches. Je voulais vous montrer ma nouvelle robe, Comment appelleriez-vous cette couleur ?

— « Couleur dragon », je crois bien, répondit Paul en l'aidant à gravir les marches de bois qui menaient au pont arrière. Ou parfois « sang de dragon ».

— Les noms qu'ils imaginent, de nos jours : « pucelle rougissante », « brun de lion » et « bleu perroquet ». Dieu sait que je m'y connais en étoffes, et depuis assez longtemps, mais je ne parviens plus à suivre, affirma lady Lello en manœuvrant sa fraise à travers l'étroite ouverture. Et que pensez-vous de « pimpillo », je l'aime bien, celui-là, pas vous ? Pimpillo... (Sa voix s'affaiblit un peu, emportée par la brise de mer, quand elle déboucha finalement sur le pont.) C'est sorte de jaune un peu rouge, à ce qu'on m'a dit. J'ai demandé à votre Carew de quelle couleur était sa nouvelle cape, ajouta-t-elle en se retournant vers Paul, un peu essoufflée par la montée. Et savez-vous ce qu'il m'a répondu ?

— Non.

— Vert caca d'oie ! Que vont-ils encore inventer, monsieur Pindar ?

— Je me le demande bien, murmura-t-il.

— Apparemment c'est semblable à « Espagnol mort ». Croyez-vous qu'il se moquait de moi, monsieur Pindar ?

— C'est lui qui va être un Espagnol mort s'il s'est permis une chose pareille, répliqua Paul de sa voix la plus joviale. Je m'en assurerai personnellement.

Il y eut une subite agitation sur le pont.

— Le Grand Signor !

— Regardez vite, le grand homme !

— Voilà le Grand Signor !

S'excusant auprès de lady Lello, Paul se dirigea vers le côté du navire où se tenaient Thomas Glover et les autres marchands de la Compagnie.

— Le voila qui arrive, Paul, annonça Glover en lui faisant une place près de lui. Par Dieu ! Il arrive, messieurs, il arrive.

Paul suivit son regard et vit la barge du sultan quitter en douceur l'appontement royal, de l'autre côté de l'eau. À bord du vaisseau anglais, les hommes dans les haubans, les marchands assemblés et même lady Lello dans ses beaux habits de fête étaient maintenant silencieux, regardant la barge approcher. Et, dans ce silence, on put bientôt entendre un écho lointain porté par les eaux, un bruit étrange qui ressemblait à des aboiements.

— Écoutez ! s'écria Glover. Vous les entendez ? Ce sont les rameurs qui aboient comme des chiens. Il paraît qu'ils font cela afin qu'aucun d'entre eux ne puisse entendre ce que dit le sultan.

La barge arrivait maintenant au niveau du *Hector*. Comme elle s'approchait, Paul put voir que vingt rameurs en coiffe rouge et tunique blanche faisaient avancer la grande barge, qui portait à une de ses extrémités une poupe surélevée, peinte en or et écarlate ; c'était là que se tenait le sultan, derrière un écran ajouré qui dissimulait sa présence aux yeux inquisiteurs.

Les aboiements menaçants des rameurs – *wouh, ouah, wouh, wouh, ouah* – se faisaient de plus en plus forts. Derrière la barge impériale venait une autre, moins superbement décorée, où Paul put apercevoir une partie de la suite habituelle du sultan, des nains et des muets habillés de soie luisante. Tous portaient à la hanche un sabre recourbé et certains avaient avec eux des chiens de chasse, vêtus aussi élégamment que leurs maîtres de manteaux pourpres brodés d'or et d'argent. Glissant sur l'eau à vive allure, les barges firent une fois le tour du *Hector*, puis repartirent, filant sur les flots aussi vite qu'elles étaient venues.

À bord du *Hector*, les marchands se congratulaient en se tapant mutuellement sur les épaules et bavardaient entre eux. Seul Paul ne partageait pas leur joie. Il se sentait soudain fatigué jusqu'à la moelle des os : gérer sir Henry, s'entretenir avec les autres marchands, même ses discussions avec Glover, tout cela était devenu épuisant, comme s'il était un acteur jouant son rôle sur une scène.

Paul se passa une main sur les yeux. Il y avait eu des moments, depuis sa première conversation avec Carew au sujet de Celia, où il s'était demandé s'il n'était pas en train de devenir fou. Sa première réaction avait été une totale incrédulité, suivie par de la rage, mais dans ses moments de calme, il avait fini par comprendre que Carew ne lui mentirait pas sur un sujet pareil. Petit à petit, il s'était permis d'espérer et finalement de croire en l'impossible. Celia, en vie ! Celia de chair et de sang, qui vivait et respirait. L'exultation s'était alors changée en désespoir. Celia vivante, mais prisonnière et à jamais hors d'atteinte. Ou peut-être n'était-elle pas si hors d'atteinte que cela ? Chez Jamal, il avait commencé à reprendre espoir. Il passait ses nuits à scruter l'obscurité, incapable de dormir ou de rêver, plongé dans ses pensées. Deux ans comme esclave aux mains des Turcs. Que lui avaient-ils fait subir ? Il essayait de ne pas se l'imaginer, mais c'était impossible. Avec le marchand d'esclaves ? Avec le sultan ? Avec des eunuques ? Rien qu'à cette idée, sa tête menaçait d'exploser.

Un soudain mouvement sur le rivage attira son regard et il s'aperçut qu'une autre barge était en train de quitter l'appontement impérial. Elle était plus petite que celle du sultan, mais plus richement décorée. La cabine protégée des regards qui s'élevait sur la poupe était incrustée d'ivoire et d'ébène, de nacre et de feuille d'or et des escarboucles brillaient au soleil. Les rameurs étaient cette fois silencieux. Les gouttes d'eau s'écoulant des extrémités de leurs rames décrivaient des arcs étincelants tandis que la barge glissait en direction du navire anglais. Et, à seulement quelques mètres, elle s'arrêta.

Se protégeant les yeux d'une main, Paul regarda vers la cabine. Quelque chose de vert scintilla dans le soleil. Et, là, il sut : Safiye, la sultane validé en personne, était venue elle aussi inspecter le *Hector*. Elle ne resta pas longtemps. Obéissant à quelque mystérieux signal, les hommes reprirent leurs rames et la barge se remit en mouvement, mais au lieu de retourner vers l'appontement impérial, elle partit à vive allure dans la direction opposée, vers les eaux d'un vert profond et les abruptes collines boisées du Bosphore.

Paul restait seul, perdu dans ses pensées. Que pouvait bien lui vouloir la validé ? L'ambassadeur semblait croire qu'elle désirait le remercier encore une fois pour le cadeau de la reine, que Paul avait été désigné pour lui remettre dès l'arrivée du *Hector*, mais il n'en était pas certain.

Encore une fois, il repensa à ce jour, le plus étrange de tous les jours étranges qu'il ait vécus depuis son arrivée à Constantinople. Entourée d'eunuques noirs et gardée par un bataillon de hallebardiers à tresses, la validé avait été amenée, dans un palanquin soigneusement grillagé, jusque dans la cour où l'attendait le carrosse. Bien sûr, Paul ne l'avait pas vue – les mœurs du palais lui interdisaient même de lever les yeux vers l'écran ajouré qui les séparait –, mais, si quelqu'un avait pris la peine de le lui demander, il aurait répondu qu'il existait bien d'autres moyens de perception. La présence derrière la grille était d'une telle force qu'il n'était pas nécessaire de se servir de ses yeux pour voir cette femme miraculeuse. Sa voix seule suffisait.

— *Venite, inglese.* Approchez, Anglais.

Il se souvenait qu'en entendant cette voix pour la première fois, il en avait eu la chair de poule. D'après les renseignements de la Compagnie, la validé était une vieille femme, au moins cinquante ans. Mais la voix était celle d'une femme encore jeune.

— Approchez, Anglais, avait-elle répété et, en le voyant jeter un coup d'œil méfiant aux eunuques qui se tenaient prêts, la main sur leurs cimeterres, elle avait ri. *Non abbiate paura.* N'ayez pas peur.

Il s'était donc approché du palanquin, et ils avaient parlé. Pendant combien de temps ? Après coup, Paul aurait été incapable de le dire. Il gardait seulement le souvenir d'un certain parfum, une senteur de jardin nocturne, et du scintillement de bijoux qui accompagnait chacun de ses mouvements.

La vue de la barge de la validé semblait lui avoir éclairci les idées. Paul sortit de ses autres rêveries pour tenter de se concentrer sur le sujet. Voilà que, par miracle, une nouvelle chance d'entrer au palais lui était offerte sur un plateau et même, comme si ses prières avaient été entendues, d'y entrer avec Carew. Ce dernier avait parfois ses défauts, mais il possédait des qualités que ses détracteurs ne soupçonnaient pas : des yeux auxquels rien n'échappait, des nerfs d'acier et une habileté à se tirer des situations difficiles que Paul trouvait presque diabolique. Vraiment, il n'y avait pas meilleur homme pour l'accompagner que Carew, songea Paul. À condition, bien sûr, de pouvoir mettre la main dessus.

Paul jeta un coup d'œil circulaire au *Hector* et jura entre ses dents. Où était donc ce bon à rien de gibier de potence quand on avait besoin de lui ? En train de désobéir aux ordres, comme d'habitude. Ce ne fut qu'à ce moment-là qu'il prit conscience qu'il n'avait pas vu Carew de la journée. Avec impatience, il le chercha des yeux sur le pont et même dans les haubans, sans trouver trace de lui.

Il vit alors qu'une autre embarcation s'approchait du *Hector*. Pas une barge impériale cette fois, mais un petit canot qui avançait à la rame avec une hâte un peu maladroite, venant du rivage de Galata. Paul l'observa attentivement. Deux janissaires manœuvraient les rames, leurs coiffes toutes dérangées par l'effort. Ils s'y prenaient si mal que par deux fois le petit canot faillit entrer en collision avec d'autres bateaux. Comme l'esquif se rapprochait, Paul reconnut des membres de l'ambassade entassés à l'arrière : le révérend May et, près de lui, deux marchands de la Compagnie récemment arrivés d'Alep, M. Sharp et M. Lambeth. Le canot se rapprocha encore et Paul vit que John Hanger, l'apprenti de John Sanderson, et Ned Hall, le cocher, ramaient eux aussi.

— Ils auront beau ramer, ils ont raté l'inspection du grand homme, commenta Thomas Glover, debout près de Paul, les bras croisés.

— Non, fit Paul en secouant la tête. Il se passe quelque chose, regardez.

Quand ils virent que Paul et Glover les regardaient, les deux marchands se mirent à agiter les bras. Le pasteur se leva et parut crier quelque chose, les mains en porte-voix, mais le vent emporta ses paroles.

— Cet idiot de prêtre..., gronda Glover avec impatience. Tout cela ne me dit rien qui vaille.

— À moi non plus.

Le canot arriva enfin contre le *Hector*. Maintenant qu'ils étaient à portée de voix, ses occupants ne semblaient plus savoir très bien quoi faire.

— Que se passe-t-il, messieurs ? leur cria Paul.

Lambeth, un des marchands venus d'Alep, se mit maladroitement debout.

— C'est votre serviteur, Carew, secrétaire Pindar.

— Que lui arrive-t-il, monsieur Lambeth ? s'enquit Paul, la bouche sèche.

— Des janissaires sont venus l'arrêter.

Paul sentit la main de Glover se poser sur son épaule.

— Ce vaurien, commenta Glover, un de ces jours il nous fera tous tuer. Pour quelle raison ? demanda-t-il. Qu'a-t-il fait ?

— Nous l'ignorons, ils n'ont rien voulu dire.

Paul agrippa la balustrade.

— Où l'ont-ils emmené ?

— Emmené ? (Lambeth enleva son chapeau et éponge son front ruisselant de sueur.) Oh, non, ils ne l'ont pas emmené. Il n'était pas là. Nous sommes venus l'avertir. Nous pensions qu'il était avec vous.

— Et alors ? demanda Glover à Paul.

— Non, il n'est pas ici, répondit Paul, la mine sombre. Mais je crois bien avoir une idée d'où je pourrais le trouver.

14

Après-midi

Chez Jamal al-Andalus, le même petit serviteur que la veille ouvrit la porte à Paul. L'enfant parut d'abord réticent à l'annoncer mais se laissa finalement persuader et Paul entra, pour s'apercevoir avec un peu de gêne que son arrivée inattendue avait causé une certaine confusion. Il y avait du bruit et du mouvement dans l'antichambre où on le faisait attendre d'habitude ; il entendit la voix de Jamal, le son d'une porte qui claque, des bruits de pas dans une des pièces du haut. Puis il entendit deux personnes discuter dans la chambre au-dessus de lui, un homme – probablement Jamal   et, si Paul ne se trompait pas, une femme ; leurs voix, tantôt douces, tantôt fortes, semblaient se disputer. Après quelques minutes supplémentaires, Jamal sortit. Il avait l'air nerveux, ce qui ne lui ressemblait pas. Peut-être était-ce un effet de son imagination, mais Paul crut bien apercevoir à l'intérieur la robe noire d'une

204

femme. Il remarqua que l'astronome avait pris soin de bien refermer la porte derrière lui.

— Je peux attendre, Jamal, si tu as autre chose à faire.

— Non, non, tu es tout à fait le bienvenu, mon ami. Ce n'est rien d'important, lui assura Jamal, balayant d'un signe de main les objections de Paul avec son habituelle courtoisie. Justement, il y a quelque chose dont je voudrais te parler. Monte à la tour, là-haut il n'y aura pas de danger que quelqu'un nous entende.

— C'est au sujet de Carew, commença Paul quand Jamal le rejoignit à la tour quelques minutes plus tard. Il a disparu et, je ne sais pas pourquoi, j'avais dans l'idée que tu saurais...

Jamal lui mit une main sur l'épaule.

— Carew est sain et sauf.

Stupéfait, Paul le regarda fixement en silence pendant un moment.

— Où est-il ? demanda-t-il finalement.

— Il vaut probablement mieux que tu ne le saches pas.

— Que me dis-tu là ? (Paul, exaspéré, se passa la main dans les cheveux.) Il est absolument vital que je le retrouve, au contraire. On a envoyé des janissaires l'arrêter...

— Je sais.

— ... Et il faut que je le trouve avant eux... (Paul s'arrêta net.) Tu sais pour les janissaires ?

— Assieds-toi, Paul, je t'en prie.

— Sûrement pas, rétorqua-t-il avec un sursaut de colère envers la calme silhouette vêtue de blanc qui lui faisait face. Pardonne-moi, Jamal, mais je n'ai pas de temps à perdre en gracieusetés. Pour l'amour du ciel, veux-tu au moins me dire ce qui s'est passé ?

S'il fut surpris par le ton de Paul, Jamal n'en laissa rien paraître.

— Quelqu'un au palais a été empoisonné et on pense que cela pourrait avoir un rapport avec Carew.

À ces mots, Paul sentit monter une vague de nausée.

— Mais il est sain et sauf ?

— Il est gardé en lieu sûr jusqu'à ce que toute cette affaire soit élucidée.

— Et où se trouve au juste ce « lieu sûr » ?

— Je viens de te le dire, je ne peux pas te le révéler.

Il y eut un court et inconfortable silence.

— Qui a été empoisonné ?

— Hassan Aga, l'eunuque noir en chef.

— Je vois.

Paul se passa la main sur le visage.

— On l'a trouvé hier, allongé sans connaissance, quelque part dans les jardins du palais. Personne ne sait comment il a échoué là, ni ce qui lui est arrivé.

— Est-il mort ?

— Non, il est toujours en vie. Très mal en point, mais en vie.

— Et quel rapport cela pourrait-il bien avoir avec Carew ?

Jamal ne répondit pas immédiatement. Parmi les objets disposés sur la table à côté de lui, il prit un morceau de verre poli et le soupesa pensivement.

— John a-t-il fabriqué des figurines en sucre filé, notamment en forme de bateau ? Je crois bien t'avoir entendu dire un jour qu'il est très doué pour ce genre de choses.

— Nous les appelons des fantaisies. Et, oui, Carew est un maître dans cet art.

Paul se sentit soudain glacé ; il y avait comme un picotement derrière sa nuque.

— Ne me dis pas, déclara-t-il en mettant la tête dans ses mains, je t'en prie ne va pas me dire qu'ils croient que c'est le bateau en sucre de Carew qui a empoisonné le chef des eunuques noirs !

— Pauvre John, soupira Jamal, l'air de presque s'excuser, C'est toujours sur lui que cela tombe, n'est-ce pas ?

— C'est le moins que l'on puisse dire.

Paul s'imagina en train d'encercler de ses mains le cou de Carew, d'appuyer les pouces sur sa gorge maigrelette jusqu'à lui faire presque sortir les yeux de leurs orbites. Puis une pensée le frappa.

— Mais c'est absurde, s'exclama-t-il. Quelle raison pourrait bien avoir Carew de mettre du poison dans une friandise ? Notre but est d'impressionner le sultan, pour l'amour du ciel, pas de l'empoisonner ! Non, non, je parierais ma vie que je sais qui est derrière cette affaire, c'est le *bailo* ou de Brèves. Et peut-être même les deux, qui sait ?

— Les ambassadeurs de France et de Venise ? (Jamal leva un sourcil étonné.) Sûrement pas.

— Oh, ne prends pas cet air surpris. Ils n'ont cessé de comploter contre nous depuis que nous sommes ici, ils tentent de nous empêcher de renouveler nos droits commerciaux auprès de la Porte...

— Attends, Paul, tu vas trop vite, l'arrêta Jamal en levant les mains. Si tu veux mon avis, il est possible qu'à l'heure qu'il est personne ne sache vraiment quoi penser. Hassan Aga n'est pas encore en état de fournir un récit cohérent, mais le fait est, malheureusement, que les seuls mots qu'il a prononcés depuis qu'ils l'ont trouvé étaient : « le bateau anglais ».

— Seulement cela : « le bateau anglais » ?

— Seulement cela.

— Comment le sais-tu ?

— J'étais là-bas ce matin quand ils l'ont trouvé. Je me sers souvent d'une pièce située dans le quartier des eunuques pour mes leçons aux petits princes. Hassan Aga s'est évanoui alors qu'il errait dans les jardins, en proie au délire. Personne ne sait comment il y est arrivé ni ce qu'il venait y faire. Tout le quartier des eunuques était en ébullition. Je vois mal comment je pourrais encore l'ignorer.

— Alors, vas-tu me révéler où est John ?

— Non, je ne peux pas, je l'ignore moi-même, avoua Jamal en haussant les épaules. Il est en sécurité, c'est tout ce que je sais.

— Mais comment ont-ils su que c'était à Carew qu'il fallait s'en prendre ? demanda Paul, perplexe.

— Apparemment, il a livré les friandises en personne. Un des hallebardiers en faction à la porte l'a reconnu. Il semble qu'il était déjà venu ce jour-là, pour une autre raison.

— Mais ceux du palais savent sûrement qu'il n'est qu'un simple serviteur. Pourquoi se donner la peine de s'en prendre à lui ? Pourquoi ne pas directement demander des comptes à l'ambassadeur ? Ou à moi, plutôt. Carew n'a aucune fonction officielle à l'ambassade : il n'y est que parce qu'il est à mon service.

Jamal ne répondit pas.

— Pourquoi Carew, Jamal ? insista Paul. Rien de tout cela n'a de sens.

— Je crois que tu as déjà répondu toi-même à cette question, mon ami : parce qu'il n'est pas important. Le palais n'a pas plus envie d'un gros scandale que votre ambassade. C'est en tout cas ma conclusion. Mais, jusqu'à ce qu'Hassan Aga soit suffisamment remis pour raconter ce qui s'est passé, il faut qu'ils aient l'air de réagir. Disons que c'est une question de politique interne.

Paul traversa la pièce octogonale. La brise entrait par les persiennes d'une des fenêtres. Il regarda autour de lui. Tout était exactement comme d'habitude, comme lorsqu'il avait fait la connaissance de Jamal, quatre ans auparavant. La pièce austère, aux murs blanchis à la chaux, évoquait plus à des yeux européens une cellule monastique que l'observatoire d'un astronome. La collection d'instruments que Jamal leur avait montrée la veille – le quadrant, la série d'astrolabes et de cadrans solaires, la *qibla* –, tout était là. Et pourtant quelque chose semblait... différent. Les pots de peinture et la feuille d'or, les parchemins et les crayons qui servaient à l'astronome à noter ses observations ne se trouvaient plus comme la veille sur sa table de travail. À leur place, il y avait des morceaux de verre poli, de forme et de taille similaire à celui que Jamal tenait dans sa main. Certains étaient ronds et plats, comme de grosses pièces de monnaie, d'autres presque sphériques, semblables à des boules de cristal. En toute autre circonstance, la curiosité de Paul aurait été immédiatement éveillée. Il les aurait pris en mains et examinés, accablant Jamal de questions quant à leur fabrication et à leur usage. Mais il les remarqua à peine.

Il s'aperçut en revanche que l'astronome l'observait depuis l'autre côté de la pièce. Le visage de Jamal était dans l'ombre. Sa robe blanche tombait au sol en plis immaculés, comme celle d'un alchimiste. Son expression n'avait plus rien d'amusé. Il semblait soudain plus grand ; plus grand et plus grave.

Paul se sentit pris de vertige. La nausée revint, plus forte. C'était l'instant qu'il attendait. S'il voulait demander de l'aide à Jamal, c'était probablement le meilleur moment – et pourtant, maintenant qu'il y était, il se trouvait incapable de parler. Il y avait tant de choses en jeu, tant à perdre – d'abord Celia, et maintenant Carew – que le courage faillit lui manquer.

Après tout, peut-être était-ce Carew qui avait raison : pourquoi Jamal l'aiderait-il ? Pourquoi Paul avait-il soudain l'impression que l'astrologue en savait beaucoup plus qu'il ne lui en disait ? Paul mit la main dans sa poche, referma les doigts sur la forme arrondie et lisse de son compendium. Il avait conscience que Jamal le fixait maintenant avec intensité, et sentit un frisson lui parcourir le dos.

— Je sais que tu te poses beaucoup de questions, Paul. S'il y en a auxquelles je peux répondre, je le ferai volontiers.

— Vraiment ?

— Mais bien sûr. Par exemple, tu te demandes : pourquoi Carew ?

— Non, répondit Paul en le regardant calmement dans les yeux. Je me demande pourquoi toi, Jamal ?

La main toujours dans la poche, il maniait le

loquet du compendium : ouvert, fermé, ouvert, fermé.

— Pourquoi moi ?

— Tu sembles soudain très au courant de toutes les affaires du palais.

À la grande surprise de Paul, Jamal rejeta la tête en arrière et se mit à rire.

— Et moi qui croyais que c'était justement ce que tu voulais : quelqu'un qui ait ses entrées au palais.

— C'est Carew qui t'a dit cela ?

— Évidemment. C'est ce qu'il m'a dit quand il est revenu me voir ce matin.

En esprit, Paul remit ses mains autour du cou de Carew et serra fort, le secouant comme un prunier jusqu'à ce que ses dents s'entrechoquent.

— Que t'a-t-il dit d'autre ?

— Seulement que tu désirais me voir d'urgence pour me parler, et que tu avais besoin de quelqu'un ayant accès à des renseignements de ce genre. Il n'a rien voulu expliquer de plus. Je dois avouer que je suis curieux : de quoi s'agissait-il ?

— Cela n'a pas d'importance pour le moment.

— Vraiment ? (Jamal était venu se planter devant lui.) Pourquoi es-tu si bizarre aujourd'hui, Paul ? Regarde-toi : les vêtements, les cheveux, tout est en désordre. Ce n'est pas de Carew qu'il s'agit, en fait, n'est-ce pas ?

Avant que Paul ait eu le temps de réagir, Jamal saisit son poignet, tirant sa main, compendium inclus, hors de sa poche et le tint entre ses doigts.

— Es-tu malade ?

— Non, bien sûr que non...

— Mais ton pouls est très rapide. (Lui tenant toujours le poignet, Jamal lui examina le visage.) Pupilles dilatées, constata-t-il. Peau froide et moite. (Il secoua la tête.) On croirait, pardonne-moi de te dire cela, mais on croirait que tu as vu un fantôme.

Avec un petit déclic, le loquet se libéra et le compendium s'ouvrit dans la paume de Paul.

— C'est justement cela, Jamal. C'est le cas. Je crois bien que j'ai vu un fantôme.

15

Le lundi matin, Elizabeth se présenta au palais de Topkapi. Elle avait rendez-vous avec Berin, son contact à l'université du Bosphore, au portail de la seconde cour. Il n'y avait pas de touristes ce jour-là. Deux gardes renfrognés prirent le passeport d'Elizabeth et, après l'avoir examiné beaucoup plus longtemps qu'il ne semblait nécessaire, la laissèrent entrer à contrecœur. Berin, une aimable petite femme d'une quarantaine d'années, vêtue d'un joli manteau marron et portant le foulard, attendait Elizabeth de l'autre côté.

— Voilà Suzie.

Berin présenta Elizabeth à l'assistante de production britannique. Elles échangèrent une poignée de main. Suzie portait un jean noir et un blouson de motard en cuir. Accroché à sa ceinture, un talkie-walkie bourdonnait et crachotait.

— Merci beaucoup. J'apprécie énormément, dit Elizabeth.

— Quand j'ai entendu parler de votre projet, j'ai

213

trouvé ça vraiment cool. Si quelqu'un vous pose des questions, répondez que vous faites des recherches. Ce qui est parfaitement exact, ajouta-t-elle en souriant à Elizabeth, sauf que vous ne les faites pas pour nous, voilà tout.

» Berin m'a parlé du travail que vous faites, poursuivit Suzie tandis qu'elles traversaient un jardin aux cyprès alignés autour de pelouses bien tenues, où quelques roses tardives frissonnaient dans le vent glacé. Et que vous pensez qu'une jeune Anglaise a été autrefois esclave dans ce harem.

— J'en suis pratiquement sûre. Une jeune femme du nom de Celia Lamprey. (Elizabeth parla du fragment de récit qu'elle avait découvert, avant de poursuivre :) C'était la fille d'un capitaine de vaisseau, naufragée dans l'Adriatique, probablement dans la seconde moitié des années 1590, puis capturée par des corsaires ottomans. La partie du récit qui nous est parvenue affirme qu'elle a échoué ici, dans le harem du sultan.

— Et en tant que quoi ? Épouse, concubine, esclave ?

— Difficile à déterminer pour le moment. Le récit dit qu'elle a été vendue en tant que *cariye*, ce qui en turc signifie seulement « esclave ». Dans la hiérarchie du palais, on se servait généralement du terme pour désigner celles qui avaient le rang le plus bas, mais, vu que chacune des femmes, ici, était techniquement esclave – sauf les filles du sultan et bien sûr sa mère, la sultane validé, automatiquement libérée à la mort de son maître –, ce mot de *cariye* peut signifier beaucoup de choses. Je pense qu'elle a été vendue comme concubine potentielle. À part un ou deux cas exceptionnels, les sultans ne prenaient jamais d'épouse. C'est une des caractéristiques les plus étranges du régime ottoman : toutes les femmes du sultan venaient d'ailleurs, de Géorgie, de Circassie, d'Arménie, de différents endroits des Balkans et même d'Albanie. Mais jamais de Turquie même.

— Il me semble me souvenir qu'il y a eu une Française, au début du XIXe siècle. Comment s'appelait-elle, déjà ?

— Vous voulez probablement parler d'Aimée Dubucq de Rivery, affirma Elizabeth. Une cousine de Joséphine de Beauharnais. Oui, c'est exact, mais, jusqu'à ce jour, aucune Anglaise, pas à notre connaissance, du moins.

Elles arrivèrent à l'entrée du harem. Quantité de matériel cinématographique, de rouleaux de câbles et de grosses malles noires et argentées s'empilaient aux alentours, mais l'endroit était désert. Un paquet de chips vide voletait à leurs pieds. Sur la vitre d'une guérite à tickets, un avis datant de la veille, écrit à la main, annonçait : « Dernière visite à 15 h 10 ».

Elizabeth franchit derrière Suzie les tourniquets que personne ne surveillait pour le moment. Berin les suivit.

— Vous oubliez qu'il n'y avait pas que les femmes à être esclaves, rappela Berin. L'empire ottoman tout entier reposait là-dessus. Mais ce n'était pas de l'esclavage dans le sens où les gens l'entendent généralement aujourd'hui. Aucune honte n'était attachée au statut d'esclave. Et ce n'était pas un système particulièrement cruel – rien à voir avec ce qu'on pourrait appeler l'« esclavage de plantation ».

Plutôt l'occasion de faire carrière, en fait, précisa-t-elle en souriant. La plupart de nos grands vizirs ont commencé comme esclaves.

— Et vous croyez que les femmes voyaient les choses de cette façon ? fit Suzie, sceptique. Moi j'ai un doute là-dessus.

— N'en soyez pas si sûre, insista doucement Berin. Je le crois en effet. Il est possible que même votre Celia Lamprey ait fini par adopter ce point de vue. (Elle posa la main sur le bras d'Elizabeth.) Je vous assure, c'est tout à fait possible. Beaucoup d'hommes venus d'Europe ont très bien réussi sous le régime ottoman, alors pourquoi pas une femme ?

Une immense porte en bois cloutée de cuivre se dressait maintenant devant elles. Au-dessus de la porte, une inscription arabe en lettres d'or. Elizabeth la regarda et frissonna. Qu'avait pensé Celia Lamprey quand elle avait franchi ces portes pour la première fois ? Avait-elle eu l'impression de trouver un refuge, ou de pénétrer en enfer ? Pouvait-on jamais voir clairement le passé ?

— Le fait est que personne n'a vraiment su qui étaient ces femmes, poursuivit Berin, resserrant le col de son manteau comme prise elle aussi d'un frisson soudain. De toutes les centaines de femmes qui ont franchi cette porte, nous n'avons pu mettre des noms que sur une poignée d'entre elles, et je ne parle même pas de renseignements plus détaillés. Après tout, c'est bien le sens du mot « harem ». Cela signifie « interdit ». Nous ne sommes pas censés savoir, ajouta-t-elle avec un sourire moqueur à l'adresse d'Elizabeth. Mais j'espère quand même que

216

tu la trouveras, ta Celia Lamprey. Allez, conclut-elle en levant les yeux vers la vaste porte, on entre ?

La première chose que remarqua Elizabeth, c'était à quel point l'intérieur du harem était sombre. Elle laissa Berin, Suzie et le reste de l'équipe installer le matériel dans la chambre impériale du sultan et commença son exploration. Au début, un des gardes la suivit mais il ne tarda pas à se lasser et retourna au poste de garde pour lire son journal en paix. Elizabeth se retrouva libre de vaquer à sa guise à travers les salles désertes.

Depuis le hall d'entrée, le dôme du Placard, elle parcourut lentement le corridor des eunuques. Pas de meubles, peu de fenêtres ; des pièces minuscules, pas plus grandes que des réduits. Des carreaux en céramique d'Iznik, anciens et de toute beauté, ornaient les murs inégaux, émettant une curieuse lumière verte.

Au bout de ce corridor, elle trouva un vestibule abrité d'un haut dôme, duquel partaient trois autres corridors. Elle lut leurs noms sur son plan. Le premier, menant aux quartiers du sultan, était indiqué sur le plan comme la Voie d'Or, le corridor par lequel les concubines étaient amenées à leur maître. Le deuxième, qui se dirigeait vers le cœur du harem, était prosaïquement dénommé Corridor pour la Nourriture, tandis que le troisième, qui sortait du harem pour mener dans la cour centrale, en direction des quartiers des hommes, était appelé Porte de la Volière. Elizabeth décida de suivre le deuxième corridor et se retrouva dans une petite cour à deux étages, fermée par des cordes. Une pan-carte annonçait « Cour des Cariye ».

Elle regarda autour d'elle pour s'assurer de l'absence de garde et enjamba prudemment les cordes. Bon nombre de pièces donnaient sur cette cour. La plupart des portes étaient condamnées. Par une fente dans une des portes, elle put apercevoir les restes en marbre d'un hammam. Les pièces au-delà étaient vides, leurs murs tachés et lézardés. L'endroit donnait une impression de décrépitude et d'enfermement que même les regards insolents des groupes de touristes n'avaient pu dissiper. Face à la maison des bains, elle trouva un escalier abrupt qui descendait vers des pièces aux allures de dortoir, et de là vers les jardins. Mais dans ces chambres si étroites et exiguës qu'elles n'avaient pu abriter que des femmes du rang le plus bas, les planchers étaient à ce point pourris qu'elle faillit passer le pied à travers.

Revenant vers la cour, elle se trouva à l'entrée des appartements de la reine mère. Une série de pièces communicantes, toujours étonnamment petites mais décorées comme le corridor des eunuques des même carreaux verts, bleus et turquoise ; la même curieuse lumière vert pâle. L'idée vint à Elizabeth que le garde l'avait peut-être suivie, mais il n'en était rien. Elle tendit l'oreille : pas un bruit.

Une fois sûre d'être complètement seule, Elizabeth s'assit sur la banquette près d'une des fenêtres et attendit. Elle ferma les yeux et se concentra mais rien ne vint. Pas la moindre connexion. Elle fit glisser ses doigts sur les carreaux, suivant leurs dessins de plumes de paons, d'œillets et de tulipes, toujours rien. Elle se leva et parcourut méthodiquement tout l'appartement, mais c'était la même chose partout. Même la découverte derrière les pièces principales – chambre à coucher, salle de prière, salon – d'une série de passages secrets en bois reliés entre eux ne parvint pas à diminuer le total détachement que lui inspirait l'endroit.

Ces pièces sont tout simplement... vides, se dit-elle. Puis, se moquant d'elle-même : *Et alors qu'est-ce que tu espérais ?*

Elizabeth était sur le point de quitter les appartements de la validé quand, dans le minuscule vestibule d'entrée, elle aperçut une porte fermée. Elle la poussa de la main, s'attendant à la trouver verrouillée comme toutes les autres, mais, à sa grande surprise, le battant s'ouvrit facilement et elle se trouva sur le seuil d'un appartement inoccupé.

La pièce était plutôt grande ; de loin la plus spacieuse du harem à part les appartements de la validé auxquels elle était reliée mais dont, aux yeux d'Elizabeth, elle ne faisait pas partie. L'espace d'un instant, elle hésita. Puis, très vite, elle fit deux pas dans la pièce.

Encore cette impression de renfermé. La lumière d'hiver pénétrait par les trous d'une coupole au-dessus de sa tête. Des tapis aux bords effrangés et à moitié pourris recouvraient le sol. Au-delà, une autre porte donnait sur une cour qu'elle n'avait pas encore vue. Une pièce où soufflait le vent du passé, comme le lointain rugissement de la mer.

Elizabeth resta quelques secondes immobile. *Attention, fais bien attention, maintenant. Cette fois, il ne s'agit pas de respirer, mais d'écouter. Écoute.* Mais dans le harem déserté, il n'y avait pas un son, pas un seul bruit de pas. Avec précaution, Elizabeth avança encore de quelques pas, avec cette fois l'impression d'enfreindre un interdit. Son cœur tambourinait dans sa poitrine. De la pointe de sa botte, elle souleva un coin de tapis. Au-dessous, des restes de raphia tressé se décomposaient. Un divan surélevé occupait le milieu de la pièce. En regardant de plus près, elle vit qu'il était encore couvert de vieux coussins et d'antiques courtepointes, qui lui semblèrent être restés exactement comme le dernier occupant les avait laissés. Était-ce son imagination, ou pouvait-elle y discerner l'empreinte d'un corps de femme ?

Ne sois pas idiote ! Elizabeth se secoua, prise d'un frisson subit. Elle se souvint d'une vieille photographie en noir et blanc, prise après l'abolition officielle de l'esclavage et la dispersion en 1924 du harem du dernier sultan. On y voyait six de ses ex-concubines, des malheureuses qu'aucune famille n'avait réclamées et qui partaient, disait la légende, « s'exhiber » à Vienne. Leurs visages se découpaient, nus et pâles, sous des voiles noirs. Elles fixaient l'objectif d'un regard blasé, un peu renfrogné même, et Elizabeth avait trouvé qu'elles ressemblaient plus aux novices d'un couvent qu'aux odalisques bien en chair de l'imaginaire occidental.

Elle regarda autour d'elle. Ici aussi les murs étaient ornés de carreaux verts et bleus. Çà et là se trouvaient des placards dont les portes pendaient sur leurs gonds ; ailleurs, de petites alcôves destinées à ranger des objets. Juste à ce moment, elle surprit un mouvement du coin de l'œil. Elle se retourna en sursaut mais ce n'était qu'un couple de pigeons prenant leur envol dans la cour. Le battement de leurs ailes déchira l'air froid.

Elizabeth revint vers la pièce. Elle s'assit avec précaution sur le bord du divan et sortit son carnet de notes, mais elle était incapable de se concentrer. Peut-être était-ce l'atmosphère de cet endroit, l'impression qu'elle avait de violer un espace privé qui la rendaient si nerveuse. Ses paumes étaient moites malgré le froid et le stylo lui glissait des mains. Dans une des petites alcôves derrière le divan, elle vit briller quelque chose de bleu. Elizabeth se pencha et le prit délicatement. Elle examina, au creux de sa paume ouverte, le petit éclat de verre bleu et blanc.

Ce fut à ce moment-là qu'elle l'entendit.

Pas de pigeons, cette fois, mais l'écho d'un rire et les pas précipités d'une femme qui passait la porte en courant sur ses petits pieds chaussés de mules.

16

Après-midi

— Vous m'avez fait demander, Safiye Sultane ?
— Est-ce fait ?
— C'est fait, Majesté, exactement comme vous l'avez dit.

La Juive Esperanza Malchi, *kira* de la validé, se tenait dans l'ombre. Sa vue n'était plus très bonne ; c'était grâce à une longue habitude qu'elle percevait plus qu'elle ne voyait la silhouette indistincte de la reine allongée dans la pièce obscure. Il n'y avait aucune fenêtre dans ce saint des saints, la plus secrète de toutes les chambres privées de la reine. Même dans la chaleur oppressante de l'été, la pièce restait toujours agréable, grâce à ses murs épais dont les frais carrelages ornés d'arabesques bleues et vertes évoquaient les algues d'une caverne sous-marine. Au milieu de la pièce, des blocs de résine odorante se consumaient doucement sur un petit brasero.

— Et alors, Malchi ? (La silhouette bougea dans l'obscurité.) Le paquet pour la *haseki* a-t-il été livré ?

— Cariye Lala se trouvait là-bas ainsi que vous l'aviez dit ; je le lui ai remis personnellement, annonça la Juive aux ombres qui lui faisaient face. (Elle hésita un peu, puis ajouta :) Je n'aime pas trop cela, Majesté. Cariye Lala est... (Elle s'arrêta une seconde, consciente qu'elle ferait mieux de bien choisir ses mots)... distraite, ces derniers temps. Comment pouvez-vous être sûre qu'elle le cachera comme il faut ?

Il y eut une pause.

— On peut faire confiance à Cariye Lala, c'est tout ce que tu as besoin de savoir. Elle cachera le paquet dans la chambre de la *haseki* jusqu'à ce que nous en ayons besoin, déclara Safiye avec dans sa voix merveilleuse l'écho d'un sourire. Quand il sera découvert, Haseki Gulay sera totalement compromise. Même le sultan en personne ne pourra plus rien pour la sauver.

— Le médecin n'a pas apprécié, souligna Esperanza, mal à l'aise. Je ne crois pas qu'on pourra jamais le persuader de recommencer.

Un autre court silence, le temps pour Safiye de digérer l'information.

— Eh bien, je ne peux pas dire que cela me surprenne vraiment, soupira-t-elle. Pourtant, ce n'est pas comme si c'était la première fois.

— Mais c'était il y a des années, rétorqua Esperanza. Je lui ai glissé que nous n'en aurions peut-être pas besoin. L'autre plan a l'air de fonctionner.

— C'est vrai. (Safiye y réfléchit un moment.) Il faut que la *haseki* soit... écartée. Le moyen m'importe peu. Elle a trop d'emprise sur le sultan ; il n'accorde même pas un regard aux autres *cariye*. Ce n'est pas une bonne chose. Il faut aider le sultan à regarder ailleurs, voilà tout. Pour notre bien à tous.

Un des blocs de résine incandescente s'enflamma brièvement, faisant scintiller les diamants qui couvraient la ceinture de Safiye et boutonnaient son corsage, assez de joyaux pour payer la rançon d'un roi. À son doigt, l'émeraude de Nurbanu cligna comme un œil vert.

— Et pour l'autre affaire ? risqua Esperanza.

La silhouette dans l'ombre bougea encore, puis redevint immobile.

— Ils l'ont trouvé, comme tu le sais sans aucun doute. Il était allé se promener jusqu'aux murs d'enceinte.

— Impossible ! s'écria la *kira* de la validé en se tordant les mains. Il était pratiquement mort.

— Oh ? (L'écho d'un sourire, encore, dans la voix d'or.) Si tu crois cela, c'est que tu ne connais pas Hassan Aga aussi bien que moi. Le Petit Rossignol n'est peut-être pas un homme, mais il a la force de dix d'entre eux.

— Mais comment a-t-il fait pour s'échapper ? Il était ici, dans la cellule qui est juste sous nos pieds, On ne peut en sortir qu'en passant par cette pièce...

— Il y a un passage. Le harem en est plein. Mais ce sont là des choses que tu n'as pas à savoir, Malchi.

Esperanza inclina la tête.

— On raconte que c'est le bateau anglais.

— Qui prétend cela ?

— Mais je croyais qu'Hassan Aga lui-même avait dit...

— Hassan Aga n'a rien dit de tel, coupa Safiye avec un petit rire. C'est l'eunuque Hyacinthe qui l'a dit, sur mon ordre.

— Mais... pourquoi ? demanda Esperanza, perdue.

— Pourquoi ? (Safiye regarda pensivement sa *kira*.) J'oublie toujours cela, avec toi, Malchi. Tu sais beaucoup de choses sur nous, mais tu n'as jamais été l'une d'entre nous. (Elle haussa les épaules.) Appelle cela une ruse de chasseur, si tu préfères.

Devant l'air ahuri d'Esperanza, elle précisa, parlant lentement comme si elle s'adressait à un enfant :

— Si ta proie se sent en sécurité, elle devient imprudente. Ne vois-tu pas ? Si celui ou celle qui a empoisonné Petit Rossignol croit nous avoir tous trompés avec ce jouet en sucre, il finira par commettre une imprudence. C'est un moyen de le faire sortir de sa tanière.

— Et les Anglais ?

— J'ai fait arrêter un de leurs cuisiniers, celui qui a confectionné les sucreries. Quelqu'un dont ils peuvent parfaitement se passer, affirma négligemment Safiye. S'ils ne sont pas trop bêtes — et je ne crois pas qu'ils le soient —, ils n'en feront pas une histoire. Ils ont bien trop envie de leurs capitulations. Et nous n'aurons plus qu'à le relâcher discrètement un peu plus tard.

— Et quand Petit Rossignol ira mieux ?

— Il ne nous trahira pas car il connaît la règle. Les Rossignols. Nous avions un accord.

Au signal de la validé, Esperanza fit mine de partir. À la porte, elle hésita.

— Il y a encore autre chose, Majesté.

— Parle donc.

— Votre servante. La nouvelle. Celle qu'on appelait Annetta.

— Ayshe ?

— Oui. Elle était dans la chambre de la nouvelle concubine du sultan.

Safiye réfléchit un instant.

— Est-ce qu'elles t'ont vue ?

— Oui, mais elles sont persuadées que, moi, je ne les ai pas vues.

— Elles se cachaient de toi ?

— Oui. Est-il possible qu'elle sache quelque chose ?

— Ayshe ? dit Safiye Sultane en remontant délicatement sur ses épaules le couvre-pied de fourrure. Non, je ne pense pas.

Un nouveau morceau de résine s'écroula dans le brasero. Une petite flamme jaillit, éclairant brièvement la pièce.

— C'est l'autre fille, celle qu'on appelle Kaya. Celia. C'est elle, Malchi. C'est elle qu'il faut surveiller.

Après le départ d'Esperanza, Safiye se rallongea sur ses coussins, s'enveloppant de sa solitude comme d'une fourrure. Ce n'était pas souvent qu'elle s'autorisait ce luxe.

La plupart des femmes que Safiye avait connues ne gardaient que des souvenirs confus de l'endroit d'où elles venaient, et de qui elles étaient avant d'entrer au harem. Mais la sultane Safiye, mère de l'ombre de Dieu sur terre, se souvenait parfaitement de sa vie d'avant : les chaînes abruptes des montagnes d'Albanie, le bleu de gentiane du ciel, la cruauté des pierres aiguës sous ses pieds nus.

226

Son père, Petko, comme presque tous les hommes de ces contrées, ne passait au village que les mois d'hiver. L'été, ils partaient dans les montagnes, campant dans des cavernes ou à la belle étoile avec leurs chiens et leurs luths pour seule compagnie. Safiye se souvenait de leur allure étrange ; même alors, elle leur trouvait un aspect barbare, avec les tatouages qui couvraient leurs larges pommettes et leurs bras et les peaux de moutons dépenaillées qui leur descendaient aux chevilles.

Les femmes restaient en bas et semblaient plus joyeuses en l'absence de leurs hommes. La mère de Safiye, une beauté à la peau claire venue des environs de Scutari, sur la côte dalmate, avait été achetée par son beau-père au prix de dix moutons. Elle avait juste douze ans quand on l'avait mariée au père de Safiye et n'était jamais venue dans les montagnes. Même si l'on racontait que les montagnards albanais faisaient peu de cas de leurs femmes, leur préférant la compagnie des hommes de leur clan, elle avait donné naissance à huit enfants en huit ans, qui tous étaient morts sauf Safiye et son frère Mihal. L'impitoyable soleil des montagnes n'avait pas tardé à flétrir les belles joues de la mère de Safiye ; son ventre et ses seins pendaient comme ceux d'une vieille femme. À trente ans, elle était usée. Son mari la battait souvent et la frappa un jour si violemment au visage qu'il lui cassa deux dents et lui démit la mâchoire. Après cela, elle ne parla plus que rarement, sauf pour chuchoter à sa fille les histoires et les berceuses qu'elle avait apprises enfant de sa grand-mère vénitienne, des bribes de chansons dans le dialecte de Vénétie, la langue de leurs anciens suzerains. Une langue qu'elle croyait avoir oubliée depuis longtemps mais dont les mots, depuis ce coup, revenaient lui tourner dans la tête.

Safiye grandit, aussi claire de peau que sa mère mais avec la force et l'agilité d'un garçon. Obstinée et téméraire, elle avait toujours été la favorite de son père. Son frère, un garçon sournois et malingre, boiteux de naissance, tremblait dès que son père s'approchait de lui et ce fut donc Safiye, sa petite fille, que celui-ci emmena avec lui dans les montagnes.

Safiye l'accompagnait partout, comme une mascotte. L'été, quand elle vivait sur les hauts pâturages avec les autres hommes du clan, elle portait des culottes de cuir et une peau de mouton jetée sur l'épaule, comme un garçon. De son père, elle apprit à piéger et à écorcher les lièvres des montagnes, à préparer un feu et même à tailler des flèches pour son petit arc. Elle apprit à bondir entre les rochers, le pied aussi sûr qu'une chèvre, et à se tenir à l'affût quand ils chassaient, allongée en silence près de son père pendant des heures, dissimulée derrière des pierres ou des tas de feuilles. Elle était si fière d'être avec son père et les autres hommes qu'elle se serait coupé la langue plutôt que de se plaindre. Quelle importance que les épines déchirent la plante de ses pieds nus, que la soif lui colle la langue sur le palais, ou que la nuit le sol de pierre de la caverne lui meurtrisse les épaules ?

« Des ruses de chasseur, ma petite fille », disait son père. Et, comme elle le comprendrait bien des années plus tard, sa première leçon de survie.

Elle avait douze ans quand les collecteurs

d'esclaves vinrent dans leur village : ces hommes étranges, envoyés par le lointain pouvoir ottoman, montaient des chevaux aux harnais tintinnabulants. Safiye et son frère ouvraient de grands yeux, impressionnés par les couleurs vives et les textures inconnues de leurs sacoches, turbans et robes de soie. Leur village, Rezi, était petit et la collecte des garçons – chaque famille chrétienne vivant dans l'empire du sultan ottoman devait donner un garçon – ne prit pas longtemps.

— Est-ce qu'ils vont prendre Mihal, aussi ? demanda Safiye, guère émue à cette idée.

— Mihal ? Qu'est-ce qu'ils en feraient ? Un garçon doit avoir une tête ou des jambes pour servir le sultan, répliqua aigrement son père. De plus, jamais ils ne prendraient un fils unique.

Au premier rang du petit groupe de villageois qui s'étaient rassemblés pour regarder partir la caravane, Safiye observait les cinq garçons, âgés de sept à dix ans, choisis par les collecteurs.

Ils portaient sur la tête des guirlandes de fleurs sauvages et de feuilles grossièrement tressées. Leurs familles semblaient se réjouir plus que se désoler du tour subit que venait de prendre leur destin. Quand la caravane se mit en route, de jeunes hommes du village coururent à côté des chevaux, poussant des cris de joie et frappant sur des tambours. D'autres grimpèrent dans les branches qui surplombaient le chemin pour jeter des pétales de fleurs sous les pieds des chevaux. Dans un nuage de poudre, les collecteurs d'esclaves tirèrent une salve de leurs mousquets en guise d'adieu.

Pendant ce temps, les garçons regardaient, impavides, le petit groupe de villageois. Il sembla à Safiye que, déjà, ils avaient l'air plus grands, plus vieux, comme s'ils savaient d'instinct que ces quelques pas sur le chemin de la vallée leur avait fait franchir un fossé plus large et plus profond que les crevasses des montagnes ; un fossé qui déjà les séparait pour toujours de leurs familles, sans retour possible.

Elle tira son père par la manche.

— Puisqu'ils ne veulent pas de Mihal, ils n'ont qu'à me prendre, moi.

— Toi ? s'exclama-t-il en riant. Tu n'es qu'une fille, pourquoi voudraient-ils de toi ?

Un vieil homme derrière eux s'essuyait les joues, mais il avait l'œil brillant.

— Maintenant ils sont des *kul*, des esclaves du sultan.

— Mais quels esclaves ! intervinrent les autres. Nos fils vont administrer les terres du sultan. Ils deviendront soldats, janissaires...

— Pachas...

— Mon petit-fils sera le prochain grand vizir.

Les villageois regagnèrent leurs maisons en discutant entre eux. Seule Safiye resta à regarder s'éloigner la caravane, les garçons maintenant guère plus que des points sur le sentier de montagne en contrebas. Les étriers d'argent des cavaliers étincelaient au soleil.

— Ne t'inquiète pas, petite : quand les filles deviennent esclaves du sultan, c'est une tout autre histoire, rit son père en lui pinçant la joue. On va vite te trouver un bon mari, ici-même.

Un mari ! À ce mot, Safiye sentit comme une pierre

aiguisée lui traverser la poitrine pour venir se loger près de son cœur.

– Alors, sœurette, tu as entendu ? Ça y'est, on t'a trouvé un mari.

Son frère Mihal était allongé à son côté sur le matelas qu'ils partageaient, la couverture de feutre graisseuse remontée sur ses maigres épaules.

— Qui ?

— Todor.

— Todor, l'ami de notre père ?

— Il a offert vingt moutons pour toi.

Safiye n'avait aucun doute que Mihal disait vrai. Bien que jamais très proches, ils étaient quand même plus ou moins alliés. Mihal, qui, à cause de sa jambe atrophiée, ne pourrait jamais devenir chasseur ni *banditto* comme les autres hommes des montagnes de Dukagjin, possédait néanmoins un talent que sa sœur admirait beaucoup : il savait observer et écouter, se déplacer sans se faire remarquer dans le village et les pâtures environnantes. Il ne semblait pas en vouloir à sa sœur d'être la préférée de leur père ; Safiye, pour sa part, avait souvent trouvé utiles ses informations.

Par une fissure dans le mur, Safiye pouvait distinguer les silhouettes des maisons du village silencieux, baigné de lune. Dans les montagnes, un loup hurlait aux étoiles. Elle ne parla qu'au bout d'un moment.

— Mais Todor est vieux, protesta-t-elle d'une petite voix.

— Mais il est encore capable de le faire, ricana Mihal, avec un mouvement de hanches suggestif

231

contre ses cuisses. Il te grimpera dessus comme un vieux taureau.

De toutes ses forces, Safiye envoya le coude dans les côtes saillantes de son frère.

— Lâche-moi. Tu es dégoûtant !

— Pas aussi dégoûtant que Todor.

Mihal ricana encore plus fort et une chandelle de morve jaillit d'une de ses narines, qu'il essuya sur un coin de la maigre couverture.

— Je l'ai entendu qui se vantait. Rien de tel qu'une jeune épouse pour redonner de l'allant à un vieux !

Safiye pouvait sentir l'haleine fétide de Mihal contre son cou. Si un jeune garçon sentait aussi mauvais, qu'est-ce que ce serait avec un vieil homme ?

— Lâche-moi !

Elle se tortilla pour s'éloigner de lui, tirant tout ce qu'elle pouvait de couverture. Puis, sans montrer trop d'espoir, elle lança :

— De toute façon, je suis sûre que tu as tout inventé.

Mais elle savait bien que non. Il y avait au moins une chose de sûre avec Mihal : il ne mentait jamais. Il n'en avait pas besoin.

— Et tu ne pourras plus aller dans la montagne, parce qu'il ne te le permettra pas.

Safiye ne répondit pas tout de suite. Une telle appréhension lui serrait la gorge qu'elle pouvait à peine respirer.

— Jamais notre père ne le laisserait faire une chose pareille...

— Tu crois ça ? (Mihal marqua encore une pause

avant de lancer sa dernière flèche, la plus empoi-
sonnée de toutes.) Espèce d'idiote, tu ne vois pas ?
C'est son idée à lui, depuis le début. Tu ne vas quand
même pas rester son petit jouet pour toujours.

D'abord incrédule à l'idée qu'elle puisse lui
désobéir, son père finit par la battre, et quand cela
ne donna pas de résultat, il l'enferma dans l'enclos
des moutons. Pendant six jours, on ne lui apporta
rien à manger, seulement de l'eau, jusqu'à ce qu'elle
ait faim au point de gratter la mousse et le lichen des
pierres pour sucer les morceaux qui restaient sous
ses ongles noircis. La hutte était trop basse pour
qu'elle puisse s'y tenir debout et l'odeur de sa propre
crasse lui levait le cœur, mais elle refusait de céder.
Au début, sa propre détermination la surprit. Mais
après quelques jours, elle comprit que, quand on
voulait quelque chose suffisamment fort, ce n'était
finalement pas si dur.

— Je préférerais mourir, leur criait-elle quand ils
venaient la voir, plutôt que d'être vendue comme un
mouton à un vieil homme.

Quand la faim la faisait délirer, elle croyait voir la
grand-mère de sa mère. Parfois, elle était vêtue
comme une dame vénitienne, des perles autour du
cou ; d'autres fois, elle était habillée de bleu comme
la madone de l'église de Scutari dont sa mère lui
avait un jour parlé. Presque toujours, elle était à
cheval et ses étriers d'agent étincelaient au soleil.

Quand on la sortit de là, il fallut la porter jusqu'à
la maison. Ce fut bien sûr Mihal qui l'informa de ce
qui avait été décidé.

— Puisque tu refuses de te marier, il va falloir te vendre.

Elle sut alors qu'elle avait gagné.

Deux semaines après, Safiye était vendue à Esther Nasi, la Juive de Scutari. Esther tenait commerce dans sa propre maison, une élégante demeure de style ottoman qui donnait d'un côté sur le lac et de l'autre sur l'ancienne forteresse vénitienne. Esther, dont la rumeur prétendait qu'elle avait autrefois été esclave elle aussi, concubine d'un riche gouverneur des Balkans, avait conservé, en dépit d'un fort embonpoint, le visage et les manières hautaines d'une princesse byzantine.

Quand on lui amena Safiye, elle ne montra aucune surprise. Ce n'était pas rare qu'une famille vende une jolie fille comme esclave, espérant ainsi lui assurer une vie luxueuse et protégée dans le harem d'un homme riche. En fait, c'était souvent les filles elles-mêmes qui le désiraient, prenant ainsi en main leur destin. Mais, pour ce groupe, c'était difficile à dire.

— Pourquoi me l'avez-vous amenée ? Elle n'a que la peau sur les os, constata la Juive en pinçant le gras du bras de Safiye et l'intérieur de ses cuisses. Qu'avez-vous donc fait à cette petite ? Elle à l'air à moitié morte de faim.

— Elle ne tardera pas à engraisser.

Le père, que ses tatouages désignaient au premier coup d'œil comme un montagnard, s'exprimait mala-droitement se balançant d'un pied sur l'autre. Esther Nasi vit la fille lui jeter un regard, le visage indé-chiffrable.

— Pour être franche, je ne suis pas trop sûre...

Le soleil accrocha les méplats et les angles aigus du jeune visage creusé par la faim. La fille avait quelque chose, pensa Esther, pas de doute là-dessus. À la différence de toutes ces jeunes paysannes qui arrivaient à la maison de Scutari, elle ne semblait pas craindre Esther et ne fuyait pas son regard, mais gardait la tête haute, examinant d'un œil calme les riches tapis, les carreaux de céramique bleus et verts venus d'Iznik, les sols de marbre et les croisées sculptées. Le plus important, se rappela Esther, c'était quand même la chair. La peau de çette fille était déjà brûlée – sans doute irrémédiablement – par le soleil des montagnes. Comme c'était lassant ! Esther soupira et leva au ciel ses yeux fardés de khôl, montrant leur blanc très blanc. Peut-être devenait-elle trop vieille pour les affaires.

— Très bien, alors. Je vais la regarder, mais faisons vite. Je n'ai pas toute la journée.

D'une main ferme, la vieille femme attrapa l'épaule de Safiye et fit pivoter son bras pour passer un doigt expert sur la chair douce du dessous. Là où le soleil ne l'avait pas brûlée, la peau était bien blanche et fine de grain ; de même pour ses larges paupières. L'espace entre ses paupières et ses sourcils, remarqua Esther, était haut et joliment modelé. Elle glissa rapidement le doigt entre les lèvres de la fille pour compter ses dents et en inspecter la blancheur. Jamais Safiye n'oublierait le goût de sucre en poudre de ses doigts.

— Est-ce qu'elle ronfle ? Est-ce qu'elle a mauvaise haleine ? Est-ce qu'elle a déjà été avec un homme ?

235

s'enquit Esther, comme s'il s'agissait d'une vente de bétail. Un frère, un oncle ? Vous, son père ?

— Non, *signora*.

— Vous seriez étonné si je vous disais à quel point c'est fréquent. De toute manière, c'est facile à vérifier. Et soyez assuré que je le fais toujours. Il y a peut-être un marché pour les articles de seconde main, mais pas chez moi.

Elle frappa dans ses mains, faisant cascader sur ses poignets une vraie fortune en bracelets d'or aussi fins que des cheveux.

— Marche ! ordonna-t-elle.

Safiye se dirigea lentement jusqu'à la fenêtre et revint.

— Tiens, mets ça. (Esther tendit à la fillette une paire de sandales à talons de quinze centimètres de haut, en bois incrusté de fleurs d'ivoire.) Voyons si tu peux marcher avec.

Safiye recommença, beaucoup moins assurée, cette fois, vacillant à cause de la hauteur inattendue. Le bois claquait lourdement sur le sol.

— Bonne à rien, jugea Esther en claquant impatiemment de la langue. Vraiment bonne à rien. Maigre, et maladroite en plus, ajouta-t-elle d'un ton plaintif. Pourquoi venez-vous ici me faire perdre mon temps ?

Les trois hommes se retournèrent pour partir, mais la fille ne les suivit pas. Elle resta plantée calmement devant Esther Nasi.

— Je sais chanter, et je parle le vénitien. (C'était la première fois qu'elle parlait en présence d'Esther.) C'est ma mère qui m'a appris.

Les sourcils noirs d'Esther, peints en une seule ligne à la mode ottomane, se levèrent, intrigués.

— Ah, vraiment ?

Safiye lui rendit les petites sandales.

— Et j'aurai vite fait d'apprendre à marcher avec ça.

Esther resta un moment sans rien dire, puis elle plissa les yeux.

— Chante-moi donc quelque chose.

Alors Safiye chanta l'une des berceuses que sa mère lui avait apprises. Sa voix n'était pas forte, mais basse et pure : une voix qu'on n'oubliait plus jamais une fois qu'on l'avait entendue, une voix qui, même si elle ne le savait pas encore, allait changer sa vie pour toujours.

Quand elle s'était lancée dans les affaires, certains avaient trouvé l'établissement d'Esther Nasi trop éloigné des grands centres du commerce d'esclaves qu'étaient Constantinople et Alexandrie pour pouvoir fonctionner. Mais Esther, avec ses instincts de femme et son sens aigu des affaires, savait très bien ce qu'elle faisait et sa maison au bord du lac de Scutari fut vite connue de tous comme une station intermédiaire. Les marchands qui n'avaient pas envie de faire le long et difficile voyage en mer jusqu'à Constantinople lui apportaient leurs plus belles prises qu'elle payait toujours généreusement, sachant que, lorsqu'elle en aurait fini avec elles, ces montagnardes mal dégrossies et ces filles de pêcheurs ignares se vendraient plus de cinquante fois leur prix en *bedestens* dans tout l'Empire ottoman. Très vite, certains marchands de la capitale un peu plus malins que les autres, ceux dont la spécialité était de fournir les harems impériaux en esclaves et concubines de haute qualité, s'avisèrent que cela valait largement la peine de faire une ou deux fois l'an le voyage jusqu'à Scutari, où ils pouvaient acquérir les exquises créations d'Esther pour la moitié du prix qu'ils auraient payé à Constantinople.

Esther Nasi garda Safiye chez elle pendant un an. Durant cette période, une douzaine d'autres filles, âgées de six à treize ans, furent de passage, achetées et vendues par Esther, comme elle le faisait depuis plusieurs décennies, à une succession de marchands qui commerçaient le long des rives embaumées et plantées de pins de l'Adriatique.

Beaucoup de ces filles étaient albanaises, comme Safiye, ou venaient d'autres contrées de l'intérieur des Balkans, vendues par des parents qui espéraient une vie meilleure pour leurs filles ; d'autres étaient des captives, prises par les corsaires uskoks et ottomans au cours de razzias sur la côte ou d'attaques contre des vaisseaux navigant sans protection sur l'Adriatique. Il y avait deux Grecques, une Serbe, deux sœurs d'à peine huit ans, originaires de Venise, et une malheureuse Circassienne dont personne ne savait comment elle avait échoué si loin de chez elle.

Safiye, quant à elle, observait et attendait. Elle ne se mêlait guère aux autres filles qui la trouvaient fière. Elle préférait se concentrer sur ce qu'Esther Nasi avait à lui apprendre. Ce fut Esther qui lui enseigna non seulement à éduquer sa voix, mais aussi à s'accompagner au luth. Elle apprit comment marcher, manger, entrer et sortir d'une pièce, elle apprit à broder et à coudre. Elle se familiarisa avec le raffinement et l'étiquette de la cour ottomane : la manière de verser le café et le sorbet, de se tenir immobile derrière sa maîtresse pendant des heures, les mains modestement croisées dans le dos.

Mise par Esther à un régime spécial à base de lait et privée de l'exercice physique auquel elle était habituée, l'adolescente au corps menu ne tarda pas à prendre des formes. Ses seins, à peine gros comme des figues vertes à son arrivée, s'épanouirent. Pendant six mois, il lui fut interdit de sortir et, avec l'aide des onguents d'Esther, la peau de son visage et de ses mains redevint blanche et lisse, ses bras et ses joues aussi roses et potelés que ceux d'un bébé.

Quelques mois après l'arrivée de Safiye dans la maison d'Esther Nasi, un brouhaha dans la cour annonça l'arrivée d'un marchand. Une demi-heure plus tard, Esther en personne vint dans les quartiers des filles.

— Toi, toi... et toi. (Elle désigna d'un doigt péremptoire la Serbe et deux des Albanaises les plus âgées.) Venez avec moi. Une de vous versera le café, les deux autres apporteront la bassine et les serviettes pour qu'il se lave les mains. Ensuite, vous vous mettrez derrière moi et vous attendrez mes instructions. Préparez-vous, allez, vite ! les pressa-t-elle en frappant dans ses mains. Et toi, ajouta-t-elle en tournant vers Safiye son regard perçant, toi, tu viens avec moi.

— Mais ne dois-je pas m'habiller, d'abord ?

— Pas besoin.

Safiye la suivit jusqu'à une petite pièce qui donnait sur le grand salon de réception du premier étage où Esther présentait ses marchandises aux acheteurs potentiels. La petite pièce était séparée de l'autre par un écran ajouré qui permettait à Safiye de voir sans être vue.

— Je veux que tu restes assise ici. Et, quand je te le dirai, tu chanteras pour moi. Mais quoi que tu entendes, tu ne dois pas sortir, tu ne dois pas te montrer. C'est bien compris ?

— Oui, *signora*.

À travers l'écran, Safiye pouvait voir le marchand installé sur les coussins brodés d'Esther. C'était un petit homme sec au visage buriné par la mer, mais sa cape, remarqua Safiye, était doublée de la plus belle fourrure qu'elle ait jamais vue.

— J'ai entendu dire que vous auriez peut-être quelque chose pour moi, quelque chose de spécial, déclara le marchand.

— C'est le cas, en effet.

Esther leva la main et fit signe à la Serbe de s'avancer. La jeune fille chanta deux chansons en s'accompagnant au luth.

— Très joli, commenta sans enthousiasme le marchand quand elle eut fini. Mes félicitations, *signora* Esther. Mais êtes-vous sûre que vous n'avez rien d'autre ? Ses yeux parcouraient la pièce, s'arrêtant sur les deux autres filles qui se tenaient modestement derrière leur maîtresse.

— Eh bien... feignit d'hésiter Esther. En fait, mais seulement parce que c'est vous, Yusuf Bey, j'ai

peut-être autre chose qui, je crois, pourrait vous intéresser.

Elle claqua des doigts et, ainsi qu'elle en avait reçu
l'ordre, Safiye se mit à chanter. Quand elle eut fini,
il y eut un long silence.

Le marchand, quand il parla enfin, n'y alla pas par
quatre chemins.

— Est-ce que je peux la voir ?

Esther Nasi lui sourit, prit une gorgée de café et
reposa soigneusement sur sa soucoupe la tasse, si
petite qu'elle aurait pu s'en servir comme dé à
coudre. À ses poignets, les bracelets d'or tintèrent
légèrement.

— Non.

L'homme ne s'attendait pas à cela.

— Et pourquoi pas ?

— Parce qu'elle n'est pas à vendre.

— Pardon ?

— J'ai mes raisons.

— Elle a un défaut ? Un bec-de-lièvre ? Une tache
de naissance ?

— Un défaut chez une de mes filles ? (Avec un
sourire aimable, Esther mordit dans une de ses
confiseries à la rose favorites.) Je crois que vous me
connaissez mieux que cela.

— Elle est trop vieille, alors ?

Esther éclata de rire et lécha le fin sucre blanc
resté collé à ses doigts. Ses yeux noirs byzantins lançaient des éclairs.

— Est-ce que je peux au moins la voir ?

— Non.

Et, il eut beau argumenter, Esther refusa de le
laisser voir Safiye, ou même l'entendre chanter à

241

nouveau, insistant sur le fait qu'elle n'était pas à vendre.

Par la suite, chaque fois que des marchands venaient, Esther usa de la même stratégie. Elle cachait Safiye derrière l'écran afin qu'on puisse l'entendre mais pas la voir et répétait qu'elle n'était pas à vendre. Au fur et à mesure que le mystère se répandait, la renommée de Safiye grandit. Toutes sortes de rumeurs circulaient : il s'agissait d'une princesse vénitienne, de la fille illégitime du pape, ou même de la propre enfant d'Esther Nasi.

Six mois passèrent et Yusuf Bey arriva pour sa visite d'été ; il trouva Esther Nasi plus grasse que jamais ; des mèches grises parsemaient des cheveux jadis aussi noirs que l'onyx.

— Alors, *signora* Esther *effendi*, êtes-vous prête maintenant à me la vendre ?

Esther fit disparaître dans sa bouche un gâteau au miel et installa confortablement sa masse de chair sur les coussins du divan.

— Non, pas encore.

Le marchand la regarda un moment en silence.

— Si je puis me permettre une remarque, dit-il finalement, vous avez si bien mené votre affaire que n'importe lequel d'entre nous serait prêt à vous l'acheter, les yeux fermés, sans doute pour plus de dix fois ce que vous l'avez payée. Vous êtes tenue en très haute estime dans la profession, *signora*. Mais ne craignez-vous pas que nous ne finissions par nous lasser de ce petit jeu ?

Esther prit tranquillement un autre gâteau.

— Croyez-moi, Yusuf Bey, je sais ce que je fais.

(Elle lécha les miettes restées sur ses doigts.) Vous verrez, vous ne regretterez pas d'avoir attendu.

— Vous allez donc la vendre ?

Esther le regarda pensivement.

— C'est une pièce exceptionnelle. Qu'avez-vous à m'offrir en retour ?

— Le nouveau jeune prince à Manisa.

— Eh bien ?

— Le sultan Soliman se fait vieux, il en a au mieux pour quelques années. Son fils Selim, qui est son héritier, est à ce qu'il paraît un ivrogne, mais Soliman a par Selim un petit-fils dont on dit qu'il est un héritier plus probable. Bien que ce petit-fils soit encore très jeune, il a récemment été nommé gouverneur provincial à Manisa. À Constantinople, c'est considéré comme un signe non seulement de grande faveur, mais aussi d'une haute importance politique, car c'est en toute probabilité ce prince, Mourad, qui sera choisi pour succéder à son père.

» Mourad est encore jeune, mais déjà en âge d'avoir sa propre maisonnée à Manisa. Sa cousine, la princesse Humashah, m'a envoyé sa *kira* pour me demander de lui trouver de jeunes esclaves – des concubines de la plus haute qualité possible – qu'elle désire offrir en cadeau à son cousin. (Il marqua une pause.) Je crois que la princesse apprécierait énormément une pièce aussi exceptionnelle. (Il prit une petite gorgée de café.) Quel âge a-t-elle ?

— Treize ans.

— Le prince en a seize.

Esther Nasi réfléchit à la proposition du marchand pendant un laps de temps qu'il trouva un peu excessif.

— Je dois avouer que la fille commence à s'impatienter, avoua-t-elle finalement. Et, entre nous, je doute qu'il me reste grand-chose à lui apprendre.

— Elle est menstruée ?

— Depuis six mois, maintenant.

— Et vous lui avez bien tout appris...

— Elle sait comment plaire à un homme, si c'est ce que vous sous-entendez, répliqua impatiemment Esther. Je le lui ai appris moi-même. Vous autres marchands – si je puis à mon tour me permettre une remarque –, vous avez une vision bien primitive de la question.

— Elle est belle, alors ?

— Belle ? Ah, Yusuf Bey, mon ami, lui confia-t-elle en se penchant vers lui, et le marchand put voir deux larmes, aussi grosses et luisantes que des perles, tomber des yeux d'Esther Nasi. Elle est d'une beauté ensorcelante.

Comme cela avait toujours été son intention, Esther Nasi vendit à Yusuf Bey la belle Safiye à la voix d'or pour trois cents ducats, plus de dix fois ce qu'elle l'avait achetée. Et, à Constantinople, Yusuf Bey la revendit lui-même pour presque dix fois cette somme à la princesse Humashah, qui trouva qu'elle en avait pour son argent.

Quant à Safiye, elle fit le voyage vers Constantinople et de là jusqu'à Manisa, cadeau offert à un futur sultan de seize ans. Avec elle, il y avait deux autres esclaves, des présents eux aussi, les plus remarquables que l'impériale bourse de la princesse Humashah ait pu acheter.

L'une, celle que Safiye connaîtrait sous le nom de Cariye Mihrimah, était une fille à peu près du même âge qu'elle. L'autre était un jeune eunuque noir nommé Hassan.

— Mais la princesse vous a donné un autre nom, leur annoncèrent les marchands d'esclaves. À partir de maintenant, vous serez les Rossignols. Les Rossignols de Manisa.

17

Fin d'après-midi

Plus tard dans l'après-midi, on frappa à la porte de Celia. C'était une jeune servante noire, élégamment habillée et parée de nombreuses chaînes d'or au cou et aux chevilles. En voyant Celia, elle ne dit pas un mot mais lui sourit et lui fit signe de la suivre. Quand Celia lui demanda où elle l'emmenait et qui l'avait envoyée, elle se contenta de secouer la tête sans rien dire.

Elles traversèrent la cour, puis une partie des antichambres attenant au hammam de la validé et parcoururent des couloirs dans lesquels Celia ne s'était jamais aventurée auparavant. Au bout d'un moment elles arrivèrent à un mur percé d'une petite porte. La jeune fille l'ouvrit et Celia vit qu'elle donnait sur un escalier. Elles rencontrèrent plusieurs personnes en chemin – surtout des servantes, mais aussi une ou deux hautes dignitaires du harem –, mais aucune d'entre elles ne parut surprise de la voir là. Personne ne l'interrogea ni ne lui demanda où elle allait. Elles se contentèrent de s'incliner respectueusement devant Celia et, baissant les yeux, laissèrent silencieusement passer les deux jeunes filles.

Au bas de l'escalier, elles sortirent par une autre porte dans les jardins du palais. La servante prit un sentier qui descendait d'abord le long d'une série de terrasses, puis tournait brusquement à droite pour longer le mur d'enceinte. Elles débouchèrent finalement sur une petite clairière.

— Oh! s'écria Celia, reconnaissant soudain où elles étaient.

Au milieu de la clairière se trouvait un petit pavillon de marbre. Plus loin, sur un des côtés, la ville de Constantinople s'étendait devant elles ; de l'autre, comme un lointain rêve bleu, la mer.

Pour la première fois, la fille parla, mais avec ses mains. Dans le langage silencieux du palais, elle fit signe à Celia qu'elle devait maintenant continuer seule. « Qui ? » lui demanda Celia de la même façon, mais déjà la servante, avec un dernier sourire timide, tournait les talons et s'éloignait rapidement.

Celia regarda autour d'elle. Le jardin était si calme qu'elle se crut d'abord seule. Le petit pavillon aux murs de marbre blanc décorés de lettres d'or brillait au soleil. Quelque part, cachée au milieu des cyprès, de l'eau coulait dans un bassin de pierre. Soudain un léger mouvement attira son regard et elle vit que finalement elle n'était pas seule.

Quelqu'un attendait dans le kiosque. De dos, parfaitement immobile, contemplant les eaux du Bosphore : la dernière personne que Celia s'attendait à rencontrer.

– Très chère, comme c'est gentil à vous d'être venue si vite. Je suis honorée, *kadine*.

— Haseki Sultane, répondit Celia en s'inclinant profondément devant la petite silhouette dans le pavillon. Tout l'honneur est pour moi.

Haseki Gulay tendit la main à la jeune fille.

— Pardonnez-moi de ne pas me lever – ce n'est pas par manque de respect. C'est juste que, eh bien, comme vous voyez, expliqua-t-elle en désignant ses jambes repliées sous elle, aujourd'hui n'est pas un de mes meilleurs jours.

La *haseki*, favorite officielle du sultan, portait une robe bleu pâle délicatement brodée de fleurs et de volutes dorées. Elle avait sur la tête une petite coiffe d'où tombait un voile en mousseline dorée presque transparente. Sous le bas de sa robe, Celia aperçut deux petites mules brodées de fil d'or et d'argent. De nombreux bijoux, comme il convenait à son statut de seconde dans la hiérarchie du harem, juste après la validé, ornaient son cou et ses doigts. Mais, quand elle sourit, elle sembla à Celia aussi timide que sa petite servante muette.

— Alors c'est vrai, ce qu'on raconte..., laissa échapper Celia sans réfléchir.

— Et que raconte-t-on

— Que vous n'allez pas bien, mais pardonnez-moi, s'excusa Celia, honteuse de la brusquerie de sa question. Je n'avais pas l'intention de vous manquer de respect.

— Je le sais bien. (La *haseki* parlait d'une voix basse et très douce.) C'est toujours la même chose, n'est-ce pas ? Tout ici n'est que rumeurs, suppositions, murmures, soupira-t-elle en contemplant la mer où de petits bateaux se découpaient sur l'horizon comme des silhouettes pour enfants. Mais pour une fois c'est la vérité. Je ne vais pas bien. Je serai contente de ne plus faire partie de tout cela.

— Est-ce que... est-ce que vous allez quelque part ?

La *haseki* tourna vers Celia des yeux brillants.

— D'une certaine manière, *kadine*, je pense qu'on peut dire cela. J'ai demandé à ce qu'on m'envoie à l'Eski Saray, au Vieux Palais. Après tout, c'est là que nous irons après la mort du sultan, de toute façon.

Bien que Celia ait souvent vu Haseki Gulay auparavant, c'était toujours lors de grandes occasions. C'était pour elle une silhouette lointaine, couverte de bijoux, qui se tenait au côté du sultan ; c'était aussi l'objet d'intenses spéculations parmi les autres femmes du harem. Aujourd'hui, pour la première fois, Celia avait l'occasion de la voir de près. Plus âgée que Celia n'aurait cru, et mince jusqu'à la maigreur, elle avait cependant encore une jolie peau très blanche. On disait souvent qu'il y avait dans le harem beaucoup de femmes plus belles, mais Celia lisait sur son visage une douceur et une amabilité impossibles à détecter de loin. Sa simple présence avait quelque chose de reposant. Ses yeux étaient à la fois sombres et bleus, de la couleur exacte, pensa Celia, des vagues de la haute mer.

Se forçant à sortir de sa rêverie, Gulay fit signe à Celia de s'asseoir.

— *Kadine* – car c'est ainsi que nous devons maintenant vous appeler, n'est-ce pas vrai ? –, ma chère, laissons là les formalités, nous n'avons pas beaucoup de temps. Je vous ai fait venir ici parce que j'avais quelque chose à vous dire.

Instinctivement, Celia regarda autour d'elle, cherchant qui pourrait les écouter.

— Ne vous inquiétez pas, il n'y a personne ici pour nous entendre, je m'en suis assurée. Je voulais que vous sachiez que je n'ai rien contre vous.

— Je vous en prie, Haseki Sultane..., commença Celia mais avant qu'elle puisse poursuivre la favorite lui posa un doigt sur les lèvres.

— Chut, nous savons toutes deux ce que j'entends.

— Mais je ne veux pas... je n'ai jamais voulu...

— Il ne s'agit pas de ce que vous voulez, mais de ce qu'elle veut, elle. Nous le savons bien. J'ai tenté de la combattre mais il n'y a rien à faire. Elle a monté tout le monde contre moi et elle fera de même pour vous – non, non, je vous en prie, écoutez ce que j'ai à dire, insista-t-elle en voyant Celia faire mine de protester. Personne – aucune de nous – ne pourra rester longtemps proche du sultan tant qu'elle sera validé. C'est mon destin. Je dois l'accepter. Et puis, regardez-moi, ajouta-t-elle, baissant les yeux vers son propre corps avec un petit sourire triste. Je suis devenue si maigre. Pourquoi le sultan voudrait-il s'encombrer d'un pareil sac d'os ? Et de toute façon, conclut-elle avec un rapide coup d'œil en direction de Celia, je n'ai pas envie de finir comme Handan.

— Handan ?

— Vous avez sûrement entendu parler d'elle ?

— Non, Haseki Sultane.

— C'était la principale concubine du sultan avant moi. Il partage son lit avec d'autres, bien sûr, mais elle était plus que cela pour lui : elle était sa compagne. Comme je le suis maintenant. Le sultan – le Padishah – est parfois un homme très seul, ajouta-t-elle après une nouvelle pause pour contempler l'horizon, comme s'il lui était très pénible d'évoquer ces choses. Vous ne devez pas l'oublier.

— Que lui est-il arrivé ? À Handan ?

— Elle a un fils, le prince Ahmet, qui vit toujours au palais avec les autres princes, mais pour ce qui est d'Handan elle-même, eh bien, personne ne la voit plus, elle qui s'était élevée si haut au-dessus de nous toutes. (Gulay regarda tristement la mer.) Il paraît qu'elle garde la chambre. Qu'elle a perdu toute volonté de vivre.

— Mais pourquoi ?

Haseki Gulay se tourna vers Celia et l'espace d'un instant son expression. changea.

— Quel est votre nom, *kadine* ?

— Je m'appelle Kaya.

— Non, non, ma chère, je sais cela, bien sûr. Je parle de votre vrai nom, le nom que vous portiez avant d'arriver ici.

— C'était – c'est – Celia.

— Eh bien, Celia, raconta la *haseki* en lui prenant la main entre les siennes, j'oubliais que vous n'êtes pas ici depuis aussi longtemps que la plupart d'entre nous. La validé détestait Handan parce qu'elle était devenue trop puissante. Non seulement elle était la favorite du sultan, mais elle avait donné naissance à un fils. Ce fils aurait pu devenir – pourrait encore devenir – le prochain sultan. (Elle caressa doucement la main de Celia.) En tant que favorite et

251

mère d'un fils, elle avait droit à une rente très importante, presque autant que celle accordée à la validé. Le sultan la couvrait aussi de cadeaux – de l'or et des bijoux. Elle a vite commencé à se rendre compte du pouvoir que cela lui donnait. Handan était devenue très puissante, mais elle a manqué de prudence.

» Sa richesse lui permettait de faire beaucoup de cadeaux et elle ne s'en cachait pas. Beaucoup de femmes du harem, même parmi les dignitaires jusque-là fidèles à la validé, ont commencé à la courtiser. Il était facile de voir ce qu'elles pensaient toutes : si le sultan désignait le fils de Handan comme son successeur, elle serait la prochaine validé. Et, visiblement, c'était aussi ce que pensait Handan. Petit à petit, une faction s'est réunie autour d'elle, tout le monde s'en rendait compte, dit Gulay en jetant un coup d'œil vers le palais par-dessus son épaule, comme si le seul fait d'en parler la rendait nerveuse. Vous n'avez sûrement pas besoin que je vous explique comment cela se passe, ici. La situation était devenue très dangereuse.

— Pour Safiye Sultane ?

— La validé ?

La *haseki* se mit à rire et serra la main de Celia. Les petits disques d'or cousus à sa coiffe tintèrent dans la brise.

— Oh, non, ma chère. Pas pour la validé, pour Handan, bien sûr. La sultane Safiye se moque bien de qui partage le lit de son fils, mais renoncer au pouvoir ? Jamais ! Quand elle était *haseki*, du temps de l'ancien sultan, on raconte qu'elle s'est battue bec et ongles contre la validé Nurbanu. Mais c'est

252

toujours la validé qui a les atouts en main, ajouta-t-elle en baissant les yeux. Du moins à ce qu'on dit.

Il y eut une pause, puis Celia fit remarquer :

— Mais vous avez un fils, vous aussi, Haseki Sultane.

— Oui, j'ai un fils. Il a les mêmes droits à la succession du sultan. Et je dois faire tout mon possible pour le protéger. J'ai vu ce qu'ils ont fait à Handan.

Elle se pencha jusqu'à ce que ses lèvres ne soient plus qu'à quelques centimètres de celles de Celia, qui pouvait sentir le parfum de myrrhe et de jasmin dont sa peau et ses cheveux étaient imprégnés.

— N'oubliez pas, *kadine* : le fait d'être la *haseki* ne vous protégera pas contre eux.

— Eux ? De qui parlez-vous ?

Celia pressa la main sur son ventre : la douleur familière revenait lui tenailler le côté, juste en dessous des côtes.

— La validé a des espions partout, que ce soit dans le palais ou à l'extérieur. Elle a passé toute sa vie à bâtir sa toile. Elle a un réseau de fidèles, des gens qui travaillent pour elle. Comme cette vieille Juive, sa *kira*.

— Vous parlez d'Esperanza Malchi ?

— La Malchi, c'est cela. Vous la connaissez ?

— Elle est venue à ma chambre ce matin même, dit Celia en s'agitant nerveusement sur les coussins. Je ne crois pas qu'elle se soit aperçue de ma présence.

Devait-elle se confier à la *haseki*, lui raconter ce qui était arrivé ? C'était probablement la personne du harem la moins susceptible de lui venir en aide, et pourtant elle semblait si sincère, si vulnérable. Elle pouvait sûrement lui faire confiance ?

Finalement, ce fut Gulay qui parla.

— Et elle a laissé derrière elle du sable coloré ?

— Oui, murmura Celia en la regardant fixement, comment le savez-vous ? Et qu'est-ce que cela signifie ?

— Ne prenez pas cet air inquiet ; il y a peu de chances que ce soit pour vous faire du mal – pas pour le moment, en tout cas.

Pas pour le moment ? Le cœur de Celia fit un bond dans sa poitrine.

— Mon amie Annetta était là. Elle croit qu'il s'agit d'un sort.

— Un sort ! s'exclama la *haseki*, dont le visage s'éclaira d'un charmant sourire. Je sais bien qu'elle a tout d'une sorcière, mais non, sûrement pas. C'est probablement juste un charme contre le mauvais œil – regardez, comme celui-ci, continua-t-elle en levant le poignet pour montrer à Celia un bracelet d'argent d'où pendaient plusieurs petits disques en verre bleu. On les met comme porte-bonheur. Pour se protéger. Ne voyez-vous pas qu'ils ont besoin de vous ? Pour le moment. Malchi est un des pions de la validé, elle n'oserait pas faire quoi que ce soit pour vous nuire. Mais, une chose est sûre, vous allez devoir être extrêmement prudente. Ils vous surveillent déjà.

La *haseki* se laissa aller sur ses coussins, comme si l'effort nécessaire pour parler l'avait épuisée.

— C'est cela que vous vouliez me dire ?

Gulay secoua la tête.

— Ce n'est pas d'Esperanza dont vous devez vous

254

méfier le plus, poursuivit-elle en parlant plus rapidement. Il y en a d'autres, bien plus dangereux encore. Handan le savait bien, elle aussi. Avez-vous jamais entendu parler des Rossignols ?

Celia fit signe que non.

— Les Rossignols de Manisa. Trois esclaves aux voix magnifiques qui furent offerts à l'ancien sultan Mourad par sa cousine, la princesse Humashah. Ils étaient célèbres à l'époque. L'une est devenue sa *haseki*...

— La validé.

— Un autre est devenu chef des eunuques noirs.

— Hassan Aga ? Mais il paraît qu'il est en train de mourir...

— Et la troisième...

La *haseki* se pencha vers Celia comme pour lui chuchoter à l'oreille, puis s'écarta soudainement, inquiète.

— Qu'est-ce que c'est ? s'écria-t-elle en se retournant.

Celia tendit l'oreille mais tout ce qu'elle pouvait entendre, c'étaient des ouvriers travaillant dans une lointaine partie des jardins, le bruit de leurs marteaux porté par la légère brise de l'après-midi.

— Ce n'était rien. Peut-être les ouvriers.

— Si, regardez, elles arrivent. (Gulay prit son éventail et l'agita devant elle pour dissimuler son visage.) Mes servantes, elles reviennent.

Elle avait soudain l'air très nerveuse et lissait de ses doigts anxieux les plis de sa robe.

— Je croyais que nous aurions plus de temps, chuchota-t-elle à Celia derrière son éventail, mais la validé veille à ce qu'elles ne me laissent jamais seule longtemps.

Tandis qu'elle parlait, Celia vit que les servantes de Gulay se dirigeaient effectivement vers elles. Elles apportaient des assiettes où des fruits étaient arrangés en pyramides givrées et des tasses de sorbet glacé qu'elles placèrent sur une table basse à l'intérieur du kiosque. Elles avaient beau servir la *haseki* avec toute la déférence due à son rang, Celia trouvait l'atmosphère étrangement tendue. Une des servantes, en particulier, ne cessait de jeter des regards à Gulay, avec sur le visage une expression que Celia ne parvenait pas à déchiffrer. Il fallut l'insistance de la *haseki* pour que, de mauvaise grâce, elles consentent à servir d'abord Celia. Celle-ci remarqua que Gulay ne mangeait qu'après elle, et ne touchait à rien qu'elle n'ait goûté la première.

La présence des autres femmes rendait toute conversation impossible. Elles restèrent assises en silence tandis que les servantes s'affairaient autour d'elles. Les ombres du jardin avaient commencé à s'allonger et les cyprès projetaient leurs ombres fraîches sur le petit pavillon.

Celia regarda la femme assise près d'elle et comprit soudain ce que la validé redoutait en elle : sous cet extérieur débonnaire se cachait quelque chose d'autre, une qualité qui, en dépit de sa peur, remplit d'espoir le cœur de Celia. De temps en temps, elle détectait chez Gulay une expression qui n'était ni douce ni timide, une expression d'intelligence pure. *Si je peux vous avoir comme amie, comme guide*, pensa-t-elle, *alors peut-être parviendrai-je à survivre, après tout.*

Mais, sous l'œil vigilant des servantes, une gêne s'était installée entre elles et, bientôt, la *haseki* donna à Celia le signal du départ.

— J'espère vous revoir bientôt, Kadine Kaya. Nous avons encore beaucoup de choses à nous dire.

Elles échangèrent un regard entendu. Les servantes s'étaient écartées et Celia saisit sa chance.

— Mais pourquoi moi ? Haseki Sultane, murmura-t-elle, assez bas, du moins elle l'espérait, pour ne pas être entendue. Je ne comprends pas pourquoi ils me surveillent.

— À cause de ce bateau en sucre, bien sûr, fut la réponse. Vous ne le saviez pas ? Ce sont les Anglais qui l'ont envoyé.

Dans le silence qui suivit, Celia regarda les eaux de la mer de Marmara miroiter au loin comme de l'argent martelé.

— Demandez à votre amie Annetta, elle le sait. Elle se trouvait ici, dans ce kiosque avec la validé, le jour où le vaisseau anglais est arrivé il y a deux semaines de cela.

— Le vaisseau anglais ?

— Mais oui. Le vaisseau de l'ambassade d'Angleterre. Celui qui a apporté leur fameux cadeau pour le sultan. Le présent qu'ils ont attendu pendant les quatre dernières années. Écoutez !

De loin leur parvenait, plus faiblement que tout à l'heure, le bruit des ouvriers jouant du marteau.

— Ils sont là-bas, à la porte.

— La porte ?

— Mais bien sûr. Ils sont en train d'installer le cadeau à la Porte de la Volière.

— Tu le savais !

— Oui.

— Tu le savais ! Et il ne t'est pas venu à l'idée de me le dire.

— Tu sais bien pourquoi.

Annetta se tenait debout devant Celia, dans la cour des favorites. Maintenant que Celia était considérée comme une *kadine*, une dame dans la hiérarchie du palais, l'étiquette interdisait à Annetta de s'asseoir sans en avoir reçu l'ordre ; et Celia, dans sa colère, l'obligeait à rester debout. La nuit était presque tombée. Dans la lumière faiblissante, elle pouvait voir qu'Annetta n'avait pas l'air bien ; sa peau était blafarde et moite comme un vieux fromage.

— Tu sais bien qu'on s'était mises d'accord pour ne pas regarder en arrière. S'il te plaît, petite oie, fais-moi signe de m'asseoir.

— Non, je crois que, pour le moment, je préfère que tu restes comme ça.

Une expression de surprise traversa le visage d'Annetta, mais elle resta debout.

— Je ne vois pas quel bien ça aurait pu te faire.

— Après tout ce que je t'ai dit ? ragea Celia, les lèvres blanches sous l'effet d'une colère qui lui faisait presque oublier sa peur. Tu ne crois pas que c'était à moi d'en juger

Annetta baissa les yeux sans répondre.

— Un navire anglais est arrivé il y a deux semaines. Un navire de l'ambassade ! Peut-être Paul se trouvait-il à bord. Il pourrait être ici, au moment où je te parle. Tu ne vois pas ? Tu ne vois pas que ça change tout ?

Annetta leva vers elle un regard éteint.

— C'est toi qui ne comprends pas : ça ne change

rien, répondit-elle lentement, d'une voix presque pâteuse. On s'était mises d'accord, tu te rappelles ? Pas de retour en arrière.

La colère enhardissait Celia.

— Ça, c'est ce que tu m'as toujours dit, mais je ne me rappelle pas avoir jamais été d'accord. Et même si je l'étais, tout a changé. Tout est différent, maintenant.

— Réfléchis, si jamais quelqu'un l'apprend, nous sommes perdues, tu ne comprends pas ? (Annetta s'était faite suppliante.) Il n'y a pas moyen de sortir d'ici. Tu es notre meilleure chance de survie – peut-être notre seule chance. Tu pourrais devenir une des concubines du sultan, peut-être même sa *haseki*...

— Ce n'est pas du tout à moi que tu penses, n'est-ce pas ? Tout ce qui t'a jamais intéressée, c'est toi, c'est de sauver ta misérable peau.

— Très bien, je l'avoue, si ça peut te faire plaisir. (Annetta porta la main à sa gorge, comme pour déboutonner son col.) Mon étoile est liée à la tienne, c'est évident. Mais moi aussi je t'ai aidée, l'as-tu oublié ? Deux valent mieux qu'une. Combien de fois... Oh, oublie ça ! (Elle secoua la tête, découragée.) Mais il ne t'est pas venu à l'idée de te demander pourquoi la *haseki* t'a raconté tout ça ? demanda-t-elle, implorant Celia du regard. Pourquoi elle fait tout ce qu'elle peut pour nous brouiller ?

— Oh, fadaises ! coupa Celia. Pour ça tu n'as pas eu besoin d'elle. Elle essayait simplement de m'aider. Elle n'a aucune idée de ce que tout cela signifie, comment pourrait-elle savoir ?

— Si tu le dis. Mais, crois-moi, avertit Annette avec un las haussement d'épaules, tu ferais mieux de ne pas attirer l'attention sur tes liens avec le vaisseau anglais, surtout en ce moment, avec ce qui est arrivé à Hassan Aga.

— J'avais compris ça toute seule, merci, rétorqua amèrement Celia.

Malgré la fraîcheur du soir, Celia s'aperçut qu'Annetta transpirait. Des gouttelettes de sueur perlaient à son front et sur sa lèvre supérieure.

— Je t'en prie, petite oie, il faut vraiment que je m'asseye, supplia Annetta, vacillante.

— Bon, assieds-toi, se radoucit Celia, qui lui donna le signal. Mais arrête de me traiter d'oie.

Se tenant le côté d'une main, juste sous les côtes, Annetta s'assit. Celia regarda son amie.

— Tu n'es pas bien.

Ce n'était pas une question, mais une affirmation.

— Non, j'ai mal, là, depuis ce matin, répondit Annetta en se tenant les côtes.

— Moi aussi, acquiesça Celia sans une once de compassion. C'est probablement juste une indigestion.

— Indigestion ! gémit Annetta. C'est cette sorcière de Malchi, oui ! Elle nous a jeté le mauvais œil, je le sais bien.

— Ce n'est pas une sorcière, affirma calmement Celia. Et le sable, c'était juste un talisman, pour porter chance.

Annetta lui lança un regard sceptique.

— Qui t'a dit ça ?

— La *haseki*.

— Encore elle, grinça Annetta. Et tu ne t'es pas demandé pourquoi d'un seul coup elle veut être dans tes bonnes grâce ?

260

— Tu ne pourrais pas comprendre.

Elles restèrent assises côte à côte dans un silence boudeur.

Il faisait presque nuit, maintenant. Les filles du harem rentraient, en petits groupes joyeux ou calmes. Leurs silhouettes rappelaient à Celia ces découpages en papier noir que les marchands ambulants de Londres vendaient sur les champs de foire les jours de fête. Des jardins, on ne voyait plus que les roses blanches des plates-bandes qui luisaient d'une irréelle phosphorescence. Au-dessus de leurs têtes, les chauves-souris tournoyaient dans la lumière déclinante.

Elles allaient bientôt devoir rentrer, mais pas encore. Sa colère contre Annetta s'était calmée, remplacée par la terrible question : *Sait-il que je suis morte ? Mais je ne suis pas morte. Je suis en vie. Et s'il savait que je suis en vie, est-ce qu'il m'aimerait encore ? S'il savait que je suis ici, essaierait-il de me retrouver ?*

— S'il est ici, tu sais bien que je vais devoir essayer d'entrer en contact avec lui. Tu le sais, n'est-ce pas, Annetta ?

Mais Annetta ne répondit pas. Celia se tourna vers elle et ce qu'elle vit la fit bondir sur ses pieds.

— Vite, vite, venez vite !

Elle commença à courir vers le palais, juste au moment où un groupe de femmes en sortait pour se diriger vers elle, précédées par des servantes avec des torches. Oubliant les règlements du harem, Celia courut vers elles.

— C'est Annetta – je veux dire Ayshe – elle se trouve mal, s'il vous plaît, aidez-la...

La petite procession s'arrêta net. À sa tête se trouvaient deux des plus hautes dignitaires du harem, la maîtresse des robes et la maîtresse des bains. Elles ne prêtèrent aucune attention aux appels à l'aide de Celia et n'eurent même pas un regard pour Annetta.

— Salutations, Kadine Kaya, vous qui êtes *gözde*, psalmodièrent-elles.

Les femmes s'inclinèrent très bas, si bas que les manches de leurs robes traînaient dans la poussière.

— Le sultan, le très glorieux Padishah, l'ombre de Dieu sur terre, va ce soir vous honorer de nouveau.

18

ISTANBUL, DE NOS JOURS

Elizabeth quitta finalement le palais en début d'après-midi. Elle trouva facilement un taxi à la sortie de la Première Cour et donna l'adresse de la pension d'Haddba. Mais, arrivée au milieu du pont de Galata, elle se ravisa ; elle n'avait pas envie de rentrer tout de suite. Prise d'une impulsion, elle se pencha vers l'avant pour parler au chauffeur.

— Pourriez-vous m'emmener à Yildiz, au parc de Yildiz ? lui demanda-t-elle en anglais.

Quelques jours auparavant, Haddba lui avait parlé d'un petit café situé dans ce parc qui domine le Bosphore, un pavillon appelé le Kiosque de Malte où tous les Istanbuliotes allaient prendre le thé le dimanche après-midi ; mais Elizabeth se sentait encore trop léthargique à ce moment-là, trop frileuse aussi, pour suivre sa suggestion.

Le trajet prit plus longtemps qu'elle n'aurait pensé et le temps qu'Elizabeth arrive à Yildiz, les nuages s'étaient dissipés. Le taxi la déposa à l'entrée du parc, au pied d'une colline, la laissant monter au kiosque par ses propres moyens.

Une fois franchis les murs, Yildiz ressemblait plus à une forêt qu'au jardin paysagé décrit par Haddba. D'immenses arbres, leurs quelques feuilles restantes aussi jaunes que des écus d'or, s'élevaient dans les larges clairières de part et d'autre du sentier. Elizabeth monta rapidement le chemin, respirant avec délices l'air humide et parfumé de la forêt. Des choucas piaillaient dans les branches. Peut-être était-ce la vue du ciel bleu après toute cette grisaille, ou la sensation du soleil sur son visage, mais elle se sentait soudain pleine d'énergie après ces jours de lassitude, comme si une partie d'elle-même, jusque-là figée dans l'amertume, commençait lentement à se dégeler.

Le kiosque était un bâtiment baroque du XIXᵉ siècle, niché parmi les arbres. Elizabeth commanda un café avec des baklavas et s'installa à une table sur la terrasse, un demi-cercle de marbre blanc, abrité sous une pergola, qui surplombait le parc et le Bosphore en contrebas. Quelques feuilles voletaient capricieusement sur les dalles. Même au soleil, le pavillon avait un côté hors-saison un peu mélancolique. Hier encore, cette tristesse dans l'air aurait été en parfait accord avec son humeur ; mais aujourd'hui, après cette visite du palais et des fantomatiques salles désertes du harem, aujourd'hui, c'était différent. En buvant son café, Elizabeth sentit monter une vague d'optimisme. Elle trouverait le fragment manquant, elle en était certaine, et si ce n'était pas ici, alors ce serait en Angleterre ; elle découvrirait ce qu'il était réellement advenu de Celia Lamprey.

Ce dont elle avait le plus envie, maintenant, c'était de raconter à quelqu'un ses aventures dans le harem, mais elle n'avait personne à qui en parler. Elle pourrait appeler Eve ? Mieux valait attendre de pouvoir se servir du téléphone de sa chambre ; sa note de portable devait déjà atteindre des sommets. Haddba ? Non, elle n'avait pas envie de quitter le kiosque tout de suite. Elle lui en parlerait plus tard. Un couple de Turcs vint s'installer sur la terrasse, où jusque-là elle se trouvait seule. Ils s'assirent au bout, un peu à l'écart. Le temps d'une idée folle, Elizabeth se demanda ce qu'ils diraient si elle allait vers eux et se mettait de but en blanc à leur parler, pour leur raconter une histoire longtemps tombée dans l'oubli, celle d'une jeune esclave élisabéthaine.

Mais non, peut-être pas. Penchant la tête en arrière, elle sourit toute seule et ferma les yeux, savourant la chaleur du soleil sur sa peau. Les yeux mi-clos, elle s'attendait plus ou moins à voir surgir dans sa tête l'image de Celia Lamprey, mais ce fut la pièce déserte du harem qui lui revint en mémoire. Elle revit le raphia qui se désagrégeait sous le tapis, le divan dont les courtepointes donnaient l'impression que quelqu'un s'y était récemment couché.

Elizabeth mit la main à sa poche. Le petit morceau de verre bleu et blanc scintilla dans sa main. Un talisman contre le « mauvais œil », c'est ce que lui avait dit Berin quand elle le lui avait montré à la sortie. Ils étaient censés éloigner les mauvais esprits rôdant dans le harem. On en voyait partout à Istanbul, elle l'avait sûrement remarqué ?

— Est-ce que je devrais le montrer à quelqu'un ? avait demandé Elizabeth.

— Bien sûr que non, avait répondu Berin, tu peux le garder. Ce n'est qu'une babiole de bazar, ça n'a aucune valeur. On en trouve partout. Une des personnes chargées de l'entretien a dû le perdre. (Elle avait jeté à Elizabeth un regard intrigué.) Est-ce que ça va ?

— Pourquoi est-ce que tu me demandes ça ?

— Tu as l'air un peu pâle, voilà tout.

— Ce n'est rien, l'avait rassurée Elizabeth, refermant les doigts sur le petit morceau de verre lisse. Je vais bien.

Assise sur la terrasse du pavillon, Elizabeth remit soigneusement dans sa poche la petite amulette. Elle sortit un stylo et un carnet de notes et commença à noter des idées au hasard : pensées, questions, en fait tout ce qui lui passait par la tête, laissant son esprit en chute libre.

Celia Lamprey, écrivit-elle en haut de la page. *Paul Pindar. Un naufrage. Les années 1590.*

Quatre cents ans me séparent de leur histoire, songea-t-elle, *mais ça pourrait aussi bien être quatre mille.*

Et dans une rage sanglante, devant ses propres yeux, il frappa le flanc de son père de son coutelas..., la main d'Elizabeth volait sur la page... *le perçant de part en part.*

Elle s'arrêta, posa son stylo. Puis le reprit et commença à faire un dessin autour du « c » de coutelas. Un double traumatisme. Non seulement Celia avait été capturée – et sa dot avec elle – alors qu'elle était à la veille de se marier, mais elle avait vu son père se faire frapper et assassiner sous ses yeux. Elle fixait la page sans la voir. *Et Paul Pindar ? L'avait-elle*

266

aimé, aussi ? Avait-elle pleuré son amour perdu, comme moi ?

Elizabeth chassa cette pensée, s'obligea à revenir en terrain neutre.

La question, c'était comment l'histoire de Celia était-elle parvenue à se transmettre ? Elle se força à se concentrer. Était-il envisageable que Celia ait survécu pour raconter son histoire ? Qu'elle ait retrouvé Paul Pindar, l'ait peut-être finalement épousé, qu'elle soit allée avec lui à Alep, qu'ils aient eu des enfants...

Le dictionnaire national des biographies, qui contenait un long article sur Paul Pindar, ne faisait pas mention d'une épouse, mais cela ne prouvait rien. Rien sous le nom de « Lamprey », évidemment. Restait que quelqu'un avait eu connaissance de l'histoire de Celia, une connaissance suffisante pour pouvoir l'écrire.

Machinalement, elle continua ses gribouillages, emplissant de croisillons la tête des neufs dans la date, 1599. Cette même année où Thomas Dallam, le facteur d'orgues, avait présenté sa fabuleuse machine au sultan. Au moins son récit à lui avait-il survécu.

Elizabeth avait trouvé sans trop de difficultés le passage dans le Haklyut. Elle sortit une photocopie cornée du journal de Thomas Dallam. *Ce livre fait le récit d'un orgue apporté au grand Signor et autres curiosités.* Le journal racontait son voyage vers Constantinople à bord du *Hector*, le vaisseau de la Compagnie du Levant, et comment, après un voyage de six mois, le merveilleux présent sur lequel reposaient les espoirs des marchands était arrivé à moitié

267

pourri par l'eau de mer ; comment Dallam et ses hommes s'étaient rendus chaque matin au palais pour le reconstruire. Il racontait leur camaraderie grandissante avec les gardes et comment un jour, pendant que le sultan se trouvait dans son palais d'été, l'un d'entre eux, bravant l'interdiction, lui avait permis de jeter un coup d'œil dans le quartier des femmes :

Quand il m'eust montrer beaucou d'autres choses qui m'esmerveilloit, alors traversan une petite coure carée pavée de marbre, il monstrat du doit une griye dans un mur, mais me sinifia qu'il ne pouvoit allé la luy-mesme. Quand j'arrivai à la griye le mure estoit très épais et griagé des deux côté de fort barreau de fer ; mais par cette griye je vi trante des Concobines du Grand Sinyor jouan à la bale dans une autre coure. À la première vu je cru que c'estoit de jeunes homme, mais quan je vis les cheveu de leur testes qui pendoit dans leur dos, tressé avec des petite perl au bout, et d'austres signes évidan. Je su que c'estoit des femmes, et fort bel en vérités... Je restois si lontan à les regardé que celuy qui m'avoit fait ceste faveur commensa à se fâché. Il fist la mou, et tapa de son pié pour me fair aresté de regarder ; se que je fys à contrecœur, car ceste vizion me plésoi merveileusemen.

Lors je parti avec ce garde vers la place ou j'avois laicé mon drogaman, ou intarprète, et je dis à mon intarprète que j'avois vu trante des Conconbines du Grand Sinyor ; mais mon intarprète me recomanda de ne jamai, à aucun pris, laissé cela venir aux oreil d'un Turc ; car si des Turcs l'aprenoie, cela vaudroi la mort à cestuy qui me les avoist montré Il n'osoit point les regardé luy-mesme. Bien que je les ai regardé lontan, elles ne me vir point, ni tout ce tan ne regardère ver moy. Sy elles m'avoit vu, elle seroit toute venu vers moy pour me voir et se seroit demandé qui j'estois et coman j'étai venu là, de mesme que je le faisois en les voyans.

Elizabeth reposa la page et tenta de mettre de l'ordre dans ses pensées. Tout le monde tenait pour acquise l'impossibilité d'avoir quelque contact que ce soit avec les femmes du harem. Mais le journal de Thomas Dallam prouvait que les quartiers des femmes étaient loin d'être aussi inaccessibles que le croyaient la plupart des étrangers. Bien sûr, si un Turc était venu à apprendre cette escapade, c'était la mort pour le facteur d'orgues et son garde, mais la tentation de raconter l'aventure à ses amis anglais avait dû être trop forte. À qui en avait-il parlé ? Levant de nouveau son visage vers le soleil, Elizabeth posa les doigts sur ses paupières. Elle revit les immenses corridors carrelés du harem ; la pièce où elle avait trouvé le porte-bonheur. Qu'avait-elle de si intrigant ? Soigneusement, elle rajouta des volutes et des croisillons à son dessin. *Je sais, l'endroit aurait du être triste*, s'aperçut-elle soudain. *Sauf qu'il ne l'était pas. J'ai entendu des pas qui couraient. Un rire.*

S'appuyant au dossier de sa chaise, Elizabeth repoussa le carnet sur le côté et s'étira voluptueusement, les bras en l'air. Ses pensées étaient toujours aussi embrouillées, mais quelque part ce n'était pas grave. S'accommoder du chaos : qui avait dit cela ? C'était toujours ainsi que les projets prenaient naissance. Les choses s'éclairciraient bientôt, dès qu'elle serait en possession de plus de faits. La méthode

269

qu'elle avait utilisée jusque-là ne serait sûrement pas du goût de Marius – trop désordonnée, trop fondée sur les émotions – mais, tu sais quoi, songea-t-elle en haussant mentalement les épaules, et alors ?

Il faisait encore bon sur la terrasse et Elizabeth s'y attarda. Elle avait fini son café mais pas les baklavas et elle les mangea par petits morceaux, léchant les miettes qui lui collaient aux doigts.

Une sensation indéfinissable la fit se retourner et quand elle jeta un coup d'œil au couple assis à l'autre bout de la terrasse, quelque chose dans leur posture la fit penser qu'ils devaient être en train de l'observer depuis un moment, et que c'était leur regard qui l'avait fait se retourner. Sauf que ce n'était plus le couple qu'elle voyait maintenant, mais un homme assis seul.

Elizabeth rencontra fugitivement son regard, puis détourna vivement les yeux, pour éviter qu'il sache qu'elle l'avait vu. Mais il l'avait surprise, bien sûr.

Se sentant un peu bête, elle regarda droit devant elle. Elle s'était crue seule sur cette terrasse, à profiter du soleil et de la solitude mais maintenant, sous le regard de cet étranger, le charme du pavillon, de l'après-midi tout entier était altéré. Il était temps de s'en aller.

Pourtant, sans trop savoir pourquoi, elle ne partit pas. Elizabeth attendit, craignant un peu que l'étranger ne tente de l'aborder. Mais il n'en fit rien. *Pourquoi est-ce que je m'en irais maintenant ?* se dit-elle. *Il me reste encore un baklava.*

Elizabeth prit son temps pour manger son dernier morceau de gâteau. Le miel lui poissait les lèvres. Elle aurait peut-être mieux fait de prendre sa cuiller, mais ses doigts lui semblaient plus indiqués. Elle s'essuya du pouce la lèvre inférieure et se lécha le bout des doigts, les suçant soigneusement, l'un après l'autre. *Mais qu'est-ce que tu fais ?* lui murmura une partie d'elle-même. Et, si elle continua, ce n'était pas parce qu'elle ignorait la présence de l'homme, c'était parce qu'il y avait dans son regard quelque chose qui le vidait de toute insolence. Il restait simplement à la regarder, avec l'air de... quoi ? Elizabeth chercha le mot. De l'apprécier ? Oui, quelque chose comme ça. Du baume sur son âme meurtrie. Du soleil après le froid et la pluie.

Mais c'est ridicule, chuchota encore la voix, *tu ne le connais même pas*. L'autre moitié d'elle-même ne fit que hausser les épaules : *Qu'est-ce que ça peut faire ? Je ne le reverrai jamais.*

Pendant un long moment assez surréaliste, elle resta là, à savoir qu'il savait qu'elle savait qu'il la regardait. Et, d'un seul coup, Elizabeth en eut assez. Elle avala son dernier morceau de gâteau et, sans un regard en arrière, prit son sac et commença à redescendre la colline.

19

La nuit

La deuxième fois que Celia fut préparée pour rencontrer le sultan, il n'y avait pas de Cariye Lala pour l'aider ; aucune drogue pour brouiller l'acuité de son esprit, effacer ses souvenirs et aider sa chair tendre – exposée comme une des friandises de Carew – à oublier les indignités qu'on lui faisait subir.

Elle n'était pas seule, mais était-ce une consolation ?

Comme la fois précédente, elle fut emmenée en grande cérémonie à la chambre du sultan. Seulement cette fois, il y en avait une autre avec elle : une autre *gözde*, comme elle. Les deux jeunes filles aux cuisses parfumées et aux seins virginaux traversèrent avec leur suite la cour de la validé pour rejoindre le groupe d'eunuques qui les attendait.

Celia suivit la procession tout au long de la Voie d'Or jusqu'à la chambre du sultan, où une autre surprise l'attendait. Cette fois, au lieu de les laisser dans la chambre, on les conduisit plus loin, dans une petite antichambre qui donnait sur ce qui devait être les cours privées du sultan. Deux eunuques les précédèrent, chargés d'un objet volumineux, table basse ou petite estrade, qu'ils placèrent au centre de la pièce et recouvrirent soigneusement d'un tapis.

À la tête de la procession se trouvait Soliman Aga, adjoint du chef des eunuques noirs. Alors que la première fois Celia, abrutie par la drogue, n'avait pratiquement rien vu et n'en conservait que peu de souvenirs, cette fois-ci elle était parfaitement alerte et éveillée. Avec sa face de gargouille et son gros ventre tremblotant, Soliman Aga était grotesque, même pour un eunuque du palais. Elle remarqua qu'en lui enlevant sa chemise il laissait traîner les yeux sur ses seins nus ; elle sentit ses mains, molles et moites comme de la pâte à pain, lui courir sur les bras. Il avait les joues à la fois bouffies et creuses, aussi imberbes que celles d'un bébé ; sa bouche pendait mollement, laissant voir une langue et des gencives d'un rose dérangeant. Il était si près d'elle qu'elle sentait son odeur rance de la vieillesse et les relents de viande de son dernier repas qui lui collaient à la peau. Celia sentit la bile lui monter à la gorge.

Les deux jeunes filles furent installées ensemble sur l'estrade, et, après leur avoir donné pour seule consigne de ne pas bouger de là, Soliman Aga et les eunuques s'en allèrent, les laissant seules.

Tout d'abord, Celia ne reconnut pas la créature nue assise à son côté. Elle était menue, maigre même, comparée au corps bien nourri de Celia, avec un petit visage pointu et les hautes pommettes obliques d'une Circassienne, mais, constata Celia avec surprise, elle n'était pas belle du tout. Son visage était d'une laideur agressive, sa peau rugueuse et d'une telle pâleur qu'elle paraissait privée de toute couleur, comme une plante poussée dans une cave. Ses yeux semblaient être ce qu'elle avait de mieux, d'un brun si clair qu'ils étaient presque dorés et bordés de longs cils blonds.

S'apercevant que Celia la regardait, elle plissa les yeux.

— Qu'est-ce que tu regardes, comme ça ?

Elle avait un ton si insolent que Celia eut l'impression de recevoir une gifle. Puis elle se souvint.

— Attends, je sais où je t'ai déjà vue. Cet après-midi, avec la *haseki*. Tu es une des servantes de Haseki Gulay, c'est toi qui nous as apporté les fruits.

Comment avait-elle pu oublier ce visage ? Il y avait chez cette fille quelque chose de primitif, presque sauvage, que, même alors, Celia avait trouvé un peu effrayant.

— Eh bien, je ne suis plus sa servante, maintenant.

— Tu veux dire que tu n'es plus une des servantes d'Haseki Sultane, la corrigea froidement Celia en appuyant sur le titre.

L'autre fille la considéra longuement d'un air effronté.

— Cette idiote, se contenta-t-elle de répondre.

Celia resta muette un moment, trop stupéfaite pour parler. Le harem exigeait un tel décorum dans la tenue et le langage que, bien que n'y ayant passé que quelques mois, Celia en était venue à considérer tout manquement à ses extravagantes règles de *politesse*[1] comme une choquante infraction à l'étiquette.

C'était une chaude soirée et pourtant il faisait maintenant très frais, presque froid, dans la petite antichambre. Elle se sentit frissonner. Elle regarda vers la chambre du sultan par la porte voûtée, mais il n'y avait rien de changé ; la pièce illuminée de bougies restait silencieuse, les ombres du plafond désertes.

— Tu as l'air différente, constata Celia, se tournant à nouveau vers la fille.

— Oh ? renifla sarcastiquement la fille. Toi aussi.

Cette fois elle ne se donna même pas la peine de regarder Celia mais arqua lascivement le dos, apparemment très à l'aise dans sa nudité.

— Comment t'appelles-tu ?

— Tu le sauras bien assez tôt.

— Moi je suis Kaya, Kadine Kaya pour toi, continua calmement Celia, sans quitter la fille des yeux. Quel âge as-tu, s'enquit-elle avec curiosité. Treize ans ? Quatorze ?

— Et comment veux-tu que je le sache ? rétorqua la fille en haussant les épaules. Je suis plus jeune que la *haseki* – mais elle est vieille, maintenant, elle a plus de vingt ans. Plus jeune que toi aussi. C'est bien ça qu'il aime, non ? La chair fraîche.

— Peut-être, répliqua Celia en la regardant pensivement, ou peut-être pas.

Elle serra les bras autour de son corps pour se réchauffer. Ses fesses et le haut de ses jambes brûlaient sous la morsure du froid.

----

1. En français dans le texte.

— Pourquoi est-ce que c'est si glacial, ici ? demanda-t-elle en se frappant le haut des bras, qui commençaient à bleuir.

— Mais tu n'as pas remarqué ? fit la fille qui continuait à arquer le dos, en avant, en arrière, en avant, en arrière, comme une acrobate de cirque sur le point d'entrer en piste.

— Remarqué quoi ?

— Sur quoi on est assises.

Celia glissa une main sous le tapis et retira vivement ses doigts comme si elle s'était brûlée.

— De la glace ! Mon Dieu, nous sommes assises sur un bloc de glace.

En voyant l'expression de Celia, le petit visage dur de la fille s'anima d'un sourire.

— Eh bien, mademoiselle la grande dame, on dirait que tu ne sais pas grand-chose ! Je ne suis peut-être pas aussi mignonne que toi, mais tu crois qu'il va regarder ma figure ? (Elle jeta à Celia un regard de pure malveillance.) Regarde-moi : de la peau, de la peau blanche. (Elle se pencha vers Celia et sa voix se fit sifflante.) Plus c'est froid, plus c'est blanc. Parce que c'est ça qu'il aime.

Évidemment, pensa Celia, *comment ne m'en suis-je pas aperçue ?* À la lueur des bougies, la peau de la fille luisait d'une clarté presque éblouissante, du même blanc bleuté que la neige. Celia regarda son propre corps. Elle avait si froid que sa peau en devenait presque transparente. Elle pouvait voir les veines qui couraient sur ses seins, le long de l'intérieur de ses cuisses et jusqu'à ses pieds. *Évidemment !*

— C'est pour cela qu'on m'a choisie, dit-elle à

haute voix, et la *haseki* également. Oh oui, la validé a essayé avec toi, mais tu n'es arrivée à rien. On a toutes entendu parler de l'opium, ajouta la fille avec un étrange rire rauque.

— Comment sais-tu cela ?

La fille haussa les épaules.

— On en a toutes entendu parler, voilà tout.

— Toutes ? Ça m'étonnerait, répliqua Celia en lui rendant calmement son regard. (Peut-être était-ce dû au froid, mais elle se sentait les idées très claires.) Je crois que tu parles de toi. C'est toi qui sais quelque chose que tu n'aurais pas dû apprendre.

Encore un rire, mais, cette fois, Celia vit battre les cils blonds.

— Et qui dit que je n'aurais pas dû l'apprendre

— Comment une servante pourrait-elle être au courant ? Dis-le-moi immédiatement, *cariye*, ordonna Celia d'un ton coupant.

— Il va falloir que tu trouves toute seule.

— J'y compte bien, ne t'inquiète pas.

Celia regarda ses mains. Elle tremblait, mais plus de colère que de froid.

— Tu as froid, Kadine Kaya.

— Oui, mais pas autant que toi.

Celia constata avec satisfaction que les lèvres de la fille étaient presque bleues. Elle avait cessé de se balancer et se recroquevillait, les genoux contre la poitrine, le corps tendu pour s'empêcher de grelotter.

— Mais il va bientôt venir, et c'est moi qu'il choisira.

— Comment en es-tu si sûre ? riposta Celia qui

devait maintenant serrer la mâchoire pour empêcher ses dents de s'entrechoquer.

— Parce que je sais ce qu'il faut faire. Je l'ai observé avec cette idiote de Gulay. (La fille lui jeta un regard triomphant.) Écoute ! Ils arrivent, ils sont à la porte.

Puis, sous les yeux de Celia, la jeune fille ouvrit les cuisses sans aucune pudeur, écarta les lèvres de son sexe épilé de frais et glissa les doigts à l'intérieur. Avec une lenteur calculée, elle en tira un petit objet. C'était rond et noir, de la taille et de la forme de la pilule d'opium que Celia avait prise.

— Qu'est-ce que c'est ?

— Tu verras bien, rit la fille. Tu n'es pas la seule à pouvoir obtenir l'aide de Cariye Lala.

La fille n'avala pas la pilule, mais la plaça soigneusement sous sa langue. Puis elle enfonça à nouveau deux doigts dans son sexe et appliqua les sécrétions de son corps derrière ses oreilles et sur sa bouche, tout en observant avidement les réactions de Celia, un petit sourire au coin des lèvres.

— Les hommes sont vraiment des dégoûtants, tu ne trouves pas ? se contenta-t-elle de dire.

Quand le sultan entra enfin dans sa chambre, les deux jeunes filles descendirent de leur estrade glacée pour se prosterner devant lui. Plus tard, Celia se souviendrait de la raideur de ses membres gelés et de la brûlure dans ses doigts et orteils quand le sang avait recommencé à y circuler. Elle n'osait pas lever les yeux et entendit sans le voir le mécontentement du sultan.

— Qu'est-ce que c'est que cela ? Ce n'est pas vous que j'ai fait demander.

Il y eut un moment de lourd silence.

— Où est Gulay ?

Un autre silence, puis Celia entendit la fille parler d'une voix assurée.

— Haseki Gulay est indisposée, mon sultan. Elle implore votre indulgence. Sa Majesté la sultane validé, qui jamais ne cesse de penser à votre plaisir et à votre repos, nous a envoyées à sa place.

Le sol dur meurtrissait le front et les genoux de Celia. N'ayant pas reçu le signal pour se lever, elle resta comme elle était, les fesses nues en l'air. Un long moment passa. Du coin de l'œil, elle pouvait apercevoir un éclat dans un des carreaux, juste sous son nez. Elle resta à contempler ce carreau ébréché pendant un temps qui lui parut très long. Puis, comme rien ne se produisait, elle tourna très légèrement la tête et vit que la fille s'était levée sans permission, et se trouvait maintenant à genoux devant le sultan.

Comme pour couvrir sa nudité, la fille avait placé un bras devant sa poitrine, tenant son sein gauche dans sa main droite en un geste à la fois de soumission et d'invitation. Elle avait de gros seins pour un corps si menu, leurs mamelons larges et plats maintenant raidis par le froid en deux pointes dures. Le sultan ne dit rien, mais Celia le vit faire un pas vers elle. Les lèvres de la fille s'écartèrent légèrement.

— Ah.

C'était à peine un soupir. Elle pencha vers lui,

comme si elle avait du mai à se tenir droite, puis s'éloigna timidement, battant des cils.

— Je te connais, non ?

Quand le sultan parla finalement, Celia fat frappée d'entendre une voix d'homme, après tout ce temps.

— C'est Hanza, n'est-ce pas ? La petite Hanza...

La fille ne répondit rien. Celia pouvait voir briller ses yeux étranges, qui semblaient dorés à la lueur des bougies.

Mais comment peut-il même te regarder, tu es laide, fut la seule pensée qui lui vint à l'esprit. Mais, juste à ce moment-là, le sultan fit un autre pas en avant.

— Ah..., soupira la fille, et Celia la vit passer lentement la langue sur ses lèvres pour les mouiller et les faire briller dans la lumière des bougies.

Un lourd silence s'abattit sur la pièce. Tout ce que Celia pouvait entendre, c'était la respiration d'Hanza et les battements de son propre cœur.

Toujours prosternée sur le sol, Celia pouvait à peine respirer mais personne ne lui avait rien dit et elle n'osait pas se relever sans permission ; alors, prudemment, elle tourna encore un peu la tête. Maintenant elle voyait mieux l'autre fille, Hanza : elle se tenait comme si son corps – qui lui avait paru si maigre, si insignifiant à côté du sien – était le plus délicat des boutons de rose ; sa peau, encore bleuie par le froid, luisait comme les roses blanches dans la pénombre du jardin.

Si elle avait froid, elle n'en montrait aucun signe. Le sultan la regardait attentivement, et Hanza leva les yeux pour le regarder elle aussi. Leurs yeux se rencontrèrent.

— Ah...

Avec une sorte de petit sanglot, elle détourna la tête comme si on l'avait frappée.

— N'aie pas peur, dit-il.

Mais Celia remarqua que l'idée ne semblait pas lui déplaire. Il était tout près d'Hanza, maintenant, sa robe ouverte tombant sur les côtés. Plus il regardait la fille, plus elle essayait de s'écarter de lui, gigotant d'un côté et de l'autre comme un insecte cloué sur une épingle.

— Laisse-moi te regarder.

Encore une fois, Hanza se détourna légèrement comme pour protéger sa nudité du regard de l'homme ; le mouvement projeta en avant une épaule d'un blanc immaculé et étira son cou, exposant une gorge neigeuse. Comme une danseuse, pensa Celia, ou comme une chienne se soumettant aux avances du mâle.

Prise entre fascination et peur, elle ferma les yeux, les rouvrit très vite. Que devait-elle faire, maintenant ? Était-elle censée rester ou partir ? Elle le vit enlever la main de Hanza de son sein. La fille essaya de l'en empêcher, agita le bras pour frapper et griffer mais il lui attrapa le poignet et la tint contre lui, traçant de son doigt mouillé le contour d'un mamelon.

Avec un petit soupir, Hanza se laissa aller contre lui, posa une tête soumise contre son torse. Il se pencha pour l'embrasser dans le cou, hésita, lui renifla l'oreille.

— Viens dans l'autre chambre, ordonna-t-il d'une voix grave. Toi aussi, l'endormie, ajouta-t-il avec un signe pour Celia. Couvre-toi, sinon tu vas prendre froid.

Il s'était donc quand même rappelé sa présence. Elle sentit sa main lui toucher la joue ; ses doigts étaient doux et dégageaient un entêtant parfum de myrrhe.

Le lit du sultan était fidèle à son souvenir, un divan à baldaquin couvert de draperies, de damas et de velours ciselés, d'étoffes brodées de tulipes d'or et d'argent, dont beaucoup étaient doublés de fourrure. À la lumière des lampes, leurs couleurs luisaient comme des carapaces d'insectes. Le reste de la pièce et le vaste dôme de basilique au-dessus d'eux étaient noyés d'obscurité. Celia jeta sur ses épaules une des couvertures de fourrure et s'agenouilla au pied du lit. Hanza, sans en être priée, s'étala au milieu du divan. Elle aussi prit une des fourrures et se la drapa lascivement autour des épaules, la frottant contre sa joue. Elle paraissait parfaitement à l'aise, pas effrayée le moins du monde.

— Alors, petite Hanza, es-tu prête pour moi ?

Il était agenouillé sur le lit devant elle. La fille resserra la fourrure autour de ses épaules et le regarda en plissant les yeux. Puis, avec une lenteur délibérée, elle secoua la tête.

— Non, mon sultan.

— Tu oses dire non à ton sultan ?

Au grand étonnement de Celia, il se mit à rire, apparemment ravi de sa réponse. Impatiemment, il se débarrassa de sa robe.

— Eh bien, c'est ce qu'on va voir !

Il fit mine d'approcher d'elle mais, comme auparavant, elle s'écarta. Il bondit et comme elle se tortillait pour lui échapper, il lui saisit la cheville et la tira rudement vers lui.

— Pas si vite, grogna-t-il, essoufflé par sa corpulence.

On aurait dit un cochon sauvage cherchant une truffe.

Celia l'observa retourner, non sans mal, Hanza sur le dos, lui immobilisant un bras au-dessus de la tête. Elle résista, le frappa de sa main libre, lui griffant le visage de ses ongles avant qu'il ne parvienne à attraper son autre bras. Prise au piège, elle arqua son cou blanc pour détourner la tête et se tint parfaitement immobile. Tous deux haletaient, maintenant, et tandis qu'il se penchait vers le visage de la fille, Celia le vit s'arrêter un instant sur son cou, sa bouche, pour humer encore son parfum et les sécrétions qu'elle y avait déposées.

— Est-ce qu'ils t'ont donné quelque chose ?

Elle fit non de la tête.

— Vraiment ?

Celia le vit effleurer du doigt la gorge offerte. Hanza ne répondit pas mais leva soudain la tête pour lui lécher la bouche.

Il rit.

— Alors tu es prête pour moi ? dit-il à voix basse. Cela ne te fera pas mal... pas trop.

— Non...

Dans un dernier sursaut de résistance, Hanza tenta de libérer son bras, mais il était trop fort pour elle. Avec un soupir, elle se retourna vers lui.

Celia se tendit, l'estomac révulsé à l'idée de ce qui allait suivre.

— Peut-être devrais-je plutôt la prendre, elle ?

suggéra-t-il en désignant de la tête Celia, toujours agenouillée au pied du lit.

— Non, mon sultan, protesta Hanza en secouant la tête. (Était-ce un sourire ou un sanglot que Celia entendit dans sa voix ?) Prenez-moi.

Elle lui prit la main pour la mettre entre ses cuisses, guida ses doigts vers son sexe qu'il caressa, la faisant haleter et se tortiller.

Avec un grognement, il la pénétra. Ce fut très vite fini. Celia entendit Hanza crier et à peine quelques instants après, le sultan se relevait.

Il remit sa robe.

— Attendez ici, les eunuques vont bientôt revenir vous chercher.

Distraitement, il donna à Hanza une petite tape sur l'épaule.

— Tu m'as donné satisfaction, petite Hanza ; l'Aga t'inscrira dans le livre.

Et, sans un regard en arrière, il s'en alla.

Celia était toujours agenouillée au pied du lit. Il y eut un moment de silence complet. Puis Hanza se tourna vers elle.

— Alors, tu ne me félicites pas ? demanda-t-elle, serrant ses genoux contre sa poitrine. Maintenant, tu dois m'appeler *kadine*.

— Toutes mes félicitations, Kadine Hanza, dit Celia, qui marqua une pause avant d'ajouter : Tu n'as vraiment aucune honte ?

— De la honte ? Et pourquoi donc ?

Les yeux de la fille étaient immenses à la lueur des chandelles. D'un seul coup elle avait l'air très jeune, une petite enfant pâle perdue au milieu d'un grand lit.

— C'est moi qu'il a choisie. Maintenant tu ne seras jamais *haseki*.

— Le sultan peut avoir beaucoup de favorites, mais il n'a qu'une seule *haseki* – et comme tu le sais, cette place est déjà occupée, expliqua patiemment Celia, comme si elle s'adressait à un enfant.

Hanza eut un petit sourire carnassier.

— Plus pour très longtemps.

— Que veux-tu dire ?

— Tu le sauras bien assez tôt.

Elle bondit du lit vers l'assiette de pâtisseries que quelqu'un avait disposée dans la chambre. Sa nudité ne semblait pas la déranger le moins du monde.

— Tu n'as pas faim ? (Elle s'enfourna un gâteau dans la bouche, lécha le sirop qui lui coulait sur les lèvres.) Ceux-là, on les appelle des « tétons de filles », gloussa-t-elle. Allez, prends-en un.

Celia l'ignora.

— Qui est-ce qui t'a appris ?

— Quoi ?

— À faire tout cela... À satisfaire le sultan de cette façon.

— Je te l'ai dit, j'ai regardé, répondit Hanza en se léchant les doigts.

— Je ne te crois pas. Personne n'apprend tout cela rien qu'en regardant.

— Tu veux dire tous les « oh » et les « ah » ? se parodia Hanza en pouffant de rire, puis elle se mit à virevolter sur la pointe des pieds, enivrée par ce qui lui était arrivé. D'accord, je vais te le dire, Kadine Kaya. C'est la marchande d'esclaves de Raguse.

— Raguse ?

— Oui. N'aie pas l'air si surprise. La validé aime bien les gens qui viennent de Raguse.

Celia la regarda sans rien dire.

— Bien sûr, j'ai aussi reçu un peu d'aide de Cariye Lala.

Hanza s'arrêta de tournoyer et prit une autre friandise. Deux taches de couleur étaient apparues sur ses joues blafardes.

— Oh oui, Lala sera la première que je récompenserai quand je deviendrai *haseki*.

Celia se sentit très lasse, tout d'un coup.

— Alors c'est cela qu'elle t'a raconté ?

— Cariye Lala ne m'a rien dit. Elle m'a seulement donné le médicament, comme elle a fait pour toi. Celui qu'elle m'a donné, elle l'a appelé le « désir »...

— Ce n'est pas d'elle qu'il est question, interrompit Celia. Je te parle de la validé. C'est cela que la validé t'a raconté, que tu pouvais devenir la prochaine *haseki* ?

— Je ne vois pas ce que tu veux dire.

— Je crois bien que si..., commença Celia, avant d'être frappée d'une inspiration subite. Les eunuques vont bientôt venir nous chercher. Est-ce qu'on t'a expliqué ce qu'il fallait faire ? Je te parle du sang.

— Le sang ?

— Oui, le sang. Tu sais bien, après ta première fois avec le..., il y a sûrement du sang, non ? Tu dois le leur montrer. Hassan Aga ne te l'a pas dit ? Oh, bien sûr, il n'est pas là, (Celia mit la main sur sa bouche.) Ne me dis pas qu'ils ont oublié ?

Il y eut un lourd silence.

— Le sang ? répéta Hanza d'une petite voix.

Un autre silence.

— Il n'y a pas de sang, n'est-ce pas ?

— Non.

Toute l'énergie qu'elle déployait encore quelques instants auparavant s'était évaporée.

— Qu'est-ce que je vais faire, *kadine* ? (Elle s'assit, petit moineau déplumé, sur le bord du lit et regarda Celia.) Qu'est-ce qu'ils vont me faire ? Aide-moi, *kadine*, supplia-t-elle en tombant à genoux.. Aide-moi, je t'en prie.

Celia réfléchit rapidement.

— Vite, trouve-moi un morceau de tissu. (Parmi les couvertures elle repéra un carré de lin brodé, la serviette négligemment jetée par Hanza.) Maintenant il faut que tu te coupes. Avec ça, regarde.

Par terre près du lit, là où il l'avait laissée, se trouvait la ceinture du sultan. Un poignard y était attaché. Le fourreau courbe était fait d'or martelé incrusté de brillants et trois massives émeraudes formaient la poignée. Celia sortit la lame, en éprouva précautionneusement la pointe. Ce n'était qu'un poignard de cérémonie, mais il avait l'air suffisamment affûté.

— Tiens. Sers-toi de ça.

— Non, refusa Hanza en reculant, je ne peux pas.

— Il le faut, insista Celia. Vite, nous n'avons plus beaucoup de temps.

— Je ne peux pas.

— Ne sois pas stupide.

— Je t'en prie, plaida Hanza, terrorisée. Fais-le, toi.

— Moi ?

— Mais oui, tu ne vois pas ? (Elle pleurait, maintenant.) Je ne pourrai pas leur cacher une coupure. Ils comprendront tout de suite ce que j'ai fait.

Il y eut du mouvement derrière la porte, des bruits de pas.

— S'il te plaît ! Je n'oublierai jamais que tu m'as aidée, jamais, je te le promets.

Pas le temps de réfléchir. Celia prit la dague et posa la lame sur son poignet.

— Non, pas là. Sous le bras, lui recommanda Hanza. ça se verra moins.

Celia leva le bras et replaça la lame. Puis elle s'arrêta.

— Et pourquoi le ferais-je, Hanza ? Donne-moi une bonne raison de te protéger.

— S'il te plaît... je te revaudrai ça, c'est promis. (Les yeux d'Hanza se révulsèrent de terreur.) Ils vont me couper les mains et les pieds... M'arracher les yeux. Ils vont me coudre dans un sac et me jeter dans le Bosphore...

— Oui, sûrement.

Plongée dans ses pensées, Celia éprouva la pointe de la lame sur le bout de son doigt. Mais pourquoi aiderait-elle Hanza ? Les derniers jours ne lui avaient donc rien appris ? Hanza la poignarderait dans le dos à la première occasion, cela, au moins, c'était clair.

Sentant son hésitation, Hanza fit mine de lui arracher le poignard, mais Celia fut plus rapide et le leva au-dessus de sa tête, hors d'atteinte.

— Donne-le-moi ! sanglota Hanza. Je te dirai, pour l'opium...

— Ce n'est pas suffisant. (Les eunuques étaient maintenant à la porte.) Comme tu l'as dit, ça je peux très bien le découvrir toute seule...

Sans lui laisser le temps de finir sa phrase, Hanza bredouilla quelque chose qui l'arrêta net.

— Qu'est-ce que tu as dit ?

— La Porte de la Volière. Je peux t'avoir la clef de la Porte de la Volière.

Elles se regardèrent comme si c'était la première fois qu'elles se voyaient. Plus le temps de poser des questions. Celia entendit comme un rugissement. c'était le bruit du sang qui lui battait aux oreilles.

— C'est promis ?

Des gouttelettes de sueur perlaient au front d'Hanza.

— Sur ma vie.

Dans le bref silence qui suivit, les portes de la chambre du sultan s'ouvrirent en grinçant. Vite, Celia se fit une entaille. La fille tendit la serviette et ensemble, elles regardèrent trois gouttes de sang tomber sur le lin blanc.

20

CONSTANTINOPLE, 3 SEPTEMBRE 1599

Le matin

— Je n'arrive pas à croire que tu savais qu'ils étaient là.

— Oui.

— Tout ce temps, tu le savais ! Que l'ambassade anglaise était encore là.

— Est-ce mon imagination, ou a-t-on déjà eu cette conversation ? Je t'ai dit que j'étais désolée.

Annetta était couchée sur son lit, un matelas déroulé à même le sol dans le dortoir qu'elle parta-geait avec douze autres *kislar*. Elle semblait rede-venue elle-même mais elle était encore pâle et n'essaya pas de se redresser. Celia s'agenouilla près d'elle sur le plancher de bois dur.

— Et tu savais non seulement qu'un navire anglais était arrivé avec le cadeau de la Compagnie du Levant pour le sultan, mais aussi qu'ils en avaient envoyé une réplique – en sucre à ce qu'on m'a dit – ici, au palais. (Celia parlait à voix basse pour ne pas éveiller la curiosité des servantes qui l'attendaient dans le corridor.) Et qu'on raconte maintenant que c'est ce même bateau en sucre qui a empoisonné Hassan Aga.

— Pourquoi est-ce que tu me tourmentes encore avec ça ? protesta faiblement Annetta. J'ai essayé de te le dire. Plusieurs fois, j'ai eu l'intention de te le dire, vraiment. Seulement j'ai pensé que ça serait peut-être mieux que...

— Que je ne le sache pas.

— Oui, tête de bois. Et il aurait bien mieux valu que tu ne le saches pas, siffla Annetta. Regarde-toi, maintenant !

— Mais maintenant je le sais, déclara Celia en se rasseyant sur ses talons. Et tu sais ce que ça signifie, n'est-ce pas ?

— Je ne veux pas l'entendre.

— Ça signifie que Paul est peut-être ici.

— N'y pense même pas !

— Je ne peux pas m'en empêcher. (Celia, le visage caché dans ses mains, ne vit pas la pitié dans les yeux d'Annetta.) Comment faire autrement ? Jour et nuit, que je veille ou que je dorme, partout où je vais, il est là, derrière mon épaule, dans mes rêves. (Elle appuya le bout frais de ses doigts sur ses paupières brûlantes.) Tu prétends que je te tourmente, mais en fait, Annetta, c'est moi qui souffre le martyre. (Celia pressa de la main son côté, où la douleur était revenue, décuplée.) Hier encore tu m'as demandé : « Est-ce qu'il sait que tu es morte ? » Et j'ai ri, parce que ça me paraissait tellement bizarre, mais maintenant je ne pense plus qu'à une chose : il faut que je trouve un moyen de lui dire que je ne suis pas morte. Je suis ici. Je suis en vie. D'une manière ou d'une autre, Annetta, il faut que...

— Je sais ce que tu penses.

Celia fit un signe de dénégation.

— Non, tu ne le sais pas.

— Tu penses que, s'il te savait ici, il viendrait te chercher.

Celia ne répondit pas tout de suite. Elle jeta un coup d'œil inquiet en direction de la porte. Puis elle se mit à parler très vite.

— En fait, Annetta, je crois qu'il y aurait peut-être un moyen...

— Non ! l'interrompit furieusement Annetta. Je refuse d'écouter ça. (Elle se mit les doigts dans les oreilles.) Tu veux nous faire noyer toutes les deux ?

— Si je pouvais seulement le voir, Annetta, implora Celia, levant vers elle un visage pitoyable. C'est tout ce que je demande. Mon père est mort, jamais je ne le reverrai. Mais si je pouvais seulement voir Paul, rien qu'une fois, je pourrais endurer tout cela. Je pourrais endurer n'importe quoi.

Elle regarda la chambre qu'elle avait partagée avec Annetta, une pièce sans fenêtre au deuxième étage dans la partie neuve du harem qui surplombait la cour du hammam. Bien que dépourvue de mobilier, avec seulement deux placards à chaque bout de la pièce, où l'on rangeait le jour les matelas et les couvertures des filles, la chambre dégageait une odeur propre et familière de bois fraîchement scié.

— Et tu ferais mieux de te préparer, soupira-t-elle. J'ai l'impression que je ne vais pas tarder à revenir ici avec toi.

— Pauvre Celia, fit Annetta en se rallongeant sur ses coussins, l'air très pâle.

— Oh, ne me plains pas. Crois-moi, je préférerais largement revenir ici avec toi. Je suis trop surveillée, trop servie, tu n'as pas idée de ce que c'est. (Celia porta une main à sa gorge.) Je ne peux même plus respirer. Même pour venir te voir ici, ils ont envoyé trois servantes avec moi. (Elle jeta un coup d'œil à la ronde. Du corridor lui parvenaient les voix de ses femmes.) Je ne suis jamais seule. Tout ce que je fais – jusqu'au moindre détail – est rapporté à la validé, chuchota-t-elle, la main pressée sur son côté. Ils m'espionnent. Même en ce moment.

Annetta fronça les sourcils.

— Qu'est-ce qui te fait penser ça ? Qui t'espionne ?

— Les espions de la validé. C'est la *haseki* qui m'en a parlé. Elle les appelle les Rossignols.

— Les Rossignols ? Ce sont des bêtises, elle essaie juste de te faire peur, voilà tout. (Annetta posa une main mal assurée sur le bras de Celia.) Qu'est-ce qu'elle t'a fait ? Tu n'étais pas comme ça avant qu'elle te mette la main dessus.

— Non, non. (Celia secoua la tête, faisant danser ses boucles d'oreilles.) Elle essayait de m'aider. Si tu veux tout savoir, celle qui me fait vraiment peur, c'est Hanza.

— Qui est Hanza ?

— C'était une des servantes de la *haseki*. Mais la nuit dernière, elle est devenue une des concubines du sultan.

— Tu veux dire qu'il... (L'air soudain très intéressée, Annetta s'efforça de s'asseoir.) Avec vous deux ?

293

— Oui, nous étions deux. Mais il ne l'a fait qu'avec elle.

— Oh, ma petite oie ! s'écria-t-elle avant de laisser passer un silence plein de sympathie. Je suis désolée.

— Pas de quoi. Rappelle-toi ce que tu m'avais dit : « Du bon *culo* tout frais pour le gros vieux bonhomme. » Eh bien, c'était exactement ça. Je le sais, j'ai dû regarder.

— Tu as regardé ! (Annetta ne put retenir un petit rire.) Désolée, s'excusa-t-elle en se couvrant la bouche d'une main. À quoi elle ressemble, cette Hanza ?

— Ne ris pas. Elle est aussi mauvaise que la *haseki* est gentille. Mais, heureusement, elle n'est pas aussi maligne qu'elle le croit.

Celia raconta l'histoire du sang et de la serviette.

— *Madonna !* (Annetta leva vers elle des yeux ébahis.) Mais comment est-ce que tu savais tout ça ?

— Je ne le savais pas, j'ai tout inventé. (Devant l'expression d'Annetta, Celia s'autorisa un mince sourire.) Ne me regarde pas comme ça. La *haseki* m'a dit quelque chose qui m'a fait réfléchir. Nous sommes ici, en plein cœur des événements, mais personne ne nous dit jamais rien. Pas à nous, les filles d'en bas, les *kislar*. Ce ne sont que murmures et suppositions ; rumeurs et contre-rumeurs, fausses les trois quarts du temps. Et plus on monte dans la hiérarchie, pire c'est. Au bout d'un moment, on ne sait même plus quoi penser. J'ai compris que j'allais devoir me faire ma propre idée. Tu as toujours été douée pour ça, Annetta, mais pas moi. C'est comme si j'avais vécu tout ce temps dans un rêve. (Elle pressa de nouveau ses paupières.) Mon Dieu, je suis si fatiguée.

— Et alors, qu'est-ce qu'Hanza t'a raconté ? Ça devait valoir le coup pour que tu lui sauves la mise.

— Effectivement. (Celia se rassit sur ses talons.) Est-ce que tu peux garder un secret ?

— Tu sais bien que oui.

— Ce n'est pas quelque chose qu'elle m'a dit.

— Quoi, alors ? Ton expression ne me dit rien qui vaille.

— Elle m'a donné ceci, poursuivit Celia, tirant une clef de sa poche.

Annetta s'agita, un peu inquiète.

— À quoi est-ce qu'elle sert ?

— À ouvrir la Porte de la Volière. Une des anciennes portes du harem qui donne dans la troisième cour. On ne s'en sert presque plus, maintenant. D'après la *haseki*, c'est là que les marchands anglais ont installé leur cadeau, juste derrière la porte – je les ai moi-même entendus travailler. Alors, tu vois, si je pouvais juste...

— Comment est-ce qu'elle le savait ? coupa Annetta.

— La *haseki* ?

— Mai non, pas la *haseki*. Hanza, bien sûr. Tu ne t'es pas demandé comment Hanza savait que la Porte de la Volière pourrait t'intéresser ?

— Je ne sais pas. Je suppose qu'elle a dû entendre quand Gulay m'a parlé des marchands anglais, répondit Celia en haussant les épaules. Je n'en sais rien et je m'en moque.

— Eh bien tu ne devrais pas, rétorqua Annetta, le front moite. Tu ne comprends pas ? Ça signifie qu'ils sont arrivés jusqu'à toi, jusqu'à nous.

— Que veux tu dire par « jusqu'à nous » ?

— Qu'ils savent que tu es liée à l'histoire du bateau en sucre.

— C'est idiot. S'ils pensaient que j'ai quelque chose à voir avec ça, on me l'aurait dit.

— Mais c'est justement ça, le problème, tu ne vois pas ? (Sous les yeux creux d'Annetta, la fatigue avait dessiné des ombres noires.) Ce n'est pas comme ça qu'ils procèdent, ici, ajouta-t-elle avec un coup d'œil inquiet en direction de la porte. Ils observent. Ils observent et ils attendent.

— Qu'est-ce qu'ils attendent ?

— Que tu fasses – que nous fassions – une erreur.

— Eh bien, je m'en moque, déclara Celia, soudain pleine d'audace. C'est ma chance, et je n'en aurai jamais d'autre. Tu ne comprends pas ? (Les larmes lui montèrent aux yeux.) Ils sont là, tous les jours ; juste de l'autre côté de cette porte.

— Non ! intima durement Annetta. Tu ne dois pas faire ça.

— Mais pourquoi pas ?

— Ne le fais pas, c'est tout. Je t'en prie ! Ils nous tueront. Tu ne dois rien faire qui puisse te relier aux marchands anglais.

Les deux jeunes filles se regardèrent pendant un long moment.

Celia commençait à avoir peur.

— Qu'est-ce qui ne va pas, Annetta ? articula-t-elle avec difficulté.

— Je ne suis pas bien, gémit son amie qui se tourna sur le côté et ferma les yeux. C'est cette femme, cette sorcière, elle m'a jeté le mauvais œil, je le sais.

— Arrête, tu sais bien que ce n'est pas vrai,

296

répliqua Celia en lui secouant impatiemment l'épaule. Elle t'a effrayée, c'est tout. Si tu continues comme ça, Annetta, tu vas finir par te rendre vraiment malade.

— Mais je suis déjà malade ! (Elle avait de l'écume au coin des lèvres.) Ça ne se voit pas ?

C'était peut-être vrai. Sa peau avait perdu toute couleur et pris une teinte malsaine. En la voyant, Celia avait songé que cela lui rappelait quelque chose, et d'un coup elle sut ce que c'était.

— Je t'ai déjà vue comme ça ! Juste après qu'ils ont trouvé le chef des eunuques noirs. Tu as pleuré. Je ne comprenais pas pourquoi. Tu n'es pas malade, Annetta, tu as peur.

— Non !

— De quoi as-tu peur ?

— Je ne peux pas te le dire.

— Mais si, tu peux, insista Celia. Dis-moi.

— Je ne peux pas ! Tu vas me détester !

— Arrête tes bêtises, nous n'avons plus beaucoup de temps. Elles ne vont pas tarder à venir me chercher.

— Je suis désolée ! Tout est ma faute, gémit Annetta, les larmes aux yeux, Et c'est vraiment le mauvais œil... Tu ne comprends pas, ajouta-t-elle avec une pointe d'hystérie. C'est ma punition !

— Tu as raison, je n'y comprends rien, rétorqua Celia en la secouant de nouveau, un peu plus fort cette fois. Quelle punition ? C'est moi qu'on espionne. Pourquoi est-ce que quelqu'un voudrait te faire du mal ?

— Parce que j'étais là.

Dans la cour, deux pigeons occupés à se bécoter furent soudain dérangés et s'envolèrent.

— Tu étais là ?

— Oui, j'étais là quand l'eunuque noir en chef a été empoisonné. (La voix d'Annetta n'était plus qu'un murmure.) Elles ne m'ont pas vue. Elles ont cru que c'était le chat. Elles ne m'ont pas vue. (Elle déglutit nerveusement.) Mais lui, si.

Celia fut prise d'un vertige. Alors c'était pour cela qu'Annetta avait eu l'air si bouleversée quand on l'avait trouvé ? Au moins, c'était logique. Mais, au nom du ciel, qu'est-ce qu'elle faisait là-bas ? Ce n'était pas le corps d'Annetta qui était malade, c'était son esprit. Elle avait une telle terreur d'Hassan Aga qu'elle en perdait le sens.

— Alors Hassan Aga sait que tu étais là ? Tu en es sûre ?

— Je pense que oui. Je croyais qu'il était mort. Mais en fait... en fait... il ne l'était pas. Et il ne l'est toujours pas. Oh Celia, poursuivit-elle en pleurant de plus belle, ils l'ont trouvé et il paraît qu'il va survivre, finalement. Suppose qu'il m'ait vue, il va penser que j'ai quelque chose à voir avec tout ça ! (Elle leva des yeux rougis, mais secs, qui ressortaient dans un visage creusé.) Ils savent que toi et moi sommes arrivées ensemble.

— Quel est le rapport ? s'enquit Celia, perplexe.

— C'est l'autre chose que j'aurais dû te révéler. Le bateau en sucre, celui qui est soupçonné d'avoir empoisonné Hassan Aga, il ne représentait pas du tout le navire marchand anglais. C'était le bateau de ton père, petite oie. Une réplique exacte du *Celia*.

21

Le jour suivant se leva gris et froid. Elizabeth s'éveilla avec une sensation de bien-être, surprise de s'apercevoir qu'elle avait dormi toute la nuit. Un demi-comprimé de somnifère était resté intact sur la table de nuit. Elle avait le corps détendu, la peau rose et toute chaude de sommeil. Elle se rallongea sur son oreiller et contempla le ciel dehors. Il y avait quelque chose de différent, quelque chose de changé. Elle tendit une main ensommeillée pour allumer son portable et voir si elle avait des messages ; rien de Marius, comme d'habitude. Juste un court texto d'Eve, apparemment envoyé la veille au soir : *dors bien, chérie, je rapel 2main biz.*

Marius n'avait pas téléphoné pendant la nuit, ne pensait pas à elle, ne la suppliait pas de changer d'avis ; mais ce matin, sans qu'elle sache pourquoi, l'humeur sombre qui accompagnait chaque jour son réveil ne se manifesta pas.

Elle s'aperçut qu'elle n'avait pas rêvé de Marius, mais du Turc rencontré la veille au kiosque de Malte.

Et qu'elle le gardait encore en tête, murmure érotique aux frontières de son esprit.

Ce matin-là, Elizabeth fut la dernière à descendre
pour le petit déjeuner. Les autres pensionnaires – la
vieille Américaine au turban, le professeur français,
le metteur en scène – avaient presque fini quand elle
arriva. Elle prit son café ainsi qu'un petit pain tartiné
de confiture de rose et remonta s'asseoir sous un des
palmiers en pot du salon. L'antique gramophone
jouait des marches russes. De son sac, Elizabeth
sortit un stylo et du papier et, tout en mangeant,
commença une autre lettre pour Eve.

*C'est encore moi, Eve chérie, désolée pour ma der-
nière lettre, plutôt sinistre. Tu as raison, je suis probablement la dernière personne au monde à écrire
encore des lettres, mais, comme tu n'es pas là, tu
vois bien que j'ai besoin de parler à quelqu'un. Qui
d'autre va m'écouter geindre à propos de Marius ?
Ça revient moins cher que de voir un psy. (Et qui
sait, peut-être qu'un jour, dans longtemps, un historien ou un doctorant en philo nous béniront, enfin
surtout moi. On prétend qu'aucun e-mail ne dis-
paraît, mais je ne l'ai jamais cru. Où s'en vont-ils ?
Où sont-ils stockés ? Sur une puce ? Ou bien est-ce
qu'ils se baladent comme ça à travers l'éther ? Dieu
sait, les manuscrits sur papier sont déjà assez difficiles à débusquer – je suis bien placée pour le
savoir –, mais un truc de la taille d'un nanobit ?)*

*Rien à signaler sur le récit de captivité de Celia
Lamprey. Ma carte de lectrice pour l'université du
Bosphore est arrivée, mais j'attends toujours la per-
mission de chercher dans les archives nationales,*

300

jusqu'ici, nada. Tu vois, si Celia Lamprey avait écrit une lettre ou deux, ça m'aurait bien aidée...

Avant de tourner la page, Elizabeth lécha la confiture de rose restée collée sur sa main gauche. Qu'est-ce qu'elle allait raconter à Eve ? Sa matinée dans le harem désert, les « autres curiosités » de Thomas Dallam ? Ou, mieux encore, l'inconnu du Kiosque de Malte. Sa main hésita quelques instants au-dessus de la page.

Les autres pensionnaires de l'hôtel sont de plus en plus bizarres. Deux des Russes à qui je trouvais une tête à faire la traite des Blanches se sont finalement révélés être des chanteurs d'opéra invités pour le congrès du Parti communiste turc. L'Américaine au turban – celle qui ressemble à Angela Lansbury – est écrivain, du moins à ce qu'elle prétend. C'est Haddba qui me l'a dit. En fait, c'est elle la plus bizarre du lot : toujours en noir, avec une tête de bonne sœur, elle arrive quand même à ressembler à la Madame d'un ancien bordel parisien (du pur Brassaï, tu adorerais) et, va savoir pourquoi, elle m'a prise sous son aile. Peut-être qu'elle a l'intention de me vendre pour la traite des Blanches...

Elle pouvait déjà imaginer la réponse d'Eve par texto *tu blag on e trop a g pour sa, pa d'bol.* Elizabeth sourit. Trop vieille à vingt-huit ans... Quel âge fallait-il donc avoir ? Treize, quatorze ans, ces petites esclaves n'avaient guère plus. Celia Lamprey était probablement un peu plus âgée que cela, si elle était déjà fiancée au moment de sa capture, mais les autres ? Presque encore des enfants. Était-il possible que Berin ait raison quand elle disait que leur participation au système était volontaire ? Que pouvaient-elles bien savoir sur l'amour, sur le sexe ? Mais voilà, c'était justement la question. Elles n'étaient pas censées avoir leurs propres besoins, leurs propres désirs, juste se laisser modeler selon ce que d'autres voulaient qu'elles soient. D'une certaine façon, cela semblait presque reposant... Elizabeth pensa à Marius et soupira.

Le vieux gramophone s'arrêta dans un grincement et un silence inhabituel descendit sur la pièce. Les pensées d'Elizabeth se mirent à vagabonder, Elle s'était attendue à ce que l'angoisse familière revienne lui tenailler le creux de l'estomac, mais, à sa surprise, elle ne ressentait rien. Et la nuit dernière, ce n'était pas de Marius qu'elle avait rêvé, mais d'un autre homme, un inconnu. Étrange : elle tenta de se remémorer exactement son rêve mais, sitôt qu'elle essaya de le rattraper, il lui échappa et partit en fumée. Tout ce qu'elle put en retenir fut une vague impression de... De quoi ?

De chaleur. Non. Un appel à la prudence, plutôt.

— Elizabeth ? l'accosta Haddba. Je vois que vous n'allez pas à la bibliothèque aujourd'hui. Puis-je m'asseoir ?

Sans attendre la réponse, elle s'installa près d'Elizabeth et, de ses doigts élégants, enfonça une cigarette dans son fume-cigarette d'ivoire.

— Je vais envoyer le garçon nous rechercher du café.

Elle claqua des doigts pour appeler Rachid et lui dit quelque chose en turc, avant de tourner vers Elizabeth ses beaux yeux soulignés de khôl.

— Ce temps, c'est tout simplement déprimant, déclara-t-elle avec un frisson, resserrant sur ses épaules un pashmina brodé d'or. Je pense que c'est le jour idéal pour que vous alliez au hammam.

— Eh bien, en fait, j'avais prévu de rédiger mes notes..., commença Elizabeth, puis elle vit la lueur déterminée dans les yeux d'Haddba.

— Non, Elizabeth.

Haddba avait une façon particulière de prononcer son nom, comme si elle le chantait : E-*li*-za-beth. Elle tapota impatiemment son fume-cigarette sur le bras de son fauteuil. De la cendre s'éleva autour d'elle, avant de retomber sur le sol.

— Il faut vous occuper un peu de vous. Pourquoi vous laissez-vous aller ? Regardez-vous, toujours si mélancolique.

Par-dessous ses lourdes paupières, elle considéra Elizabeth pendant un moment. Le jeune garçon arriva avec le café. Haddba prit sa tasse avec l'air d'une reine acceptant un tribut d'un de ses sujets.

— Merci, mais vraiment, j'ai tellement de choses à faire, prétexta encore Elizabeth.

— E-*li*-za-beth, je ne prendrais pas non pour réponse. Le bâtiment est de Sinan. Il est si beau, il faut vraiment que vous le voyiez ; cela va vous plaire. (Haddba reposa brusquement sa tasse, pas plus grosse qu'un dé à coudre, dans sa soucoupe.) Rachid va vous emmener, décida-t-elle.

Escortée par le jeune garçon, Elizabeth prit le bus pour traverser le pont de Galata jusqu'au district de Sultanahmet ; puis le tram pour monter à la colonne brûlée près du Grand Bazar. Quand ils descendirent,

Rachid lui désigna la porte d'un bâtiment anonyme, à la façade couverte de fils téléphoniques et d'enseignes.

— C'est là ? s'enquit Elizabeth, dubitative.

— *Evet...* oui, acquiesça le garçon. Hammam.

Il lui offrit un de ses lumineux sourires.

Le hammam était séparé en deux salles, une grande pour les hommes sur la gauche du bâtiment, et une autre plus petite à droite destinée aux femmes. On fit entrer Elizabeth dans un vestiaire exigu et on lui attribua un casier qui contenait deux serviettes bleues usées jusqu'à la corde et une paire de sandales en plastique d'une propreté douteuse. Tout cela ne semblait guère prometteur. Plusieurs femmes en jupes longues, les cheveux noués dans des foulards colorés, étaient censées s'occuper des clients. Elles ne prêtèrent pas la moindre attention aux quelques touristes entrées à la suite d'Elizabeth – un groupe d'étudiantes européennes désargentées, emmitouflées contre le froid dans des jeans et d'affreuses cagoules grises –, mais restèrent tranquillement assises à discuter avec volubilité. Il régnait dans cet endroit une atmosphère de joyeux laisser-aller, ainsi qu'une légère odeur de moisi.

Le vestiaire peu engageant n'avait absolument pas préparé Elizabeth à la beauté de la pièce où elle pénétra ensuite. Un énorme dôme s'élevait au-dessus d'elle, soutenu par quatre autres plus petits. En dessous, sur les douze côtés, s'ouvraient des niches de marbre, contenant chacune une fontaine à la vasque en forme de coquillage. C'était moins une pièce qu'une pure architecture d'espace, parfaite dans sa simplicité.

La petite serviette tant bien que mal serrée autour de sa taille, Elizabeth s'avança dans la pièce. Au centre se trouvait un bloc de marbre blanc sur lequel trois femmes étaient déjà allongées à plat ventre. La lumière était diffuse, nacrée de vapeur. Elizabeth ne voyait pas leurs visages, seulement leurs corps. L'une portait encore sa serviette autour des hanches, mais les autres les avaient enlevées. Elles étaient parfaitement immobiles. Elizabeth s'assit sur le bord et faillit se relever d'un bond, tant le marbre était chaud, presque brûlant. Elle retira sa serviette, l'étendit et se hâta de s'y allonger.

Après le bruit de la ville, l'endroit était très paisible. Certaines des femmes – elle était presque sûre que c'étaient toutes des Européennes, des étrangères comme elles – discutaient tranquillement. D'autres entrèrent dans la salle, les filles – allemandes ou hollandaises – qui s'étaient déshabillées en même temps qu'elles dans le vestiaire. Elles gloussaient, essayant de se couvrir avec leurs serviettes trop petites, mais bientôt la langueur des lieux les gagna elles aussi.

Comme elles sont belles ! Elizabeth en fut frappée. Ces femmes étaient absolument magnifiques. Dans le vestiaire, elles lui avaient paru on ne peut plus ordinaires avec leurs visages au teint terreux, leurs corps disgracieux attifés de vilains jeans et de pulls trop serrés. Dans la rue, personne ne leur aurait accordé un regard mais leur nudité, songea-t-elle, les avait transformées.

Une fille aux cheveux noirs qu'Elizabeth avait remarquée juste derrière elle dans la queue vint s'installer près d'elle sur le bloc de marbre. Dans le vestiaire, elle avait vu une petite boulotte, les cheveux

305

gras rassemblés en queue-de-cheval sur la nuque. Et là, allongée dans la chaleur brumeuse, les cheveux répandus sur les épaules, ce n'était plus du tout la même. Elizabeth remarqua la perfection d'une peau sans le moindre défaut. Les fesses nues, bien en chair, avaient quelque chose d'agréablement érotique. Ne voulant pas l'embarrasser, Elizabeth détourna la tête.

Il y avait maintenant une vingtaine de femmes dans le hammam. Allongée sur le marbre, Elizabeth remarqua d'autres détails. La symétrie d'une omoplate. Des seins pointant joliment vers le haut. L'ossature superbe d'un cou ou d'un dos. Des pieds parfaits.

Mon Dieu, mais tu t'entends ? Arrête ça tout de suite ! Riant de ses divagations, Elizabeth se tourna sur le dos pour contempler le plafond du dôme. La coupole était percée de petites fentes en forme de soleils et de lunes, par ou brillait la lumière du jour – même la lumière grise de ce matin d'hiver. Une intense sensation de plaisir l'envahit. Sinan ? C'était bien cela qu'Haddba lui avait dit ?

Elle ferma les paupières, essayant de se rappeler les dates, mais ce fut l'image de l'inconnu rencontré au Kiosque de Malte qui lui revint. Elle rouvrit les yeux avec un brin d'irritation, dans l'espoir de chasser cette pensée incongrue. *Ne sois pas ridicule, il n'est pas du tout ton type.* Elle le revoyait : un homme solide, bien en chair sans être gros. Un homme qui avait de la prestance. Et, rien qu'à l'évoquer, une nouvelle pensée encore plus tenace s'insinua dans son esprit – *et s'il pouvait me voir maintenant ?* –, suivie de près par un choc érotique d'une telle force qu'elle en eut le souffle coupé.

Une des femmes aux allures de gitane s'approcha d'elle. Elle secoua l'épaule d'Elizabeth et, sans un mot, la prit par la main pour la mener vers un des bassins en forme de coquillage. Elizabeth la suivit docilement, les joues brûlantes. La femme lui fit signe de s'asseoir sur une marche près du bassin. Elle commença par lui verser de l'eau dessus à l'aide d'une louche, puis se mit à la frotter sur tout le corps avec un épais gant de crin.

La femme travaillait rapidement, ses mouvements brusques jusqu'à en être rudes. Elle leva les bras d'Elizabeth et les tint l'un après l'autre au-dessus de sa tête pour lui laver les aisselles, les côtés, les seins et le ventre. Quand Elizabeth tenta de l'aider, elle lui rabattit les mains d'une petite tape, secoua la tête d'un air contrarié jusqu'à ce qu'Elizabeth se conforme à sa demande silencieuse et se tienne tranquille, se laissant passivement manipuler.

Et s'il pouvait me voir maintenant ? Cette fois, Elizabeth s'autorisa à s'attarder un peu plus longtemps sur cette agréable pensée. Elle imaginait ses yeux sur elle, ce regard extraordinairement érotique... Et de nouveau, à sa grande confusion, cet intense frisson de désir. *Mon Dieu, mais qu'est-ce qui te prend ?* Elle faillit rire tout haut tant c'était absurde de découvrir en elle une pareille impulsivité.

La femme avait commencé à laver les cheveux d'Elizabeth. De l'eau se déversait sur sa tête en arcs étincelants. Elle lui coulait dans les yeux, dans les oreilles, plaquait ses cheveux en longues mèches noires contre son dos. Elle sentit les doigts de la femme sur ses cheveux et sa tête fut tirée en arrière si brutalement qu'elle ne put retenir une grimace. Des ongles pointus lui ratissaient la tête, grattant son cuir chevelu si fort que c'en était presque douloureux. Encore quelques jets d'eau et ce fut fini.

Un peu tremblante, Elizabeth repartit à travers la pièce.

22

CONSTANTINOPLE, 3 SEPTEMBRE 1599

Le soir

Hassan Aga, chef des eunuques noirs, allait vivre. La nouvelle s'était répandue dans la Maison de la Félicité. Les médecins du palais – non seulement l'eunuque blanc de l'école, mais aussi le médecin personnel du sultan, Moïse Hamon –, l'avaient finalement déclaré hors de danger. Certains parlaient d'un miracle, d'autres évoquaient des rêves qu'aurait eus la validé, présageant son rétablissement, et la chemise talismanique qu'elle lui avait fait faire : une merveille, de l'avis général, couverte de versets du Qu'ran auxquels s'ajoutaient des nombres et des symboles étranges, le tout écrit en rangs serrés, à la feuille d'or pur.

Les servantes de Celia l'informèrent qu'une célébration allait se tenir dans la Grande Salle. Une troupe entièrement féminine d'acrobates et d'équilibristes – des tziganes de Salonique, d'après les eunuques – était récemment arrivée en ville, devenant rapidement la coqueluche de tous les harems, petits et grands, des bords du Bosphore et de la Corne d'Or. La sultane validé elle-même les avait fait mander.

Ce soir-là, tandis qu'elle se dirigeait avec les autres vers le hall qui séparait les quartiers des femmes de la chambre du sultan, Celia sentit immédiatement le changement d'atmosphère. La sourde appréhension qui, ces derniers jours, emplissait cours et corridors semblait s'être évaporée, faisant place à une impression de dynamisme, presque de légèreté. *Si seulement je pouvais ressentir la même chose*, pensa Celia. Sans regarder ni à gauche ni à droite, elle parcourut les couloirs, suivie par ses servantes. Bien qu'elle garde les yeux modestement rivés au sol, elle avait le cœur et l'esprit en ébullition.

Paul était ici, à Constantinople, elle en était maintenant certaine. Qui d'autre que Carew aurait pu confectionner une fantaisie en sucre à l'image du *Celia* ? Et quand Carew était là, Paul n'était jamais loin. Mais pourquoi ? Cette perspective la tourmentait. Qu'est-ce que cela pouvait bien signifier ? Était-ce un signe ? Était-il possible qu'ils soient au courant de sa présence ici ? Elle écarta instantanément cette idée. Paul la croyait morte. Naufragée, noyée.

Mais maintenant, elle le savait, elle n'avait plus le choix ; quoi que puisse dire Annetta, il fallait qu'elle leur fasse savoir. À son cou, accrochée à une chaîne dissimulée sous ses vêtements, Celia sentait la clef de la Porte de la Volière. Rien que d'y penser – rien qu'à l'idée de ce qu'elle allait devoir faire –, elle ressentit un élancement au côté d'une telle force qu'elle en perdit le souffle et faillit trébucher contre le mur.

— Attention, Kadine Kaya.

Une des servantes tendit la main pour la retenir.

— Ce n'est rien, juste ma chaussure.

Celia se reprit rapidement. Elle ne devait rien laisser paraître, rien laisser deviner de ce qu'elle ressentait, de ce qu'elle savait. Un mot imprudent, un regard même pouvaient la trahir. On était sans arrêt observé. Elle le savait bien, maintenant.

Elles arrivèrent dans la Grande Salle.

N'ayant pas été officiellement informée d'un quelconque changement de statut, Celia alla s'installer sur la longue estrade couverte de coussins près du divan de la validé, à gauche de la pièce : une place d'honneur réservée aux femmes les plus haut placées du harem. À côté d'elle se trouvaient les quatre chambrières de la validé, Gulbahar, Turhan, Fatma et une fille dont elle ignorait le nom, qui remplaçait Annetta jusqu'à son rétablissement. Près d'elles, des places étaient réservées aux dignitaires de haut rang, en ordre strict de hiérarchie. Après la validé venaient les maîtresses des filles et des bains, la maîtresse du café et la maîtresse de la coiffure. Certains des enfants du sultan, les princesses et ceux des petits princes qui étaient encore assez jeunes pour vivre dans les quartiers des femmes, furent amenés par leurs servantes et installés de l'autre côté du divan de Safiye. Une des filles de la validé, la princesse Fatma, était arrivée plus tôt dans la journée pour l'occasion, avec ses enfants et sa suite particulière d'esclaves.

À chaque extrémité de la salle brûlaient des

encensoirs d'argent qui emplissaient la pièce de parfum. Des fleurs fraîchement coupées – roses, tulipes, petits bouquets de fleurs d'oranger et de jasmin – étaient arrangées dans des vases bleus et blancs aux quatre coins de la pièce. Aux murs, des fontaines jaillissaient de niches de marbre. Près du divan de la validé se trouvait un petit bassin à la surface duquel on avait éparpillé des pétales de roses musquées, ainsi que des bougies dans de minuscules bateaux, dont la flamme se reflétait sur les eaux vert pâle.

Les plus jeunes des filles, les novices et les *kislar* de base, faisaient maintenant leur entrée, en rang, encadrées par la maîtresse des filles et ses adjointes, pour aller s'installer en face du divan de la validé, de l'autre côté de la pièce.

Les jours de fête comme celui-là, les règles strictes qui gouvernaient chaque aspect de la vie du harem se relâchaient, même la règle du silence. Le son inaccoutumé de leurs propres voix (plus rare dans le harem, aimait à dire Annetta, qu'un homme encore en possession de ses *coglioni*) avait sur les femmes dans la salle l'effet d'une drogue. Toutes les joues étaient roses d'excitation. Chacune parlait à sa voisine. Et toutes, même les plus jeunes, dont certaines n'avaient pas plus de huit ou neuf ans, étaient en tenue de gala. Les soies décorées de cercles, de rayures et de croissants de lune, les brocarts brodés de fils d'or et d'argent, les velours ciselés avec leurs motifs de tulipes et de feuilles en cascades, brillaient à la lumière des bougies. Les écharpes, les coiffes, les voiles de gaze dorée étaient fixés par des aigrettes de pierres fines : topazes jaunes et bleues,

312

rouge du grenat et de la cornaline, vert de la malachite, du jade ou de l'émeraude, opales, pierres de lune et perles que réchauffait la douceur de la chair. Chacune, sembla-t-il à Celia – même Cariye Lala, la plus vieille et la plus humble des sous-maîtresses, qui venait de prendre place juste devant elle au bas des marches menant à l'estrade de la validé –, possédait au moins une pierre précieuse à arborer.

Les premières fois que Celia avait vu toutes les femmes ainsi rassemblées, elle avait été si éblouie par le spectacle qu'elle s'était contentée d'ouvrir de grands yeux. Ce soir, elle n'y prêtait guère attention. Est-ce que quelqu'un l'observait, quelqu'un d'inhabituel ? Elle parcourut la foule du regard. La Macédonienne du hammam ; son adjointe géorgienne. La grande muette qui était maîtresse de la coiffure, avec son visage aussi large que long et ses grosses dents blanches comme des pierres tombales. L'arrivée d'Hassan Aga, sur sa litière portée par des eunuques, provoqua une certaine sensation. À la vue du chef des eunuques noirs, toujours aussi massif en dépit de ce qu'il avait traversé, le cœur de Celia tressaillit. Comment Hanza s'était-elle procuré la clef qu'elle portait maintenant au cou ? Elle n'avait pas osé le lui demander. Elle la sentait qui lui brûlait la peau comme un charbon ardent.

Quand Gulbahar lui posa la main sur l'épaule, elle sursauta comme si on l'avait frappée.

— Tu crois qu'elle va venir ? lui chuchota la jeune fille à l'oreille.

— Qui ? demanda Celia.

— Gulay, bien sûr.

Gulbahar désigna le dais chamarré de l'autre côté

de la salle. En dessous se trouvait le trône du sultan ;
à son pied, un coussin : la place d'honneur de la
haseki.

— Et pourquoi ne viendrait-elle pas ?

— On raconte qu'Hanza l'a remplacée, annonça
Gulay, interrogeant Celia du regard.

— Comment ? Si vite ? s'inquiéta Celia.

— C'est qu'il l'a encore fait appeler, cet après-
midi.

— Je vois. (Celia jeta un coup d'œil à la ronde, ne
vit pas trace d'Hanza.) Mais, au fait, où est-elle ?

Avant que Gulbahar ait le temps de répondre, les
grandes portes donnant sur les quartiers de sultan
s'ouvrirent et tout le monde se tut. Escortée par
Soliman Aga et trois autres eunuques, Haseki Gulay
fit son entrée. Elle arborait une robe bleue de velours
ciselé, ornée de cercles d'argent, sous laquelle elle
portait un pantalon et un corsage en tissu d'or. Et sur
sa coiffe, son corsage et même son écharpe, il y avait
plus de brillants que Celia n'en avait vu de toute sa
vie. Dans le silence, la *haseki* entra très lentement
dans la pièce et traversa la Grande Salle jusqu'à sa
place sous le grand dais. Puis, se retournant face à
l'assemblée des femmes, elle s'installa délicatement
sur le coussin au pied du trône du sultan.

Dans un soupir de soulagement général, les bavar-
dages reprirent de plus belle. Celia parcourut des
yeux les visages animés de la foule, puis son regard
revint se poser sur Gulay. Mais, si celle-ci avait
remarqué sa présence, elle n'en montra aucun signe.

La *haseki* avait raison : des murmures, des
rumeurs, des suppositions. *Nous nous y accrochons,
parce que c'est tout ce que nous avons*, songea Celia.

Un peu plus tôt, l'ambiance dans la salle l'avait fait penser à un public attendant le début de la pièce, au Curtain Theatre ou au nouveau Rose Theatre à Londres, où son père l'avait quelquefois emmenée. Mais ceci – Celia frissonna en regardant la silhouette chamarrée, immobile et lointaine sous le dais d'or – évoquait plus une chasse à l'ours qu'une pièce de théâtre.

Elle pensa soudain à quelque chose et se tourna vers Gulbahar.

— Où est la place de l'ancienne favorite du sultan ? Je ne crois pas l'avoir jamais vue.

— Tu veux parler de Kadine Handan ? La mère du prince Ahmet ?

— Oui, Handan. Il me semble que c'est son nom.

— Elle ne vient jamais ici. (Gulbahar haussa les épaules.) Plus maintenant. Je crois bien que plus personne ne la voit à part la validé.

Quelque part, hors de leur vue, la troupe se préparait à entrer en scène : un lointain roulement de tambour, le son plaintif d'une flûte de Pan. À ce moment, un nouveau silence, plus profond encore que le précédent, descendit sur la pièce. Tout le monde se leva. On n'entendait plus le moindre murmure quand les portes aux deux bouts de la salle s'ouvrirent d'un coup. D'un côté, par la porte du harem, la validé s'avança tandis que le sultan lui-même faisait son entrée du côté opposé. Ils se rencontrèrent au milieu de la salle, où le sultan présenta ses respects à sa mère, avant de gagner leurs sièges respectifs.

Ce fut à ce moment-là que Celia aperçut Hanza. Elle était entrée discrètement derrière la validé et vint prendre place à côté de Celia. Son cou maigre était orné d'un collier de pierres précieuses et à ses oreilles scintillaient deux diamants en poire ; le butin, supposa Celia, de son après-midi de travail. Autour du petit visage pâle d'Hanza, les joyaux prenaient un air incongru, presque tape-à-l'œil, de verroterie de bazar. Elle arborait une expression si venimeuse que le salut de Celia se figea sur sa langue.

Une fois tout le monde en place, un roulement de tambour annonça le début du spectacle. Les musiciennes entrèrent les premières, s'installèrent par terre sur des nattes. Une des femmes maniait des cymbales, une autre agitait un tambourin, une troisième jouait de la flûte de Pan tandis que la quatrième portait deux petits tambours. Tout de suite derrière, la troupe d'acrobates fit son entrée avec force bonds et cris stridents. C'étaient d'étranges créatures d'allure barbare, à la peau sombre, dont les longs cheveux noirs luisants flottaient librement sur leurs épaules. Elles portaient de courtes vestes aux couleurs vives, ajustées et sans manches, ainsi que d'étranges pantalons de fin coton blanc, amples au niveau des fesses et des cuisses, serrés du genou à la cheville. Elles marchaient sur les mains, se renversaient en arrière en arquant le dos pour se déplacer à la manière des crabes, ou tournoyaient en une suite de roues.

Les plus jeunes des acrobates étaient deux petites filles qui ne devaient pas avoir plus de six ou sept ans. La plus âgée, chef de la troupe, était une robuste femme au torse épais, un foulard rouge noué autour du front. Au signal des tambours, elle raidit les épaules et, une par une, les autres femmes l'escaladèrent pour former une pyramide de six, en équilibre sur elle. Les cymbales retentirent. La femme au foulard rouge avait les jambes qui tremblaient, mais elle parvint à faire trois pas dans la pièce. Un autre roulement de tambour et les deux petites filles s'élancèrent, bondirent sur elle et grimpèrent comme des singes jusqu'au sommet de la pyramide humaine. Sur un nouveau coup de cymbales, toutes les acrobates étendirent les bras et leur chef fit encore trois pas vers le trône du sultan. Sa peau luisait de sueur, l'effort faisait saillir les veines sur son cou de taureau, mais elle tenait bon. Encore un roulement de tambour et, aussi aisément qu'elles étaient montées, les femmes descendirent l'une après l'autre, touchant le sol sans plus de bruit que des pétales de rose. Dans les mains des petites filles apparurent deux roses rouges, qu'à genoux elles allèrent déposer aux pieds du sultan.

La soirée continua. Les acrobaties furent suivies d'une succession rapide d'autres numéros d'équilibre, de jonglerie et de souplesse. Toutes les femmes, jeunes et vieilles, étaient fascinées par le spectacle. Même Hassan Aga en restait bouche bée, immobile sur ses coussins. Celia seule ne parvenait pas à se concentrer. Entre la chaleur des bougies et tous ces corps entassés, la pièce était devenue si étouffante qu'elle avait l'impression de suffoquer ; pourtant il n'était pas question de se lever, d'attirer l'attention sur elle par un manquement public à l'étiquette ou de faire quoi que ce soit qui puisse trahir son angoisse intérieure. Elle porta la main à sa poitrine, toucha à travers ses vêtements la forme rassurante de la clef sur sa chaîne. Se força à se comporter comme la *cariye* aveugle et naïve qu'elle était encore quelques jours auparavant. *Ce ne sera plus long, mon cœur*, promit-elle, tentant désespérément d'évoquer la voix de Paul, *ce ne sera plus très long, maintenant.*

À part elle, remarqua Celia, il n'y avait qu'une seule personne à ne pas être absorbée par la troupe d'acrobates. Hanza n'avait d'yeux que pour le sultan. Du moins Celia le crut-elle au premier abord. Puis elle s'aperçut que ce n'était pas le sultan qu'Hanza regardait ainsi. C'était la *haseki*.

Hanza fixait Haseki Gulay avec une telle intensité que Celia se demanda comment la favorite pouvait ne pas ressentir la force de cet étrange regard pâle. Si c'était le cas, elle n'en montrait aucun signe. Gulay semblait aussi attentive au spectacle que tous les autres. Après l'avoir observée pendant quelques minutes, Celia remarqua qu'elle lançait de temps en temps un coup d'œil en direction du divan de la validé, comme si elle cherchait quelqu'un.

— Elle a l'air d'aller bien, tu ne trouves pas ? ne put-elle s'empêcher de chuchoter à Hanza. La *haseki*, je veux dire.

— Qu'est-ce qu'elle fait encore ici ?

Hanza éternua comme un chat. Elle semblait habitée d'une émotion intense : rage, déception ? C'était difficile à dire.

— Et où voudrais-tu qu'elle soit ? rétorqua Celia, pas mécontente d'assister à sa déconfiture. (De toute façon, elle avait la clef, maintenant. Hanza ne pouvait plus rien contre elle.) Si tu t'imagines que c'est toi qui devrais être assise là-bas à sa place, tu es encore plus stupide que je ne croyais.

Hanza ne répondit rien.

La femme au foulard rouge restait maintenant seule sur scène, divers accessoires alignés devant elle : un grand récipient du genre de ceux où l'on conservait l'huile, quelques bûches, une rangée de boulets de canon de tailles diverses, certains reliés ensemble par des chaînes. Elle attacha des bandes de cuir autour de ses poignets, un épais harnais de cuir autour de sa taille, et se mit à jongler avec les bûches, utilisant sa tête, puis son front, son menton et jusqu'à ses dents.

Le sultan se pencha vers la *haseki* pour lui dire quelque chose à l'oreille et celle-ci se tourna vers lui en souriant. *Comment fait-elle ?* se demanda Celia. De loin il avait l'air si ordinaire, malgré les bijoux et les beaux vêtements, avec sa peau constellée de taches de rousseur, son gros ventre et sa grande barbe blonde. Celia sentit Hanza frémir à côté d'elle.

La femme-hercule jonglait maintenant avec deux boulets de canon, les propulsant en l'air de ses mains calleuses, tannées comme du vieux cuir. Des goutte-lettes de sueur jaillissaient de son front ; Celia pouvait les voir scintiller dans la lumière. Le sultan se tourna de nouveau vers la *haseki* et cette fois lui offrit une des deux roses posées à ses pieds. L'autre, il l'envoya à sa mère, la sultane validé. Celia attendit la réaction d'Hanza mais rien ne vint. Ce ne fut que quelques minutes plus tard qu'elle s'aperçut que le siège à côté d'elle était vide. Hanza était partie.

«Où est-elle partie ?» demanda-t-elle à Gulbahar dans le langage silencieux du palais.

— Hanza ? Je ne sais pas. Elle est sortie il y a quelques minutes. Bon débarras. J'espère pour elle que la validé ne l'a pas vue.

Celia porta la main à sa gorge ; elle avait du mal à respirer.

— Est-ce que tout va bien, *kadine*? s'inquiéta Gulbahar en lui posant la main sur le bras. Tu as l'air bizarre.

— Je vais bien. C'est juste que... il fait un peu chaud, ici, la rassura Celia, essayant de respirer calmement, puis elle ajouta, avant de pouvoir s'en empêcher. Elle me fait une mauvaise impression, Gulbahar.

— Cette petite vipère ? rétorqua celle-ci avec une moue dégoûtée. Ne t'en fais pas, tout le monde se méfie d'elle.

— C'est plus qu'une impression. (Celia regarda autour d'elle, cherchant où avait pu passer Hanza.) Elle prépare un mauvais coup, Gulbahar, je le sais.

— Et qu'est-ce qu'elle pourrait bien faire ? (Gulbahar haussa les épaules.) Crois-moi, elle va avoir assez d'ennuis comme ça pour être sortie sans permission. Elle a une peur bleue de la validé, je le sais, je les ai vues ensemble : un serpent et un lapin, ironisa-t-elle. Ne t'inquiète pas, elle n'oserait jamais rien tenter. Profite tranquillement du spectacle, Kaya.

La validé, bien sûr ! C'était sûrement elle la clef de tout cela. Quelqu'un avait dû monter la tête à Hanza, lui faire croire qu'il lui serait facile de remplacer la *haseki* dans les faveurs du sultan ; une idée qui aurait semblé absurde à n'importe qui d'autre. Et qui, sinon

Safiye, aurait pu faire preuve d'une telle persuasion ?
Je devrais le savoir, pensa Celia, *elle a essayé la même chose avec moi il y a seulement quelques jours.*

Elle regarda en direction de la validé et fut surprise, une fois de plus, de la trouver si menue. Safiye Sultane était assise sur son divan, son corps mince lové contre les coussins, une jambe repliée sous elle, le menton appuyé sur un poignet délicat. La robe qu'elle portait ce soir-là était de satin rouge richement damassé, brodé d'or sur le corsage, et elle arborait de nombreux bijoux ; ses longs cheveux tressés étaient entremêlés de chaînes d'or et de perles. Absolument éblouissante et terriblement dangereuse. Elle ne ferait qu'une bouchée d'Hanza.

À la main, la validé tenait la rose que le sultan lui avait envoyée – une rose musquée, d'un rouge si sombre qu'il en était presque noir – et la triturait machinalement entre ses doigts. Comme tout le monde, elle regardait la troupe d'acrobates, se tournant à l'occasion pour parler à sa fille, la princesse Fatma, assise près d'elle. De temps en temps, elle penchait la tête pour respirer la rose. Elle semblait insouciante, mais il y avait chez elle quelque chose de – Celia chercha le mot exact –, comment le qualifier ? Concentré. Attentif. *Tu nous surveilles*, prit conscience Celia. *Tu nous surveilles toutes, même en ce moment.* Qu'avait dit Annetta ? « Ils observent. Ils observent et ils attendent. » Elle comprit alors que la validé n'avait pas dû être surprise du départ d'Hanza.

La jongleuse avait fini son numéro, remplacée au centre de la pièce par une artiste de la troupe que Celia n'avait pas encore vue : une femme au visage grave, blanchi à la craie comme celui d'un pierrot. À la différence des autres, elle ne portait pas de pantalon mais une curieuse robe ample aux manches bouffantes. Le tissu rayé aux couleurs vives était couvert de paillettes argentées. Quand elle marchait, elle semblait glisser sur le sol comme si elle était montée sur des roues.

Il faisait maintenant complètement noir dehors et on avait allumé les lampes. L'excitation créée par les acrobates et la jongleuse fit place à un calme chargé de suspense. En silence, la femme au visage de pierrot fit lentement le tour de la pièce, faisant apparaître dans son sillage toutes sortes d'objets. Des plis des vêtements, des oreilles, des manches, elle tirait plumes, fleurs et fruits – des grenades, des figues et des pommes. À chacune des chambrières de la validé, elle prit un mouchoir brodé et les enfonça dans le creux de sa main pour les en ressortir attachés ensemble en un arc-en-ciel de soie. De derrière les oreilles d'une des petites princesses, elle sortit deux œufs qu'elle lança en l'air et fit disparaître puis réapparaître sur les genoux du plus petit des enfants, sous la forme de deux poussins qui pépiaient. S'inclinant profondément devant le sultan, la magicienne tourna son regard vers Haseki Gulay, assise près de lui sur son coussin. Le sultan fit un signe d'assentiment et la *haseki* se leva pour se diriger vers le milieu de la salle. Les musiciennes, qui tout ce temps-là étaient restées silencieuses, se remirent à jouer. Il y eut un roulement de tambour et l'on vit s'ouvrir les portes donnant sur les quartiers de la validé. Toutes les têtes se tournèrent dans cette direction, mais non, apparemment cela ne faisait pas partie du spectacle. Car qui vit-on jaillir des portes sinon Hanza ?

Hanza, la coiffe de travers, pâle comme la mort. Entre ses mains, elle tenait un paquet.

— Regardez ! (Le paquet tremblait au bout de ses bras tendus.) C'est Haseki Gulay. C'est elle la coupable !

Un silence de mort s'abattit sur la salle. La *haseki* pâlit mais resta immobile à côté de la magicienne au visage blanc. Celia la vit toucher son bracelet porte-bonheur en verre bleu, comme s'il avait le pouvoir de la protéger. Safiye Sultane s'était redressée, mais ne fit pas un geste.

S'apercevant que tout le monde la regardait, Hanza parut soudain frappée de panique. Elle secoua le paquet et quelque chose tomba sans bruit sur le sol. Elle leva l'objet en l'air : un morceau de papier couvert de symboles et de chiffres écrits en bleu et or.

— Regardez ! Un horoscope. Je l'ai trouvé caché dans sa chambre.

Personne ne réagit.

— Vous savez pour qui il est ? Pour lui (Elle désigna Hassan Aga.) Pour le chef des eunuques noirs. C'est de la sorcellerie, l'œuvre du diable. La *haseki* voulait savoir quand il allait mourir...

La voix anormalement aiguë d'Hanza résonna dans le silence de la salle. Elle avait de l'écume aux coins des lèvres.

— Mais vous ne comprenez pas ? C'est elle qui a essayé de le tuer !

On entendit soudain des pas précipités, le son du métal raclant la pierre, et les eunuques firent irruption, sabre au clair. Mais pour qui venaient-ils, Hanza ou la *haseki* ? Le bruit et la confusion gagnèrent toute la pièce. Tout le monde pépiait en même temps ; les enfants et les plus jeunes des *kislar* s'étaient mis à pleurer. Au centre du chaos, Celia vit Hanza tomber à terre. Elle la crut d'abord simplement évanouie, puis comprit qu'il s'agissait plutôt d'une sorte de crise. Ses lèvres avaient viré au bleu et on ne voyait plus que le blanc de ses yeux révulsés ; son petit corps agité de soubresauts se tordait sur les dalles.

Même les principales maîtresses, d'ordinaire si soucieuses de leur dignité, étaient debout.

— Regardez ! crièrent des voix. Regardez-la, elle est possédée par un démon !

La maîtresse de la coiffure, une géante noire plus haute et plus large que les hallebardiers du sultan, hurlait en tendant le doigt ; des sons incohérents sortaient de sa bouche privée de langue. Tout le monde était debout, maintenant, tout le monde bougeait, courait, piaillait. Sous le regard sidéré de Celia, la pièce n'était plus qu'une mêlée tourbillonnante de soie et de fourrures.

La garde d'élite des eunuques entoura immédiatement le sultan et l'escorta hors de la pièce. Les autres encerclèrent Hanza et l'empoignèrent comme pour la sortir elle aussi, mais elle était difficile à contenir et plusieurs fois elle leur échappa, retombant sur les dalles. Sa tête heurta le sol de marbre avec un craquement sinistre. L'écume au bord de ses lèvres se teinta de sang.

La panique qui régnait dans la pièce était contagieuse. Celia la sentit qui la gagnait elle aussi. La gouvernante du harem se leva, cria pour rétablir l'ordre mais, dans le bruit, personne ne l'entendait. Celia voulut s'enfuir, mais ses jambes refusaient de bouger. *Ne t'enfuis pas, réfléchis, plutôt !* lui sonna une voix dans sa tête. Et, d'un seul coup, elle retrouva son calme. Immobile dans la tempête d'hystérie féminine, Celia constata qu'à part elle il n'y avait que trois personnes à ne pas être en train de courir ou de s'égosiller. Au centre de la pièce, la *haseki* se tenait toujours prés de la magicienne. D'une des extrémités de la salle, Hassan Aga, imposante silhouette couchée sur sa litière, l'observait sans ciller, tandis que de l'autre côté, toujours assise immobile sur son divan, se trouvait la validé. Deux eunuques muets, serviteurs de confiance de Safiye, avaient pris position à ses côtés. Quand elle eut capté le regard de la *haseki*, la validé leva lentement la rose qu'elle tenait entre ses doigts et, d'un coup sec, la brisa en deux. Les muets se dirigèrent immédiatement vers Gulay, la saisirent aux épaules. Elle se laissa faire sans protester ni se débattre, mais, avant qu'ils ne l'emmènent, Celia la vit porter la main à son bras. Soudain quelque chose de bleu et de brillant vola dans sa direction. C'était le bracelet, le bracelet avec les amulettes en verre bleu. Elle leva la main pour l'attraper mais Gulay avait lancé trop court et le bracelet atterrit juste en dessous d'elle, sur la robe de Cariye Lala. Elle se pencha pour le ramasser mais Cariye Lala fut plus rapide qu'elle. Avec une surprenante agilité, la vieille femme se pencha et saisit le bracelet.

— *Cariye* ! dit Celia d'un ton décidé. Cariye Lala, je crois que ceci est pour moi.

La sous-maîtresse la regarda, une expression de surprise dans ses yeux d'un bleu délavé. Celia se remémora ce soir-là, au hammam de la validé : le contact du marbre froid sur ses cuisses, l'odeur du *ot*, la vieille tête de Cariye Lala qui montait et descendait sur la poire. Elle se rappela aussi la sensation précise, la minuscule griffure causée par le doigt de Cariye Lala quand il s'était insinué brutalement dans son sexe. Ce même doigt d'où pendait maintenant le bracelet bleu de la *haseki*.

— S'il vous plaît, insista Celia en se redressant de toute sa taille. Le bracelet.

Mais Cariye Lala ne fit pas mine de le lui tendre. Elle restait là à regarder Celia de ses yeux vifs, sa petite tête penchée de côté. Dans ses atours de fêtes, pensa méchamment Celia, elle ressemblait à un vieux perroquet empaillé.

— Le bracelet, intima Celia avec toute l'autorité dont elle était capable. S'il vous plaît, *cariye*.

Elle tendit la main.

Cariye Lala ne semblait toujours pas disposée à abandonner son trésor.

Et puis d'un seul coup, comme lassée d'un jeu puéril ou ayant obtenu la réponse qu'elle cherchait, elle laissa tomber le bracelet dans la paume ouverte de Celia.

Celia referma les doigts sur le bracelet. Quand elle leva les yeux, la *haseki* avait disparu.

Nul ne peut voir les sacs qu'on jette la nuit dans les eaux noires du Bosphore. Mais on entend toujours la salve de coups de fusil qui accompagne l'exécution d'une anonyme du harem.

326

À bord du *Hector*, Paul Pindar, qui ne dormait pas, l'entendit.

De sa chambre dans le harem du palais, Celia, qui ne trouvait pas non plus le sommeil, l'entendit.

Et sur sa litière de soie, toujours enveloppé de sa chemise talismanique, Petit Rossignol s'agita et se retourna, ses yeux tels deux fentes noires dans l'obscurité.

23

Les recherches d'Elizabeth à l'université du Bosphore avaient enfin commencé. Elle s'y rendait en bus. Les premiers jours, Haddba avait tenu à ce que Rachid l'accompagne pour lui montrer le chemin, mais elle prit vite assez d'assurance pour y aller seule. Elle s'aperçut que la balade lui plaisait. Jusqu'à maintenant, elle s'était sentie un peu comme un fantôme dans cette ancienne cité, mais les trajets quotidiens en bus lui permettaient d'acquérir de la substance, lui donnaient l'impression de faire partie de la cité, même temporairement, tandis qu'elle cahotait et brinquebalait avec les autres banlieusards sur les rues pavées d'Istanbul.

Le soir, elle effectuait le trajet dans l'autre sens. Une fois qu'elle se fut un peu familiarisée avec la ville, il lui arrivait parfois de s'arrêter dans l'un ou l'autre des vieux villages qui bordent le Bosphore : à Ermigan, réputé pour l'excellence de ses eaux, pour y prendre un thé et acheter des gâteaux pour

Haddba dans sa boutique préférée, la Citir Pastahane, ou encore dans l'un des cafés de la vieille place du village à Ortakoy, pour y déguster des mézés – du yoghourt à l'ail parfumé de menthe et d'aneth, des moules farcies, de la pâte de coings – et regarder les passants.

Ses journées étaient longues et solitaires, mais Elizabeth ne se sentait pas seule. L'automne laissait peu à peu place à l'hiver et la mélancolie de la ville convenait à son humeur. Elle passait les longues soirées à jouer aux cartes avec Haddba, à des jeux démodés comme le piquet et le rami, ou à écrire à Eve. Elle trouvait reposant de ne pas avoir à parler.

Les premières semaines, ses recherches à la bibliothèque n'avancèrent que très lentement. Mais, en dépit du manque d'archives, elle fit d'autres trouvailles intéressantes.

Un jour, elle tomba sur un livre consacré à la Compagnie du Levant et, l'ouvrant au hasard, se trouva face à un portrait de Paul Pindar.

Elle nota d'abord son côté ténébreux : des yeux noirs, intelligents et inquisiteurs, qui la regardaient sous des cheveux coupés court, une barbe soignée, taillée en pointe, sans une trace de gris. À l'exception d'une collerette blanche, il était vêtu entièrement de noir. En le regardant de plus près, elle constata qu'il s'agissait là du portrait d'un homme d'âge mûr, mais la silhouette était encore mince, sans trace d'embonpoint, et on ne décelait sur sa personne aucun signe de richesse, d'indolence ou d'excès. Au contraire, il émanait du portrait une impression d'énergie bouillonnante. L'image même du marchand aventurier. À la main, il tenait un objet qu'Elizabeth ne put identifier, l'offrant au spectateur sur sa paume ouverte. Elle alluma la lampe de lecture sur sa table mais le livre était vieux, publié dans les années 1960, et la reproduction de si mauvaise qualité que, même en pleine lumière, l'objet était impossible à discerner.

Elizabeth fit une photocopie du portrait. En rentrant à sa chambre, elle la posa sur la table près de sa copie du récit de Celia Lamprey et de la photocopie du journal de Dallam. Elle prit cette dernière et en relut un passage.

> *... alors traversan une petite coure carée pavée de marbre, il monstrat du doit une griye dans un mur, mais me sinifia qu'il ne pouvoit allé la luy-mesme. Quand j'arrivai à la griye le mure estoit très épais et griagé des deux côté de fort barreau de fer ; mais par cette griye je vi trante des Concobines du Grand Sinyor jouan à la bale dans une autre coure. Ceste vizion me plésoi merveileusemen...*

Elle remit soigneusement les pages en place sur la table. Qui d'autre connaissait l'existence de cette grille dans le mur ? Si un simple garde du palais était au courant – même s'il n'osait pas s'en approcher lui-même –, d'autres étaient forcément dans le secret. Et comme l'avait compris Thomas Dallam, si lui pouvait regarder à l'intérieur, alors une femme, à condition de savoir que la grille était là, pouvait aussi bien regarder à l'extérieur.

> *... Sy elles m'avoit vu, elle seroit toute venu vers mo pour me voir et se seroit demandé qui j'estois et*

*coman j'estois venu là, de mesme que je le faisois en
les voyans...*

En lisant les mots, Elizabeth repensa aux chambres
et aux couloirs déserts du harem, à leur pénombre
bleue et verte. À ce rire qui l'avait tant surprise, et ce
bruit de pas précipités.

Elle passa une main sur ses yeux. *Cela ne sert à
rien, je ferais mieux de m'en tenir aux faits. Je vais
demander à Eve ce qu'elle en pense*, résolut-elle, et,
comme en écho, un bip signala l'arrivée d'un
message sur son portable. Mais ce n'était pas Eve.
C'était un texto de Marius.

Eve le regarda d'un œil presque indifférent,
comme un affamé à qui on vient de jeter une croûte
trop dure pour être mangée, *ou ttpa c bb ?* Insouciant. Comment un texto peut-il être insouciant ?
Pourtant, Marius y arrivait très bien. *Où j'étais ? Je
vais te le dire, moi, où j'étais : j'ai traversé l'enfer*,
eut-elle envie de répondre. Mais elle n'en fit rien.
Elle effaça le message, se sentit euphorique pendant
environ cinq minutes, puis pleura une bonne demi-
heure, le cœur en miettes.

Novembre fit place à décembre. Les jours s'écou-
laient dans une agréable monotonie rompue seulement par Haddba qui, de temps en temps, lui
enjoignait – un ordre à peine voilé sous la forme
d'une courtoise suggestion d'aller dans tel restaurant
ou tel café, de se rendre au marché égyptien aux
épices afin de lui acheter des fleurs de camomille
pour ses *tissane*, dans telle boutique où elle devait
absolument goûter un verre de *boza*, cette boisson
d'hiver rendue célèbre par les janissaires, et où l'on

pouvait voir au mur, enchâssé dans une vitrine, un verre jadis utilisé par Atatürk.

Mais le plus clair de son temps se passait à travailler et à lire, si profondément immergée dans sa tâche qu'il ne lui restait ni le temps ni la force de penser à l'Angleterre. Ses rêves, quand il lui arrivait de s'en souvenir, ne concernaient ni Marius ni l'inconnu du Kiosque de Malte, mais la mer et un naufrage et Celia Lamprey, l'amour perdu du marchand Pindar.

Un matin, tandis qu'elle descendait pour le petit déjeuner, la voix familière aux accents chantants la héla dans l'entrée.

— E-*li*-za-beth.

— Bonjour, Haddba.

— J'ai un très beau programme pour vous, aujourd'hui. (Haddba portait son habituelle robe-housse d'un noir poussiéreux ; dans la pénombre de l'entrée, ses boucles d'oreilles dansaient contre son cou.) À condition, bien sûr, que vous ne soyez pas trop occupée, ma chère petite.

Elle gratifia Elizabeth d'un de ses regards impérieux. La jeune femme, qui ce matin-là avait plutôt la tête aux subtilités du commerce élisabéthain, sourit intérieurement. Haddba avait une vision décidément épicurienne de l'équilibre entre travail et loisir.

— Qu'allez-vous encore me sortir de votre chapeau ?

— Eh bien, j'y pense depuis un moment : je crois qu'il est grand temps pour vous de faire un petit tour sur le Bosphore. Un tour en bateau.

— En bateau ? Aujourd'hui ? fit Elizabeth, espérant ne pas avoir l'air trop paniqué.

— Mais bien sûr, aujourd'hui. Vous travaillez trop. Regardez-vous, vous êtes si pâle, la morigéna Haddba en lui pinçant la joue. Vous, les jeunes, les filles, vous ne savez plus prendre soin de vous. Un peu de grand air, voilà ce qu'il vous faut, c'est excellent pour le teint.

Elle tapota la joue d'Elizabeth.

— Le bateau va m'emmener à l'université ?

— L'université ? se récria Haddba avec l'air de n'avoir jamais rien entendu de plus absurde. Tout ne s'apprend pas dans les livres, vous savez. Non, non, j'ai demandé à mon neveu de vous emmener visiter un des *yalı*. Nos maisons d'été des bords du Bosphore. Je crois que cela va vous plaire.

— Un *yalı* ? répéta Elizabeth. En décembre ? (Puis elle ajouta :) Je ne savais pas que vous aviez un neveu.

— Vous n'avez jamais rencontré Mehmet ? s'exclama Haddba, visiblement très surprise. Ah bon... Eh bien il est ici.

Elizabeth s'aperçut qu'un homme se tenait dans l'embrasure de la porte. Il s'avança pour les saluer et elle le regarda. *Oh, mon Dieu ! Pas vous !* fut la seule pensée qui lui vint à l'esprit.

— Mehmet, je voudrais te présenter mon amie Elizabeth. Elizabeth, Mehmet.

Ils échangèrent une poignée de main.

— Cela m'étonne que vous ne vous soyez pas encore rencontrés, dit innocemment Haddba, son regard allant de l'un à l'autre. Vous devriez aller vous asseoir au salon. Je vais chercher Rachid.

Ils s'installèrent face à face sur un des rigides sofas rembourrés de crin de cheval. Pas de marches russes, aucun autre résident ne se trouvait là ce matin. Pour une fois, la pièce était silencieuse.

— Alors vous êtes le neveu d'Haddba ? finit par demander Elizabeth, se fustigeant de son manque total d'originalité.

— En fait, c'est plutôt une façon de parler. Je ne suis pas réellement son neveu, répondit-il en souriant. Enfin, pas comme on l'entend généralement. (Elle remarqua qu'il parlait un anglais très correct, avec une surprenante pointe d'accent français.) Mon oncle était son ami. (Il pesait soigneusement ses mots.) Mais un ami très cher, je crois. À sa mort, il lui a légué cette maison.

— Oh.

Ils retombèrent dans le silence. Elizabeth essaya sans succès de trouver quelque chose à dire. Tout ce qu'elle pouvait penser c'était : *Est-ce qu'il m'a reconnue ?*

— En fait, je crois que nous nous sommes déjà rencontrés.

— Mmm ?

— Eh bien, nous n'avons pas exactement fait connaissance. C'était ici, dans cette pièce. Je suis venu un après-midi lire le journal et vous étiez là, occupée à quelque chose, en train d'écrire une lettre, je crois. Vous avez changé les disques sur l'électrophone.

— Bien sûr ! s'exclama Elizabeth, se retenant d'éclater de rire. Oui, je crois que je me souviens, maintenant.

Ce n'était pas au Kiosque de Malte ! Merci, mon Dieu ! Elle se sentait ivre de soulagement.

Rachid entra, portant deux tasses sur un plateau.

— Nous devrions peut-être attendre Haddba, suggéra Elizabeth, la cherchant des yeux dans l'entrée, consciente de se tenir très raide sur le sofa guindé. Où est-elle passée, à votre avis ?

— Selon moi, elle a dû se dire qu'elle serait... de trop. Je crois que ce garçon est amoureux de vous, ajouta-t-il en voyant Rachid servir le café d'Elizabeth.

— Oh... non, protesta Elizabeth.

Il commença à taquiner en turc le jeune garçon, mais elle étendit la main pour l'arrêter.

— Non, ne faites pas ça. Je vous en prie, vous allez le gêner. C'est un gentil garçon et il travaille dur. Je lui rapporte de petites choses de temps en temps, voilà tout.

— Vous aimez les enfants ?

De la part de n'importe qui d'autre, la question aurait pu paraître condescendante, mais venant de lui, bizarrement, ce n'était pas le cas et elle y réfléchit sérieusement avant de répondre.

— Oui. Je crois que je les ai toujours aimés.

— Alors c'est pour cela qu'ils vous aiment.

De nouveau, ils se turent. Elizabeth jeta un autre coup d'œil en direction de l'entrée, mais ne vit personne. Où était Haddba quand on avait besoin d'elle ? Elle vit qu'il l'observait et se hâta de baisser les yeux, mais il avait suivi son regard.

— Haddba est une femme vraiment remarquable.

— C'est le moins que l'on puisse dire.

Et, aujourd'hui, elle tient plus de l'entremetteuse que de la bonne sœur, ironisa-t-elle intérieurement. *Mais à quoi est-ce qu'elle joue ?*

Maintenant qu'elle était un peu remise de ses émotions, elle pouvait voir que Mehmet était un peu plus âgé qu'elle, autour de la quarantaine, bien en chair sans être gros. Un profil tout droit sorti d'une miniature persane. Pas exactement beau mais... elle chercha le mot... soigné. Et somme toute plutôt charmant.

— Alors vous la connaissez bien ?

— Oh non ! répliqua-t-il en riant. Personne ne peut se vanter de bien connaître Haddba. (Il se pencha en avant, complice.) Personne ne vous l'a dit ? Haddba est un des grands mystères d'Istanbul.

— Quel dommage ! Et moi qui croyais que j'allais pouvoir vous poser toutes sortes de questions à son sujet.

— Mais rien ne vous en empêche. Demandez-moi, par exemple, si elle est turque.

— D'accord, fit Elizabeth, le regardant droit dans les yeux. Est-ce qu'elle est turque ?

— Non, et pourtant elle parle mieux turc que moi. Pas ce qu'on pourrait appeler le turc démotique, mais l'ancien ottoman de la cour impériale, très élaboré et très courtois.

— Vraiment ?

— Oui, vraiment, acquiesça-t-il en soutenant son regard avec un sourire qui lui plissait le coin des yeux. La seule personne que j'aie jamais entendue parler ainsi, il y a maintenant des années, était une amie de ma grand-mère qui, dans sa jeunesse, avait vécu au harem du sultan.

— Haddba n'est quand même pas si vieille que ça ?

— Croyez-vous ? rétorqua-t-il, énigmatique. Mais non, vous avez raison, c'est peu probable. Elle a quand même dû l'apprendre quelque part.

— Et alors, si elle n'est pas turque ?

— D'après la théorie de mon oncle, c'est une Juive arménienne, mais elle affirme que non. D'autres prétendent qu'elle est perse, ou même grecque.

— Et vous, qu'en pensez-vous ?

— Mon hypothèse favorite, c'est qu'elle est la fille d'une danseuse russe, une de ces trois sœurs au talent exotique qui sont venues à Istanbul dans les années 1930, mais qui sait ? conclut-il avec un sourire et un haussement d'épaules.

— Et personne n'a eu l'idée de le lui demander ?

Il arqua un sourcil.

— Vous le feriez ?

Ils échangèrent un regard entendu. *Il a tout à fait raison*, pensa Elizabeth. Haddba considérerait cela comme une impertinence. C'est intéressant qu'il le voie aussi...

— Eh bien, vous ne me demandez rien d'autre ?

Le ton était amical, et Elizabeth finit par se détendre.

— En fait, non, répliqua-t-elle avec le sourire, se laissant aller en arrière contre le dossier inconfortable, mais j'ai comme l'impression que vous allez quand même encore me raconter des choses.

— Posez-moi une question sur ses bijoux.

— Ses bijoux ?

— Ah, vous voyez ! Je me doutais bien que ça vous intéresserait.

— D'accord, admit-elle, s'amusant beaucoup malgré elle, parlez-moi de ses bijoux.

— Vous les avez sûrement remarqués ?

— J'ai vu qu'elle a des boucles d'oreilles extraordinaires.

— Des pièces de musée.

— Vraiment ?

— Oui, assura-t-il, redevenu sérieux. Tous des pièces de musée. Une collection sans prix – colliers, bracelets, bagues –, des objets exquis. Elle les range dans une vieille boîte en fer sous son lit.

— Sous son lit ? Elle n'a pas peur qu'on les lui vole ?

— Voler Haddba ? Personne ne s'y risquerait.

— Et d'où est-ce qu'ils viennent ?

— Ah, encore une énigme. Certains parlent de Farouk, l'ancien roi d'Égypte... Mais, là non plus, personne n'en sait rien. De toute façon, j'aime bien les mystères, ajouta-t-il en se levant. Pas vous ?

Elizabeth le regarda prendre ses affaires.

— Vous partez ? s'enquit-elle, prenant conscience trop tard de la déception dans sa voix.

— Pardonnez-moi, j'ai déjà trop abusé de votre temps.

— Oh non, pas du tout !

— Vous comprenez, Haddba m'a demandé de vous emmener faire une promenade en bateau sur le Bosphore. Vous la connaissez, elle et ses enthousiasmes subits, mais je vois bien, ajouta-t-il, désignant la sacoche et l'ordinateur portable d'Elizabeth, que j'ai choisi le mauvais jour.

— Non, vraiment.

— Mais vous comptiez aller à l'université aujourd'hui, n'est-ce pas ?

— En effet, admit-elle, ne sachant que dire d'autre.

— Ah, alors, dans ce cas, je ne voudrais pas m'imposer. Une autre fois, peut-être ?

— Oui, une autre fois.

Le silence s'installa entre eux et, pour y mettre fin,

elle lui tendit la main mais, au lieu de la serrer, il la porta brièvement à ses lèvres.

— Au revoir, Elizabeth.

— Au revoir.

De la fenêtre, Elizabeth regarda s'éloigner dans la rue la haute silhouette de Mehmet. Elle entendit le bip d'une voiture qu'on déverrouille à distance et le vit monter dans une Mercedes blanche garée au coin de la rue. Il ne s'était pas retourné, mais elle avait le sentiment qu'il se savait observé ; peut-être s'attendait-il plus ou moins à ce qu'elle lui coure après ? Et pourquoi pas ? Qu'est-ce qui l'en empêchait ?

Soudain, la journée semblait avoir perdu toute saveur.

— Alors, Elizabeth ?

Haddba se tenait à côté d'elle. Elle était entrée sans bruit et, par-dessus l'épaule d'Elizabeth, regardait démarrer la voiture de Mehmet.

— Je vois que vous avez décidé de le faire attendre.

— Je suis désolée, Haddba.

Mais en se retournant elle vit qu'Haddba arborait une expression satisfaite. Ses yeux de mère supérieure brillaient de plaisir.

— Ne vous excusez pas, ma chère petite, déclarat-elle en lui tapotant la joue. Vous n'êtes pas si bête, finalement, ajouta-t-elle avec un petit rire. Et n'allez pas me dire que c'est à votre université qu'on vous apprend cela.

24

La nuit

Celia s'éveilla dans un cri. Elle n'identifia pas tout de suite ce qui l'avait tirée en sursaut d'un sommeil agité. Le temps de comprendre que c'étaient les coups de fusils tirés sur le Bosphore pour annoncer l'exécution de Haseki Gulay, elle était déjà terrorisée. Une terreur comme elle n'en avait ressenti qu'une seule fois dans sa vie. Dans cette fraction de seconde qui précède le réveil, tout lui était revenu : le rugissement des vagues qui frappaient les rochers et la coque du bateau, les craquements sinistres du mât, le poids des ses jupes trempées, le vent et le sel qui l'aveuglaient, l'éclair d'une lame qui s'abattait, le corps sanglant de son père sur le pont du navire en train de sombrer.

Elle se redressa sur son lit, haletante. En dépit des chaudes courtepointes, elle avait la peau moite et glacée. Il faisait si noir dans sa chambre – comme toutes celles attribuées aux *kislar*, la pièce ne possédait pas de fenêtre donnant sur l'extérieur – qu'elle ne put même pas voir ses mains quand elle les leva devant son visage. Était-ce ainsi quand on était aveugle ? Elle crut entendre des pas – un intrus se déplaçant sans bruit dans la chambre ? – et il lui fallut un moment pour se rendre compte qu'il s'agissait seulement des battements de son cœur.

Petit à petit, ses yeux s'habituèrent à l'obscurité et elle commença à discerner des formes. Contre le mur du fond, ses deux servantes dormaient sur le sol, enroulées dans leurs couvertures. Dans une niche dernière elle, une bougie finissait de se consumer avec une minuscule flamme bleue. Celia plongea la main dans la niche et en retira le bracelet de la *haseki*. Elle se rallongea pour réfléchir. Qui, en réalité, était à l'origine de la dénonciation de la *haseki* ? Hanza était ambitieuse, mais trop inexpérimentée, Celia en était de plus en plus convaincue, pour avoir monté cela toute seule. Haseki Gulay avait été sur le point de lui révéler qui était le troisième Rossignol – était-ce à cause de cela ? *Elle ne pourra plus me le dire, maintenant*, pensa-t-elle avec tristesse.

Une fois Hanza et Gulay emmenées par les eunuques, la validé et les maîtresses du harem avaient promptement rétabli l'ordre. Afin de calmer les *kislar*, le silence avait été décrété pour le reste de la soirée. Personne ne savait de façon certaine ce qu'était devenue Hanza ; mais, si l'on en croyait les visages pâles et atterrés autour d'elle, il ne subsistait guère de doutes dans les cœurs sur le sort de Haseki Gulay.

On dit qu'il y a des destins pires que la mort. Celia fit de son mieux pour ne pas y penser, mais ne put s'empêcher d'imaginer ce que cela devait faire d'être cousue dans un sac ; elle imagina les mains qui la soulevaient brutalement, le son d'une voix qui hurlait, suppliait – « Non, non, tuez-moi d'abord, tout, tout mais pas ça » –, les tentatives frénétiques pour se libérer à coups d'ongles et de dents et puis la terreur quand l'eau pénétrait dans le sac, envahissait les yeux, les oreilles, explosait dans la gorge et le nez.

Et puis le froid. Plus rien que le froid.

Une boule de panique lui monta dans la gorge. La respiration coupée, elle jaillit de son lit et courut à la porte ou elle resta un moment, frissonnante, à aspirer péniblement de grandes goulées d'air. Au bout de quelques minutes, la douceur de la nuit et la fermeté du sol sous ses pieds finirent par la calmer. Elle porta la main à sa gorge, se força à respirer normalement et sentit sous ses doigts la forme dure de la clef toujours pendue au bout de sa chaîne, la clef de la Porte de la Volière.

Ce serait de la folie, sûrement... Celia fit quelques pas d'exploration dans la cour. Comme c'était calme ! Pas un seul bruit. Il y avait un tel clair de lune qu'elle pouvait distinguer le rouge de sa robe. Personne pour la voir, personne pour l'entendre. La clef était déjà dans sa main...

Mais non, impossible. « Ils observent. Ils observent et ils attendent », avait dit Annetta. Et c'était vrai, qui que puissent être ces « ils ». Les Rossignols ? Elle n'en savait plus rien. La peur d'Annetta, celle de la *haseki* l'avaient contaminée. Elle sentait des yeux la sur-veiller, quoi qu'elle fasse, où qu'elle aille, peut-être même en ce moment. Tenter d'ouvrir la Porte de la Volière – et pour quoi ? – serait pire que de la folie, ce serait la mort.

À cette pensée, elle recommença à avoir du mal à respirer, mais s'aperçut cette fois que ce n'était pas la peur du sac qui la mettait dans cet état. *C'est cet endroit, cette vie, c'est pire que de se noyer.* Elle sentit monter un désespoir proche de la folie.

Avant de pouvoir changer d'avis, Celia se mit à courir.

Plus tard, elle serait incapable de se rappeler comment elle était arrivée à la Porte de la Volière. Une course rapide et silencieuse, sans un regard en arrière, à travers les corridors et les couloirs, les esca-liers et les sentiers, vers cette partie des jardins du harem où une fois, quand elle venait juste d'être déclarée *gözde*, on lui avait permis de regarder les *kislar* novices jouer à la balle. Elle ne s'arrêta pas de courir avant d'arriver au mur extérieur du jardin et là, entre deux myrtes en pot comme Hanza le lui avait décrit, elle distingua les contours d'une grille en métal, encastrée dans une ancienne porte main-tenant entièrement dissimulée sous le lierre. La grille était si petite et si bien cachée par la végétation que, si elle n'avait pas su exactement où chercher, elle ne l'aurait jamais trouvée. Celia introduisit la clef dans la serrure et tira la porte, qui s'ouvrit sans difficulté.

Comme un oiseau en cage qui ne sait plus voler, Celia hésita un instant sur le seuil. Elle se retourna et tendit l'oreille mais, sous la lumière argentée de la lune, les jardins du harem étaient absolument silencieux. Pas même un souffle de vent. Puis elle le vit, de l'autre côté de la porte : le cadeau des Anglais. C'était beaucoup plus gros qu'elle ne l'avait imaginé : une énorme boîte, trois fois plus haute qu'elle, qui trônait toute seule à une dizaine de mètres de là. Comme en rêve, elle se regarda avancer en silence sous la lune.

Celia examina l'étrange objet avec attention. La partie basse comportait un clavier avec des touches d'ébène et d'ivoire comme sur une épinette, Ici et là, de petits morceaux de papier étaient insérés entre les touches pour les caler, sans doute parce qu'on venait juste de les coller. Au-dessus, fixés sur un panneau, les tuyaux de l'orgue s'alignaient en ordre croissant. Au centre de l'étrange assemblage, un cadran d'horloge marquait l'heure, flanqué de deux anges qui embouchaient des trompettes d'argent pour jouer une sonnerie silencieuse. Tout à fait en haut de la structure se trouvait quelque chose qui ressemblait à un buisson fait de fils métalliques et, parmi les fils, des oiseaux de différentes espèces ouvraient le bec comme pour chanter, mais aucun son n'en sortait. Leurs petits yeux ronds brillaient sous la lune, semblant suivre Celia tandis qu'elle faisait plusieurs fois le tour de l'objet pour mieux admirer l'art et la délicatesse de sa facture.

Paul, oh Paul ! Celia porta la main à sa joue. *C'est de toute beauté, vraiment. Y serais-tu pour quelque chose ?* Elle sentit les larmes lui piquer les yeux et pourtant, quand elle posa son autre main sur sa bouche, elle s'aperçut qu'elle souriait aussi. *Comme si je ne le savais pas !* Le visage tendu, elle posa ses doigts tremblants sur les touches, sentit leur contact sur sa peau. *Mon Dieu ! Paul, mon cher amour !* Elle pleurait et riait en même temps. *C'est une boîte de curiosités, voilà ce que c'est ! Je parierais ma vie que c'était ton idée.* Celia posa le front sur le coffrage et, les joues humides, étendit les bras aussi loin qu'elle le pouvait, le caressa de ses doigts pour en sentir le grain et les nœuds, respira profondément l'odeur piquante du bois neuf.

Un bruit la fit s'immobiliser. Quelque chose avait craqué sous ses pieds. Elle se pencha, referma les doigts sur un petit objet dur : un bout de crayon laissé par un ouvrier.

Elle arracha un fragment à l'un des morceaux de papier qui dépassaient du clavier et resta un moment le crayon en l'air. *Quoi que j'écrive, cela ne doit pas risquer de nous trahir l'un ou l'autre –* rien que d'y penser, elle avait la peur au ventre *–, donc, pas de mots, Paul. Mais – je sais ! – une curiosité bien à moi.*

Rapidement, Celia traça trois lignes sur le papier. Puis elle s'enfuit par la Porte de la Volière, retraversa en courant les jardins, les escaliers et les sombres corridors déserts du harem, silencieuse comme le vent.

En se retrouvant dans sa cour, Celia avait du mal à croire à quel point cela avait été facile, finalement. Autant pour les craintes d'Annetta. elle était sortie par la Porte de la Volière et personne ne l'avait vue. Elle n'avait été ni observée ni découverte. Les ombres dans la cour s'étaient à peine déplacées ; elle estima qu'elle avait dû faire l'aller-retour en moins de dix minutes.

Celia était trop enivrée par son succès pour se résoudre à rentrer tout de suite dans sa chambre. Elle se dirigea plutôt vers l'entrée des appartements de Haseki Gulay, dont elle n'avait jamais osé s'approcher. Une des portes pendait sur sa charnière brisée. Elle jeta un coup d'œil prudent à l'intérieur. La pièce gardait les tristes traces d'un déménagement hâtif : une tasse brisée sur le sol, une petite serviette brodée, roulée en boule et jetée dans un coin, le cadavre d'une grosse mouche bleue. Elle sentit quelque chose sous son pied nu et se baissa pour le ramasser. Sa gorge se serra en reconnaissant la petite mule brodée de fils d'or et d'argent.

Elle était à mi-chemin de sa chambre quand, levant les yeux, elle vit, ou crut voir, un léger mouvement à la limite de son champ de vision. Elle attendit. Et le vit de nouveau, plus distinctement cette fois : la lueur d'une lampe quelque part sous les toits, juste au-dessus de l'entrée. Il semblait bien y avoir quelqu'un dans les appartements de la *haseki*, après tout.

Celia hésita. N'avait-elle pas déjà pris suffisamment de risques pour la nuit ? Mais non, au contraire, cela lui avait prouvé à quel point il était facile de se déplacer sans être vue dans le palais, à condition d'en avoir le courage. Quelques minutes de plus ne feraient pas de différence. Elle s'approcha à pas de loup de sa chambre et, comme elle le pensait, n'entendit pas un bruit venant de ses servantes. Elle retourna rapidement vers la pièce vide.

Celia franchit le seuil et regarda autour d'elle. Rien, l'endroit était aussi silencieux qu'un tombeau.

Puis elle se rappela sa conversation avec Annetta, le jour où on avait retrouvé le chef des eunuques noirs et où Esperanza Malchi avait laissé ce sable coloré devant sa porte. Annetta avait remarqué quelque chose qu'elle, Celia, n'avait pas vu. Mais qu'est-ce que c'était ? Qu'avait-elle dit, déjà ?

« Très malin, tout ça ! » Elle entendit dans son souvenir les inflexions familières d'Annetta. « Il doit y avoir au moins trois entrées. Ses appartements doivent aussi communiquer avec le hammam de la validé. »

Annetta avait remarqué que les appartements de la *haseki* n'étaient pas tout à fait ce qu'ils paraissaient être ; qu'ils s'étendaient sur deux niveaux et avaient plusieurs entrées.

Celia regarda de nouveau autour d'elle avec plus d'attention, cette fois. Elle repéra tout de suite la porte en face d'elle, celle qui, comme Annetta s'en était doutée, devait mener au hammam de la validé, mais elle ne vit pas trace d'une autre sortie, ni d'un accès quelconque vers le niveau supérieur. Seulement des placards en bois. Celia alla ouvrir l'un d'entre eux et n'y trouva qu'un matelas roulé. La porte de l'autre placard résista un peu mais elle finit par en venir à bout. Rien, là non plus.

Annetta avait dû se tromper. S'il y avait un étage au-dessus de l'appartement, il ne semblait pas possible d'y accéder depuis cette pièce. Celia frissonna. La lassitude et le froid commençaient à la gagner mais, comme elle s'apprêtait à quitter la pièce, elle entendit un bruit léger mais distinct : des pas faisaient grincer le plancher en haut, juste au-dessus du premier placard. Celia courut l'ouvrir pour l'examiner de plus près. Elle enleva le matelas roulé et trouva une porte derrière.

Elle l'ouvrit. Et là, comme elle l'aurait parié, elle découvrit une volée de marches. L'escalier était tortueux et très étroit, à peine assez haut pour qu'elle puisse le gravir sans se cogner la tête. Elle regrettait de ne pas avoir pensé à prendre la bougie de sa chambre. Heureusement, un faible rayon de lune éclairait les marches. Celia continua à grimper jusqu'à ce qu'elle émerge dans une petite pièce circulaire, un grenier rudimentaire au toit voûté. Elle comprit alors qu'elle se trouvait à l'intérieur de la coupole qu'Annetta lui avait fait remarquer au-dessus des appartements de la *haseki*. Et c'était de là, elle en était certaine, qu'était venue la lumière. Elle regarda autour d'elle, mais la petite pièce ne contenait rien d'autre que quelques toiles d'araignées. Une odeur de raphia moisi montait du sol. Visiblement, l'endroit n'avait jamais été habité mais constituait un bon poste d'observation. La base de la coupole était percée sur tout son pourtour de trous qui laissaient entrer le clair de lune. Quelqu'un se tenant ici, constata Celia en approchant son œil d'une des ouvertures, avait une vue parfaite sur la cour en bas ; il pouvait aussi observer tous ceux qui entraient et sortaient de l'un ou l'autre des appartements.

Ce fut à ce moment-là qu'elle remarqua une deuxième porte, si basse qu'elle l'avait d'abord prise pour un placard mais, lorsqu'elle l'ouvrit, elle vit qu'elle donnait sur un couloir. Et là, tout au bout, elle discerna la faible lueur de la lampe qui s'éloignait.

Celia se retrouva dans un espace particulièrement resserré, un étroit couloir qui semblait plus vieux et moins bien fini que le reste des bâtiments du harem. Elle avait entendu dire un jour que les lieux avaient été presque entièrement reconstruits avant l'arrivée du nouveau sultan. Peut-être que ce corridor faisait partie de l'ancienne structure et qu'on avait construit dessus au lieu de le démolir.

Presque pliée en deux, elle continua à marcher, tâtant son chemin du bout des doigts. Le corridor serpentait, tournant à gauche, à droite, vers le haut, vers le bas, une marche ici, deux marches là, jusqu'à ce qu'elle se retrouve totalement désorientée. Elle pensa d'abord qu'elle se trouvait au-dessus du hammam de la validé, mais s'avisa bientôt que ce couloir d'en haut avait probablement été construit parallèle à celui d'en bas qui passait devant l'entrée des appartements de la validé pour mener à la Cour des Cariye.

Et soudain, à un détour du couloir, elle se trouva face à une fourche. Une des branches descendait abruptement vers la gauche. L'autre, fortement incurvée vers la droite, était si étroite que Celia commença par douter que quiconque puisse s'y introduire, encore moins avec une lampe.

Il faisait très noir. La seule source de lumière, la lune entrant par les trous de la coupole, se trouvait maintenant loin derrière elle. Celia se laissa maladroitement tomber à quatre pattes et frotta sa nuque douloureuse. Rien à faire, elle allait devoir repartit en arrière. Était-il possible qu'elle ait imaginé cette lumière, après tout ? Elle se rappela les histoires sur les éfrits et les goules censés hanter le palais la nuit venue, aussi pâles et tristes que le clair de lune. Certaines racontaient que c'étaient les âmes des *cariye* défuntes, des favorites délaissées, mortes de chagrin ou noyées dans le Bosphore.

Non, ce n'était vraiment pas le moment de penser à ça. Celia se força à retrouver son calme. L'entrée du couloir de gauche était absolument noire mais en se concentrant sur le passage de droite, elle finit par distinguer quelque chose devant elle, comme une vague lueur grise.

Celia prit une profonde inspiration et commença à se frayer un chemin dans le corridor de droite. Les débris accumulés dans cet étroit espace bruissaient sous ses pas. Une odeur de vieux bois, plus quelque chose de fétide et de pourri – fientes d'oiseaux ? Cadavre de rongeur ? Mieux valait ne pas penser à ce qui se trouvait sous ses pieds nus – lui piquaient les narines.

Le petit couloir se rétrécit encore, jusqu'à ce que Celia finisse par avoir du mal à avancer dans cet espace confiné. Au prix d'un effort, elle parvint à se tourner de côté. Était-ce ce que Haseki Gulay avait ressenti quand on l'avait mise dans le sac ? Elle sentit monter la panique.

Ce fut à ce moment qu'elle aperçut le trou dans le mur. Juste à la hauteur de ses yeux, mais si petit qu'elle ne l'aurait pas vu si, par la force des choses, elle n'avait eu littéralement le nez dessus. Elle comprit que c'était de là que provenait la lueur grise. D'après une vague estimation de l'endroit où elle se trouvait, Celia en déduisit que le trou devait donner sur la Cour des Cariye. Elle y mit un œil.

La lumière de l'autre côté était si agressive après

l'obscurité totale du couloir qu'elle commença par ne rien discerner du tout. Progressivement, son œil s'accoutuma et, quand elle finit par voir où elle était, elle recula d'un bond, comme si une guêpe l'avait piquée. Seigneur Dieu ! Se retrouver d'un seul coup dans la chambre à coucher du sultan ne l'aurait pas choquée davantage. Ce n'était pas la Cour des Cariye qu'elle avait sous les yeux, mais le cœur même du harem. Elle était en train de regarder dans les appartements de la sultane validé.

Le trou était percé dans l'un des carreaux, mais situé si haut sur le mur qu'il était presque parfaitement dissimulé aux regards ; même en sachant qu'il était là, il devait être pratiquement impossible de le distinguer. C'était aussi bien. Celia frémit en pensant à ce que devait être la punition si on était pris en train d'espionner la validé.

La pièce était exactement comme dans son souvenir. Les carreaux des murs, aux motifs bleus et turquoise sur fond blanc, lui donnaient cette étrange lumière verte, comme si on se trouvait dans la grotte d'une sirène. Bien que la pièce fût vide de toute présence, un feu brûlait dans la cheminée. Du trou dans le mur, Celia pouvait voir l'endroit près de la fenêtre où elle était assise avec la validé ce matin-là (Était-ce seulement trois jours auparavant ?), à regarder les bateaux ancrés dans le port abrité de la Corne d'Or et à discuter comme si elles se connaissaient depuis toujours.

Les paroles d'Annetta lui revinrent à l'esprit. « Quoi que tu fasses, essaie de ne pas trop en dire. Tout ce que tu lui diras, elle s'en servira, *capito* ? » Mais le moment venu, elle avait oublié l'avertissement de son amie.

Qu'est-ce qu'elle avait dit ? Qu'est-ce qu'elle lui avait raconté ? Elle se souvint. *Nous avons parlé des bateaux. Elle m'a demandé s'il y avait quelque chose qui me rappelait ma vie d'avant. Et elle m'a montré les bateaux dans le port.*

Donc, la validé aussi avait toujours su pour le bateau anglais.

Même à cette heure, au cœur de la nuit, les croisées étaient ouvertes. Une couverture doublée de fourrure était abandonnée sur les coussins comme si quelqu'un s'était récemment assis là pour contempler les jardins au clair de lune. Celia se demanda s'il lui arrivait de dormir. « Ils observent et ils attendent », avait dit Annetta, c'était bien vrai. Qu'avait dû faire Safiye pour devenir validé ? N'y avait-il aucun repos, aucun répit ? Celia trouvait à la scène quelque chose de mélancolique.

Juste à ce moment-là, il y eut un mouvement. Si l'espace confiné ne l'en avait empêchée, Celia se serait brusquement rejetée en arrière. Coincée comme elle l'était contre le mur, elle ne tarda pas à s'apercevoir que c'était la fourrure qui avait bougé. Chat ! Celia regarda l'animal s'éveiller et s'étirer sur la couverture. *Vilaine bête, tu m'as fait une de ces peurs !*

Le chat s'arrêta soudain de se lécher les pattes, semblant écouter quelque chose. Celia s'aperçut qu'elle l'entendait elle aussi. Elle ferma les yeux pour écouter plus attentivement. Oui, elle l'entendait distinctement, cette fois. Quelqu'un qui pleurait.

Le bruit ne venait pas des appartements de la

validé, mais de quelque part au bout du petit corridor. Celia quitta le trou dans le mur et se glissa comme elle put jusqu'à l'extrémité du couloir, où un morceau de tissu formait une sorte de rideau. Elle l'écarta avec précaution et se retrouva dans ce qui ressemblait beaucoup à un placard, assez haut cette fois-ci pour qu'elle puisse s'y tenir debout. Les parois étaient en bois et le haut de la porte ajouré. Les pleurs semblaient maintenant tout proches. Celia se mit sur la pointe des pieds pour regarder dans la pièce. Le placard était si étroit qu'elle ne pouvait pas bouger, tout juste respirer ; sûrement quelqu'un allait finir par l'entendre. Elle était sur le point de faire demi-tour pour repartir dans le couloir quand les pleurs redoublèrent. Ils avaient quelque chose de si désespéré, de si totalement désolé qu'elle sentit monter ses propres larmes. Celia hésita. *Idiote !* songea-t-elle. *Tu ne sais même pas qui est là, ça pourrait être n'importe qui. C'est trop dangereux, retourne d'où tu viens !* Mais finalement, presque malgré elle, elle se haussa de nouveau sur la pointe des pieds.

La pièce, qu'éclairait une seule lampe, était de bonne taille et meublée, elle le vit immédiatement, pour une femme de haut rang. Les carreaux sur les murs, décorés de tulipes et de bouquets d'œillets, étaient presque aussi beaux que ceux qui ornaient les appartements de la sultane validé. Un caftan doublé de fourrure, en soie jaune vif, était accroché au mur sur une patère ; des fourrures et des brocarts richement brodés étaient jetés sur les coussins. Juste en face du placard où elle se tenait, un renfoncement dans le mur formait une alcôve, de celles utilisées habituellement pour y dormir. C'était de là que provenaient les pleurs. Quelqu'un d'aussi malheureux ne devait pas présenter trop de danger, décida-t-elle. Enfin, probablement pas. Celia poussa la porte du placard et fit quelques pas dans la chambre.

Les pleurs cessèrent immédiatement. Dans l'alcôve, une forme sombre se souleva un peu sur les coussins. Il y eut un moment de silence, puis une voix chuchota :

— Êtes-vous un fantôme ?

La voix, basse et douce, lui était inconnue.

— Non, répondit Celia sur le même ton. Mon nom est Kadine Kaya.

La femme s'était redressée mais il faisait trop sombre pour que Celia puisse distinguer autre chose qu'une silhouette.

— Est-ce que vous m'avez apporté quelque chose ? s'enquit-elle avec un tremblement dans la voix, comme si elle allait se remettre à pleurer.

— Non, mais je ne vous ferai aucun mal, je vous le promets.

Il faisait très chaud dans la pièce ; une étrange odeur âcre flottait dans l'air, comme si on avait fait brûler quelque chose.

— Ils ont annoncé qu'ils allaient m'apporter quelque chose, mais ils ne sont jamais venus..., continua la femme d'une voix plaintive.

Celia distingua les contours d'un bras maigre quand elle tira une des courtepointes sur ses épaules.

— J'ai si froid ! poursuivit-elle en frissonnant. Il fait toujours si froid, ici. Remettez du charbon sur le brasero, *kadine*.

— Si vous voulez.

Celia s'approcha du petit brasero près de l'alcôve, se demandant ce qu'on avait bien pu faire brûler sur les braises pour qu'elles dégagent cette curieuse odeur. *Il ne fait pourtant pas froid... on se croirait dans un hammam, ici.*

Celia remit du charbon. La femme se recula dans l'ombre.

— Vous êtes sûre que vous n'êtes pas un fantôme ?

Sa voix était à peine plus qu'un murmure.

— Tout à fait sûre, répondit Celia d'un ton réconfortant comme si elle s'adressait à un enfant. Les fantômes et les goules n'existent que dans les rêves.

— Oh non, non, non, non, non. Je les ai vus ! répliqua la femme avec un mouvement soudain qui fit sursauter Celia. Laissez-moi vous regarder. Je veux voir votre visage.

— Si vous voulez.

Celia prit la lampe posée sur le sol et la leva. Au passage, un rayon de lumière pénétra dans l'alcôve, rien qu'un instant, mais cela suffit à Celia pour apercevoir une femme au corps d'enfant émacié qui la dévisageait de ses yeux creux.

En sentant la lumière sur elle, la femme commença par lever une main pour se protéger, puis la rabaissa en tremblant et Celia vit que son visage n'était pas un visage mais un masque, une mosaïque de pierres colorées couvrant sa peau. Ses cheveux qui tombaient librement sur ses épaules, étaient d'un noir d'encre, avec des reflets presque bleus. Des yeux noirs, lourdement soulignés de khôl, brillaient dans cette étrange face chamarrée. L'effet était à la fois dérangeant et spectaculaire, une princesse byzantine surgie de sa tombe.

— Qu'est-ce qu'on vous a fait ? s'écria Celia qui se laissa tomber à genoux près d'elle.

— Que voulez-vous dire ? Personne ne m'a rien fait, répondit la femme d'un ton plaintif.

Elle explora son visage du bout des doigts, parut légèrement surprise de trouver les pierres, comme si elle avait oublié la présence du masque.

— Ils m'ont dit que je m'étais griffée. Je ne sais pas... je ne me souviens plus. Mais, maintenant, je n'ai plus envie de me voir, alors je cache mon visage.

Elle recommença à se gratter, cette fois sur le haut du bras, où Celia constata la présence d'une plaie ouverte.

— S'il vous plaît, arrêtez, vous allez vous faire mal.

Celia lui attrapa le bras : il était léger et creux comme un vieil ossement. Quel âge pouvait-elle avoir ? Trente ans, quarante ? Cent ans ? C'était impossible à dire.

— Est-ce que vous m'avez apporté quelque chose ? (Les yeux noirs suppliaient.) Les araignées sont revenues, il y en a partout sur moi, *kadine*, cria-t-elle en passant les mains sur ses cheveux, sur les couvertures. Faites-les partir, faites-les partir !

— Tout va bien, il n'y a rien, la rassura Celia qui tenta de lui prendre la main, mais l'autre la repoussa avec impatience.

— Pas d'araignées ?

— Non, pas d'araignées. (Celia se pencha vers elle.) Puis-je savoir votre nom, *kadine* ? s'enquit-elle

356

en prenant la main frêle entre les siennes. Qui êtes-vous ?

— Qui je suis ? (La femme la regarda d'un air pitoyable. Sous le masque scintillant, ses yeux larmoyaient comme ceux d'une vieille femme.) Tout le monde sait qui je suis.

— Bien sûr, tout le monde le sait. (Celia lui sourit.) Vous êtes la favorite du sultan, n'est-ce pas ? dit-elle doucement. Vous êtes Handan, Haseki Handan.

À la mention de son nom, elle se remit à se gratter frénétiquement. Quand elle eut fini, Handan se rallongea sur ses oreillers, épuisée. Celia regarda nerveusement autour d'elle, se rendant soudain compte qu'elle s'était absentée longtemps.

— Je crois qu'il vaut mieux que je rentre, murmura-t-elle.

Mais, comme elle se tournait pour partir, Handan attrapa le bord de sa robe.

— Comment avez-vous su que j'étais là ?

— Haseki Gulay m'a parlé de vous.

— Haseki Gulay ?

La voix d'Handan était dénuée d'expression, comme si le nom ne lui disait rien.

— Oui...

Celia hésita, se demandant si elle devait mentionner le sort de la *haseki*, puis elle se ravisa. De toute façon, Handan, dans sa prison dorée, ne devait pas être très au courant – et encore moins se soucier – de ce qui se passait dans le harem. Une autre idée vint à Celia et elle se rassit sur le bord du lit.

— Il y a autre chose que Haseki Gulay m'a dit, du

moins elle a commencé. Je crois que vous pourriez le savoir, vous aussi, *haseki*. C'est à propos des Rossignols de Manisa.

Elle remarqua tout de suite un changement dans l'attitude d'Handan, qui la regarda d'un œil soupçonneux.

— Tout le monde connaît les Rossignols de Manisa...

Elle se tut et parut soudain très absorbée par les évolutions d'une grosse mouche bleue sur le lambris.

— Vous disiez, *haseki*..., insista Celia en lui secouant le bras pour la forcer à se concentrer.

— Trois esclaves furent offerts à l'ancien sultan par sa cousine Humashah. Ils avaient tous trois été choisis pour la beauté de leur voix.

— Qui était-ce ? Comment s'appelaient-ils ?

Mais Handan était de nouveau ailleurs. Elle surveillait la mouche en train de s'approcher d'elle, et se réfugia dans l'ombre.

— Je vous en prie... Essayez de vous rappeler qui ils étaient.

— Tout le monde sait qui ils étaient : Safiye Sultane et Hassan Aga, bien sûr.

— Et le troisième esclave ?

— La troisième esclave se nommait Cariye Mihrimah.

— Cariye Mihrimah, qui est-ce ? Je n'ai jamais entendu ce nom-là.

— Elle est morte. La validé l'aimait, on dit qu'elle l'aimait trop. Qu'elle l'aimait comme une sœur. Oh, la validé aurait fait n'importe quoi pour elle, apparemment. Mais elle a été tuée. Ils l'ont mise dans un sac et noyée. Du moins c'est ce qu'on raconte. Mais je ne le raconterai jamais à personne. (Elle se pencha vers Celia.) Jamais je ne raconterai à personne ce que je sais.

Un silence.

— Je vais peut-être m'adresser à Haseki Gulay, alors, hasarda Celia.

— Est-ce qu'elle le sait ? demanda Handan, surprise.

Celia fit oui de la tête.

— Elle connaît leur secret ? Que Cariye Mihrimah. est toujours ici, au palais ?

— Oui, *haseki*. (Celia hocha de nouveau la tête, plus lentement cette fois.) Je crois que c'est exactement ce qu'elle savait.

Safiye, sultane validé, mère de l'ombre de Dieu sur terre, revint vers la croisée ouverte où elle s'était installée. Elle drapa sur ses épaules le châle doublé de zibeline et appela Chat qui faisait sa toilette à l'autre bout du divan.

On était au milieu de la nuit. Elle ramena sous elle un de ses pieds nus, enleva ses lourdes boucles d'oreilles en cristal de roche. Frottant ses lobes endoloris, elle poussa un long soupir d'aise et respira le parfum des jardins que lui portait l'air frais de la nuit. Au-delà, il y avait la ville, qui n'était jamais si belle que la nuit. Elle pouvait tout juste distinguer les formes familières des navires et des galères, les quais des marchands le long du rivage, la silhouette noire de la tour de Galata et, plus loin encore, les maisons et les vignes des émissaires étrangers. La pensée de l'Anglais s'attardait dans un coin de sa tête : elle avait apprécié sa conversation, sa courtoisie, et quelque chose d'autre qu'elle ne parvenait pas à définir. Quelque chose, allez savoir quoi, dans sa façon de se tenir. La minceur de ses hanches, des hanches d'homme.

S'était-elle montrée trop impulsive en le convoquant de nouveau ? Penser à cet homme la perturbait. Toutes ces années, depuis qu'elle était devenue validé, elle n'avait pas commis une seule erreur. Ce n'était pas le moment de commencer. Elle avait remarqué la façon dont les yeux de l'homme s'attardaient sur l'écran grillagé qui les séparait...

La zibeline lui pesait sur les épaules comme du plomb.

Avec un soupir, la validé s'étira sur ses coussins de soie. Elle devait avouer qu'elle avait de plus en plus de mal à dormir, ces derniers temps. Cela ne la dérangeait pas particulièrement. Toute jeune, déjà, elle s'était entraînée à ne pas avoir besoin de beaucoup de sommeil, un avantage inestimable dans le harem de Mourad car cela lui donnait du temps que les autres n'avaient pas : du temps pour réfléchir et échafauder ses plans, afin de garder toujours dix pas d'avance sur les autres. Et, quand, après vingt ans de sévère autodiscipline, elle était enfin devenue ce qu'elle avait toujours décidé d'être – la sultane validé, la femme la plus puissante de l'Empire ottoman –, elle s'était aperçue que ses vieilles habitudes étaient encore les meilleures.

Elle trouvait maintenant plus de paix dans la solitude que dans le sommeil. Être seule, dans la Maison de la Félicité, avait toujours été un plaisir plus rare encore que les faveurs du sultan et, même maintenant, c'était un luxe qu'elle ne s'accordait que rarement. Elle repensa à la dame grecque, Nurbanu, qui avait coutume de réprimander Safiye pour sa tendance à rechercher la solitude. Pour les *cariye* ordinaires qui vivaient empilées les unes sur les autres comme des volailles dans un poulailler, la solitude était hors de question ; mais pour les concubines du sultan c'était surtout mal vu, une atteinte à la bienséance. Et, en tant que seconde dans la hiérarchie du harem après la validé Nurbanu, Safiye, la *haseki*, se devait d'être accompagnée à tout moment.

S'il n'avait tenu qu'à Nurbanu, ses servantes l'auraient surveillée jusque dans son sommeil. La validé sourit. *Si tu pouvais me voir, maintenant, dame grecque*, pensa-t-elle en étendant sa main, la tournant pour faire scintiller à son doigt l'émeraude de Nurbanu. La bague avait un petit fermoir sur le côté qui ouvrait un compartiment secret renfermant une boulette d'opium, la même qui se trouvait là depuis plus de quinze ans, depuis qu'elle avait enlevé la bague du doigt encore chaud de Nurbanu. *Eh oui, la dame*, sourit Safiye, *je connais tous tes secrets, à présent.*

Un faible bruit, étouffé par la distance, lui fit lever les yeux. Et tout de suite elle fut sur le qui-vive. Instinctivement, son corps se tendit et ses yeux parcoururent la pièce, mais il n'y avait rien. Les carreaux aux murs de ses appartements lui semblaient bien un peu flous ces derniers temps, mais c'était dû à l'obscurité et aux ombres. Elle ferma les yeux et inspira profondément, explora de nouveau la pièce en se servant de son sixième sens – ses oreilles, son nez, jusqu'à sa peau –, sa ruse de chasseur favorite, comme elle aimait autrefois le dire à Cariye

Mihrimah, la ruse qu'elle tenait de son père. Cela marchait chaque fois. Le plus léger épaississement de l'air, le souffle d'une ombre passant devant la fente au bas d'une porte, l'odeur de la peur, rien ne lui échappait.

Mais non, il n'y avait rien. Seulement Chat.

Safiye se rallongea. Même aux pires moments de sa vie – le jour où Mourad avait finalement choisi une nouvelle concubine plus jeune, le jour où ils étaient venus emmener Cariye Mihrimah –, même alors, elle n'avait jamais été tentée de prendre la pilule dorée, comme le faisaient tant d'autres femmes dans les harems. Pas comme Handan, cette pauvre folle d'Handan, qui avait laissé une autre prendre sa place, qui avait tout sacrifié à l'opium.

Safiye referma sèchement la bague. Il y avait, après tout, d'autres rêves, d'autres plaisirs, même à présent. De sous un des coussins, elle sortit un petit miroir à main au cadre d'ivoire incrusté d'émeraudes et de rubis et, dans la pénombre complice, elle examina attentivement son visage. Se pouvait-il qu'elle soit devenue vieille ? Dans le clair-obscur de ses appartements, elle n'avait pas l'air vieille. Et elle n'avait pas encore cinquante ans. Esther Nasi l'avait bien instruite. Il y avait bien, pour être parfaitement honnête, un léger relâchement de la peau sur le dos de ses mains et sur son cou, mais elle n'allait pas en faire une histoire. La peau de son visage était toujours pâle, sans le moindre défaut et si fine qu'elle avait la texture crémeuse des pétales de gardénia. C'était du moins ce que lui disait Mourad quand ils étaient couchés ensemble. À cette époque, elle n'avait pas besoin de miroir, car il était son miroir.

Qu'était-elle, elle, sa *haseki*, sinon un reflet dans ses yeux ?

Elle se rappelait comment, nuit après nuit, alors qu'elle portait son enfant et qu'il lui était interdit de l'étreindre, c'était quand même elle qu'il faisait venir dans son lit. Il aurait pu prendre d'autres concubines, comme c'était son droit, mais – à la consternation générale – il ne l'avait jamais fait.

Ils n'étaient eux-mêmes guère plus que des enfants. Il avait dix-neuf ans, et elle à peine seize, quand Safiye avait donné naissance à leur premier enfant. Il la faisait s'étendre à son côté, juste pour le plaisir de l'avoir près de lui. Il la déshabillait, ne lui laissant que ses bijoux, et elle restait là, parfaitement immobile car elle savait qu'il la préférait ainsi, tandis que, du bout des doigts, il lui caressait les seins et l'intérieur des cuisses.

Elle se souvenait de ses yeux émerveillés quand l'enfant bougeait à l'intérieur de son corps. Puis son ventre devenu trop gros l'avait obligée à s'allonger sur le côté, et elle se rappelait la sensation précise des couvertures de fourrure – les hivers étaient froids à Manisa – qui chatouillaient son cou et la peau sensible de ses seins gonflés. Elle l'observait tandis qu'il dévorait son corps des yeux, la couvait d'un regard avide jusqu'à ce qu'elle frémisse et brûle et le supplie de l'aimer.

Mourad, mon lion.

Lentement, Safiye défit les nattes et les tresses patiemment arrangées par ses servantes, jusqu'à ce que ses cheveux retombent librement jusqu'en dessous de sa taille. Elle dégrafa son lourd corset et glissa la main sous ses jupes, caressant la douceur de ses cuisses. Songeuse, elle aventura sa main plus haut, rencontrant une toison là où autrefois – durant toutes ces années où elle était *haseki* – il n'y avait eu que de la chair lisse.

Elle s'allongea doucement sur les coussins.

Ensuite, un grand calme l'envahit, accompagné d'une autre sensation plus troublante : l'ombre d'un souvenir, comme un nuage lointain ou l'écho presque oublié d'une chanson d'enfant. Ce n'était pas souvent qu'elle pensait à Mourad, ces derniers temps. Il l'avait aimée durant de longues années. Pendant dix ans à Manisa, puis presque autant à Constantinople, il lui était resté fidèle, malgré les efforts des autres pour les séparer. Ce n'était pas convenable d'après eux que le sultan n'honore qu'une seule concubine, même si elle était officiellement élevée au rang de *haseki*. Sa mère Nurbanu et sa sœur Humashah avaient cherché dans tous les coins de l'empire les plus belles esclaves pour les lui offrir – elles avaient même, se souvint Safiye avec amusement, envoyé un émissaire spécial chez Esther Nasi qui, aussi incroyable que cela puisse paraître, tenait toujours son commerce à Scutari vingt ans après, malgré un âge plus qu'avancé (devenue trop vieille et trop grosse pour marcher, d'après les informateurs de Safiye, mais plus riche qu'un pacha).

Pendant longtemps, Safiye leur avait résisté. D'abord grâce à sa beauté et puis, quand cela n'avait plus suffi, grâce à l'aide de Petit Rossignol et de Cariye Mihrimah. Car dès le début, dès les premiers mois à Manisa, ils avaient conclu un pacte. Chacun d'entre eux avait juré de faire tout ce qui était en son pouvoir pour aider les autres. Et c'est ce qu'ils avaient fait. Quand la fortune favorisait l'un d'entre eux, elle leur souriait à tous. Grâce à l'influence de Safiye, Petit Rossignol était devenu Hassan Aga, eunuque noir en chef ; et dans l'ancien harem présidé par la sultane validé Nurbanu, Cariye Mihrimah – Safiye était incapable de penser à elle sous un autre nom – s'était élevée au rang de seconde dignitaire du harem, juste après la gouvernante, la grande Janfreda Khatun.

Petit Rossignol et Cariye Mihrimah étaient le premier et le plus important maillon du formidable réseau d'allégeances de Safiye, un réseau qu'elle avait mis toute une vie à construire. En bon chasseur, Safiye jouait sur la surprise et la dissimulation et il n'y avait souvent qu'elle à savoir qui ils étaient : les muets, les eunuques, les esclaves du palais et surtout les femmes du harem qu'elle achetait cher et libérait après quelques années de service, les mariant avantageusement à quelque pacha ou vizir dont elle faisait ainsi son obligé.

Mais ce n'était qu'aux Rossignols, et à eux seuls, elle le savait, qu'elle pouvait tout demander. Eux seuls lui vouaient une loyauté absolue. Elle savait que pour elle ils étaient prêts à mentir, à espionner, à tromper, à voler – peut-être même à tuer. À faire, en somme, le nécessaire, c'est-à-dire tout.

Et ainsi, quand Safiye n'avait plus été capable de conserver seule les faveurs du sultan, c'était Petit Rossignol qui avait trouvé le médecin. Et quand l'ouvrage de ce dernier avait été découvert, c'était Cariye Mihrimah – qui d'autre ? – qui avait pris la faute sur elle.

Un nouveau bruit, encore plus faible que le premier, s'insinua dans ses pensées ; un tout petit bruit, comme si une souris s'affairait derrière les lambris. Safiye Sultane leva les yeux vers les ombres du plafond et sourit. *Très bien, ma petite chèvre. Il est grand temps que nous mettions fin à cette histoire une bonne fois pour toutes.*

25

Ce fut un samedi, vers la mi-décembre, qu'Elizabeth sortit finalement se promener sur le bateau de Mehmet.

Sur les instructions d'Haddba, elle prit un taxi tôt le matin pour se rendre au quai où il était amarré, près du pont de Galata. Mehmet devait la retrouver là-bas. Elle appela le numéro de portable qu'Haddba lui avait donné et resta là, frissonnante, à attendre qu'il arrive.

— Elizabeth.

Il était plus grand que dans son souvenir.

— Bonjour.

Elle s'attendait un peu à ce qu'il lui baise la main, mais il n'en fit rien.

— Eh bien, on dirait que nous avons bien choisi notre jour, finalement.

Elle avait oublié à quel point elle aimait sa voix.

— Haddba m'a obligée à apporter ceci, dit Elizabeth en tendant un panier.

— Un pique-nique ? Ah, Haddba ! Elle pense à

367

tout. Permettez-moi. (Il lui prit le panier des mains.) Cela ne vous a pas ennuyée de vous lever si tôt un samedi matin

— Non, j'aime bien me lever tôt.

Nous avons cela en commun, alors. (Il se retourna, lui sourit par-dessus son épaule.) Mon oncle répétait que celui qui se lève tôt recueille la crème de la journée.

Le bateau se révéla être un gros canot à moteur avec une petite cabine à l'avant. Ils se mirent en route immédiatement, longeant la Corne d'Or jusqu'à l'entrée du Bosphore. Il n'y avait pas grand monde sur l'eau à cette heure de la journée. Le temps était froid, mais clair, avec un ciel transparent tacheté de rose et d'or. Sur la mer de Marmara, Elizabeth vit les tankers rassemblés en troupeau, silhouettes de mastodontes rouges et noirs qui se découpaient sur l'horizon.

Il suivit son regard.

— Vous les trouvez beaux ?

— Je les trouve absolument extraordinaires.

Il parut amusé de son enthousiasme.

— La plupart des gens préfèrent regarder les voiliers, comme par exemple un beau sloop, ou même un de ces gros bateaux de croisière qui font maintenant escale ici. Mais pas... comment dites-vous ? Ah oui, poursuivit-il en lui lançant un regard malicieux, « ces grosses mochetés de tankers. »

— Mais, regardez-les, protesta Elizabeth, ils sont merveilleux. Si énormes, et pourtant ils... flottent. Comme des nuages, comme s'ils ne pesaient rien, juste là à flotter sur l'horizon.

— Ils attendent leur tour pour remonter le Bosphore vers la mer Noire. C'est que la route est vraiment étroite et difficile à naviguer. Autrefois, quand il y avait plus de maisons donnant directement sur l'eau, il est arrivé à des familles de se réveiller le matin avec la moitié d'un tanker dans leur salon.

Il commença par suivre la rive ouest du Bosphore, le long des palais et des appontements, des superbes yachts et des bateaux de croisière amarrés à Bebek. Sur l'eau, le vacarme de la ville ne leur parvenait qu'assourdi. Elizabeth vit des bancs de méduses mauves flotter entre deux eaux, pâles et transparentes comme des chevelures de sirènes. Elle se sentait parfaitement à l'aise avec lui. Ils pouvaient parler ou rester silencieux sans que cela les gêne.

— Vous êtes bien pensive, constata-t-il au bout d'un moment.

— J'essaie d'imaginer à quoi pouvait bien ressembler la ville avant...

— Avant quoi? Avant que la voiture ne vienne nous étouffer?

— Oh, non, encore bien avant. Au XVIe siècle.

Bien que cela n'ait pas été son intention, Elizabeth lui raconta l'histoire de Celia et de Paul. Elle lui parla de tout : les marchands de la Compagnie du Levant et leur merveilleux cadeau destiné au sultan, l'orgue mécanique avec son horloge astronomique, ses anges jouant de la trompette et ses oiseaux chanteurs ; elle lui parla du naufrage et du fragment de récit manquant.

— C'est pour cela, surtout, que je suis venue à

Istanbul, pour essayer de la trouver, cette partie manquante.

Mehmet l'avait écoutée avec attention, sans l'interrompre. Il prit enfin la parole.

— Je n'aurais jamais cru que la recherche universitaire puisse être si palpitante. À vous entendre, on croirait qu'il s'agit d'une enquête policière.

— Eh bien c'est exactement l'impression que ça me donne, par moments. Je crois que c'est ce qui me plaît autant dans ce travail – même si je sais bien qu'Haddba me trouve complètement folle de m'enfermer comme ça toute la journée avec des piles de livres.

Une rafale de vent secoua la porte de la cabine. Elizabeth frissonna et resserra son manteau autour de ses épaules. Elle ne mentionna pas les autres raisons qui l'avaient fait venir à Istanbul.

Par-dessus les collines de la rive est du Bosphore, un pâle soleil d'hiver finit par se lever. La lumière accrocha les toits des maisons et les eaux grises tournèrent au bleu étincelant.

— Et alors, avez-vous trouvé des indices ?

— Jusqu'ici, rien sur Celia. J'ai demandé une autorisation pour chercher dans les Archives nationales mais ils n'arrêtent pas de me demander de nouveaux papiers, des lettres de recommandation de ma directrice de thèse et je ne sais quoi encore. C'est toujours pareil avec les archives. Ils veulent qu'on leur dise exactement quel document on voudrait consulter, alors que bien sûr ce n'est pas possible tant qu'on n'a pas pu voir soi-même ce qu'ils ont.

— Tout cela est très byzantin, sourit-il, la

regardant de côté. Alors elle demeure un mystère, votre petite esclave ?

— Jusqu'ici. Mais, vous savez, j'ai l'impression...

Elle se tourna vers lui.

— Quelle impression ?

— Oh, c'est juste que plus j'y réfléchis, plus je me dis qu'elle a fini par s'échapper, en fait, j'en suis persuadée. (Elizabeth s'aperçut qu'elle avait instinctivement posé une main protectrice sur son ventre.) Sinon comment son histoire aurait-elle pu être écrite ?

— Pourquoi s'est-elle forcément échappée ? Vous n'avez pas pensé qu'il pouvait y avoir une explication bien plus simple ? On croit généralement que l'esclavage était pour la vie, mais, d'après ce que j'ai appris à l'école, il me semble me souvenir que dans l'Empire ottoman, c'était rarement le cas. Des esclaves étaient constamment affranchis, pour toutes sortes de raisons.

— Même dans le harem impérial ?

— Surtout dans le harem impérial. Si une femme n'attirait pas l'œil du sultan, au bout de quelques années, on la dotait et on la mariait à un dignitaire quelconque – en particulier les esclaves personnelles de la validé. C'était considéré comme un acte méritoire de sa part. La formation qu'elles avaient reçue – et leurs liens avec le palais – en faisaient des épouses extrêmement recherchées. Il est tout à fait possible que votre Celia Lamprey ait été l'une d'entre elles.

— Vous avez peut-être raison.

Elizabeth repensa à l'étrange atmosphère qu'elle avait captée au harem, ce jour-là. Pas seulement dans

371

les appartements de la validé avec ses doubles cloisons et ses passages secrets dissimulés dans les lambris, mais aussi dans toutes ces petites pièces pourrissantes et renfermées qui avaient abrité les filles de base, cette impression d'un labyrinthe dépourvu de fenêtres. Elle était certaine maintenant que Celia avait dû sortir du palais à un moment donné, mais l'explication de Mehmet lui paraissait simplement... Eh bien, ça avait l'air trop facile.

— Et si elle est sortie, que lui est-il arrivé, à votre avis ? demanda-t-il.

— C'est ce que j'essaie de découvrir.

— Vous pensez qu'elle a retrouvé son marchand ?

— J'aimerais bien le croire.

— Ah ! (Il sourit à nouveau.) Une détective doublée d'une romantique. Eh bien, si vous voulez vraiment savoir à quoi ressemblait Istanbul au XVIᵉ siècle, dit-il en se retournant pour montrer du doigt la direction d'où ils venaient, vous en aurez une assez bonne idée en la regardant d'ici.

Elizabeth se retourna et vit la silhouette de la vieille ville se détacher sur l'horizon derrière elle. Le soleil maintenant bien levé la baignait d'une brume dorée. Des murs gris s'enfonçaient dans le vert et le noir des parcs et les cimes pointues des cyprès s'élevaient dans le bleu pâle du ciel d'hiver. Et par un bizarre effet de lumière, la cité entière semblait surgir d'une étendue d'eau scintillante, citadelle magique créée par des djinns.

Vers midi, ils arrivèrent à Andalou Hisari, dernier village de la rive asiatique avant que le Bosphore ne débouche dans la mer Noire. Les rivages y étaient couverts d'épaisses forêts dont les profondeurs sombres retenaient encore des lambeaux de brume ; sur les rochers, des hommes pêchaient.

Ils s'amarrèrent dans la petite baie. L'eau était lisse, d'un vert opaque où se reflétaient les arbres.

— Venez, dit-il. Je vous emmène déjeuner. Si nous avons de la chance nous verrons peut-être des dauphins.

— Et le pique-nique d'Haddba ?

— En décembre ? Je ne suis pas sûr, non, rit-il, lui tendant la main. Mais, rassurez-vous, Haddba ne nous en voudra pas.

Il connaissait un restaurant de poissons au bord de l'eau. Bien qu'on soit hors-saison, l'endroit était ouvert. Un serveur empressé les conduisit à une table avec vue sur la baie. En attendant l'arrivée des plats, ils bavardèrent et regardèrent les bateaux de pêche et les goélands d'une taille improbable danser sur l'eau comme des bouchons.

Il lui parla de sa famille, père turc, mère française, quatre frères ; et elle, de ses parents dans un village de l'Oxfordshire, ni frère ni sœur si l'on exceptait Eve, la sœur qu'elle n'avait jamais eue. Ils étaient si concentrés l'un sur l'autre que leur conversation semblait progresser dans un langage presque télégraphique.

— Est-ce qu'il y a quelqu'un ? demanda-t-il. Là-bas, en Angleterre.

— Il y avait quelqu'un, répondit Elizabeth en regardant un vol de cormorans passer au ras de l'eau, mais plus maintenant.

Aucune autre explication ne semblait nécessaire. L'image de Marius lui vint soudain à l'esprit, et elle

373

s'aperçut qu'elle n'avait pas pensé à lui de toute la journée. Et, maintenant, il lui apparaissait comme une petite silhouette sur un lointain rivage, un diablotin qui sautillait en lui faisant de grands signes, de plus en plus loin, de plus en plus petit, jusqu'à ce que, pouf, il disparaisse dans un nuage de fumée.

Elle se tourna en souriant vers Mehmet.

— Et vous ?

— Pareil. Ou presque.

Pour passer le temps, il commanda une assiette d'amandes fraîches. Elle l'étudia attentivement pendant qu'il parlait au serveur. Ce n'était pas vraiment ce qu'on pouvait appeler un bel homme, mais il avait un extraordinaire charisme.

— Quelle est votre boisson favorite ? s'enquit-il.

— Laissez-moi deviner..., contra-t-elle, la vôtre c'est... le jus d'ananas.

— Le jus d'ananas ? Ne soyez pas absurde.

— Eh bien, qu'est-ce que c'est, alors ?

— La vodka. Grey Goose, cela va de soi. Et vous ?

— Vous ne devinerez jamais.

— Je vous parie que si.

Elle secoua la tête.

— Je vous donne un million de livres si vous y arrivez.

— Le champagne.

— Le champagne ? Eh bien je dois admettre qu'il n'arrive pas loin derrière, mais non.

Les répliques fusaient entre eux, brillantes et légères, comme portées par des fils d'or.

— Qu'est-ce que c'est, alors ?

— Le thé sorti d'un Thermos.

— Le thé sorti d'un Thermos ? (Il rit.) Bon,

d'accord, je crois que vous allez devoir garder votre million de livres. En revanche, ajouta-t-il en se radossant à sa chaise, je parie que je peux deviner votre dessert préféré.

Il la regarda avec attention.

— Oh ? fit-elle en souriant.

Il la fixait toujours, avec une telle intensité érotique qu'elle se demanda si elle n'allait pas se trouver mal.

— Les baklavas, dit-il, les yeux rivés sur sa bouche. Je donnerais n'importe quoi pour vous voir encore manger des baklavas.

Les plats arrivèrent, mais Elizabeth ne mangea pas grand-chose. Ce n'était pas par manque d'appétit, mais parce qu'elle ne voulait pas qu'il s'aperçoive à quel point elle était troublée. Elle avait réussi à ignorer la mention du baklava en faisant semblant de ne pas avoir bien entendu, ou de ne pas avoir compris l'allusion. Mais, maintenant, elle avait peur de se trahir d'une autre façon. Elle était soudain devenue maladroite. Elle avait conscience que sa main tremblait dès qu'elle levait sa fourchette ; qu'elle aurait du mal à porter son verre à sa bouche sans le renverser. Il l'avait donc reconnue, dès le début. Et bien sûr, quelque part, elle l'avait toujours su.

En surface, la conversation continua comme avant, mais l'atmosphère de la journée avait changé. L'aisance de leurs rapports avait disparu. À la place, chaque molécule d'air entre eux s'était chargée. Chargée de quoi ? Elizabeth ne pouvait – n'osait – encore mettre un nom sur ce qui pesait entre eux.

Je ne suis pas prête pour ça, se répétait-elle. Elle

vit qu'il s'était aperçu de sa gêne et que, sans s'excuser, il la traitait avec une courtoisie impeccable, mais teintée de tendresse.

— Vous avez froid, Elizabeth.

Ce n'était pas une question.

— Ça va, répondit-elle, bien consciente qu'elle frissonnait.

— Je vais vous commander un verre de vin.

— Non, vraiment...

— Si, je crois que vous devriez le boire.

Il fit un signe et le vin fut apporté instantanément. Elle vit qu'il regardait encore sa bouche tandis qu'elle portait le verre à ses lèvres. *Avec lui j'ai à la fois l'impression d'être une reine et... quelque chose d'autre*, pensa-t-elle. En se forçant, elle parvint à s'arrêter de trembler. Quand il se pencha au-dessus de la table et lui toucha la bouche, elle eut du mal à s'empêcher de reculer comme s'il avait l'intention de la frapper.

— Un cheveu. (Elle sentit ses doigts lui effleurer les lèvres.) Vous aviez un cheveu dans la bouche, c'est tout.

Sa peau la brûlait là où il l'avait touchée.

— Elizabeth...

— Je ne... je ne peux pas..., commença-t-elle.

Soudain le portable de Mehmet se mit à sonner. Ils regardèrent tous deux le Blackberry posé entre eux sur la table.

— À votre avis ? dit-il. Je réponds, ou pas ?

Elizabeth se passa une main sur le côté du visage.

— Vous devriez peut-être.

Il appuya sur la touche.

— *Evet ?* (Elle l'entendit parler en turc, puis en anglais.) Oh oui, bien sûr, ne quittez pas.

Elle mit un moment à s'apercevoir qu'il lui tendait le téléphone.

— C'est pour vous, annonça-t-il avec une étincelle amusée dans les yeux.

— Pour moi ? (Elizabeth prit le téléphone.) Allô... Oh, oui, bonjour ! Oui, je suis toujours à Istanbul. Mais comment... ? Oh, je vois. Comme c'est gentil de votre part... Vraiment ? Mais c'est fantastique... Je vais regarder ça tout de suite. Oui, merci beaucoup.

Quand elle raccrocha, ils se regardèrent.

— Laissez-moi deviner...

Ils riaient tous les deux.

— C'est Haddba qui lui a donné le numéro.

— Qui était-ce ? Votre amie Eve ?

— Non. C'était ma directrice de thèse à Oxford, le Dr Alis. Comme elle ne pouvait pas me joindre sur mon portable, elle a appelé la pension et Haddba lui a donné le vôtre.

Quand Elizabeth lui rendit le portable, il en profita pour prendre sa main et la garder. Cette fois, elle ne fit pas mine de la lui retirer.

— Est-ce qu'elle avait des nouvelles pour vous ?

— Oui, répondit-elle, baissant les yeux vers leurs mains jointes. De très bonnes nouvelles. Elle pense avoir réussi à localiser le portrait de Paul Pindar. Vous vous souvenez, je vous ai dit que je l'avais trouvé dans un livre.

— Oui, je me souviens.

Les yeux toujours baissés, Elizabeth tourna sa main paume en l'air dans celle de Mehmet.

— La reproduction était si mauvaise que je n'arrivais pas à voir les détails.

Elle le regarda caresser doucement du pouce la peau délicate de son poignet.

— Mais peut-être que maintenant... De toute façon, elle a tout mis dans un e-mail.

— Voulez-vous vous servir de ceci ? proposa-t-il en désignant son Blackberry.

— Non. (Elle secoua doucement la tête.) Ça peut attendre.

Un silence s'installa entre eux. Elle leva les yeux, vit qu'il lui souriait et, d'un seul coup, la gêne se dissipa.

— Et alors, vous ne dites rien ? demanda-t-il.

Dans un accès d'audace peut-être dû au vin, elle se pencha vers lui.

— Vous êtes en train d'essayer de me séduire, déclara-t-elle.

— Vraiment ? (Il prit ses deux mains entre les siennes, lui embrassa doucement les poignets, puis les paumes.) Et moi qui croyais que c'était l'inverse.

26

Lever du jour

Il faisait à peine jour quand Paul se mit en route pour son audience avec la validé.

Le palais avait fait savoir qu'un des bateaux de la validé viendrait le prendre mais, quand il arriva – un petit caïque manœuvré par six rameurs –, il n'était pas assez grand, en fin de compte, pour embarquer la suite que Paul avait eu tant de mal à réunir. Il monta donc seul dans le bateau sous les yeux des autres hommes de l'ambassade – le révérend May, MM. Sharpe et Lambeth, John Hanger, l'apprenti de M. Sanderson, et Ned Hall, le cocher – qui tournèrent les talons sans un mot et remontèrent vers les vignes de Pera.

Les rameurs silencieux partirent non pas vers le palais, de l'autre côté de la Corne d'Or, comme Paul s'y attendait, mais dans la direction opposée, en remontant le Bosphore, et en moins d'une demi-heure, le bateau avait laissé derrière lui les sept collines de la ville. Avançant rapidement avec le courant, ils commencèrent par longer la rive européenne du détroit. En face, sur la rive orientale, Paul put apercevoir les toits et les minarets d'Uskudar, le village où le sultan achetait et vendait ses chevaux. Il y avait là beaucoup de maisons et de grandes demeures, dont les jardins et les vergers s'étalaient au bord de l'eau. Paul savait que la validé possédait dans les environs plusieurs palais d'été et se demanda si c'était là qu'ils se rendaient mais le petit caïque ne faisait pas mine de vouloir traverser le Bosphore et ni le capitaine du bateau ni l'eunuque du palais envoyé comme escorte ne répondirent à ses questions. Ils perdirent bientôt de vue les habitations. Après encore une demi-heure de navigation silencieuse, le caïque traversa finalement en direction de la rive asiatique, pénétrant dans l'ombre des arbres.

Ici, l'eau était calme et verte, lisse comme du verre. Quand Paul laissa traîner sa main par-dessus bord, il trouva qu'elle sentait l'eau de rivière. Les arbres – châtaigniers, amandiers et frênes – commençaient à se teinter très légèrement d'or. Une colonie de hérons, gris et courbés comme des vieillards, s'entassait dans un pin parasol ; un vol de cormorans les dépassa en rasant l'eau. Paul pouvait parfois apercevoir une maison sur pilotis au-dessus de l'eau, un pêcheur sur les rochers. Mais, dans l'ombre fraîche de la forêt, c'était le silence, un silence presque angoissant, qui dominait.

Il frissonna. Bien qu'au début de septembre les journées soient généralement chaudes, une cape doublée de zibeline avait été préparée à son intention, ainsi que des cerises et des grenades dans un panier garni de lin brodé. Il drapa la cape sur ses épaules.

— Sommes-nous encore loin ?

Avec un grognement incompréhensible, l'eunuque muet pointa quelque chose du menton. Paul se tourna pour regarder. Ils avaient atteint l'embouchure d'une petite rivière. Et là, apparaissant lentement entre les arbres, un petit bâtiment rose foncé apparut.

À sa descente du caïque, Paul fut accueilli par deux autres eunuques et escorté vers un magnifique jardin qui s'étendait jusqu'au bord de l'eau. Dans de petits canaux de marbre, de l'eau vive courait entre des rangs d'orangers et de citronniers ; des pins parasols et des platanes projetaient leur ombre sur les massifs de rosiers. Il y avait des fontaines et un bassin où de grosses carpes nageaient paresseusement.

Au centre du jardin, à l'ombre d'un arbre de Judée, s'élevait un pavillon. Paul avait déjà vu nombre de ces petites demeures d'agrément – assez semblables aux maisons de banquets qui faisaient la dernière mode en Angleterre –, mais, au lieu d'être recouverte de carreaux de céramique, celle-ci était entièrement faite de verre. En l'examinant, Paul constata qu'une personne assise à l'intérieur du kiosque pouvait voir tout le jardin sans être vue.

Il attendit, mais rien ne se passa et personne ne vint. Il était seul dans le jardin. Les deux eunuques n'étaient plus en vue. Du coin de l'œil, il crut percevoir un mouvement – l'éclat de quelque chose de vert –, mais quand il se retourna il n'y avait rien ; il se trouvait toujours seul.

Pas si seul, en fait. Un gros matou venait vers lui sur le sentier : un chat blanc aux yeux intenses, l'un vert et l'autre bleu.

— Bonjour, minet.

Quand Paul se baissa pour le caresser, l'animal se glissa entre ses jambes et poursuivit dédaigneusement son chemin jusqu'au bord de l'eau où il s'assit, scrutant l'horizon d'un regard de sphinx.

— Vous aimez mon chat, Paul Pindar Aga ? l'interpella une voix – cette fameuse voix – en provenance du pavillon.

Paul résista à l'envie de se retourner et, ôtant son chapeau, resta immobile, la tête inclinée.

— Ah, très bien, Anglais. (Son rire était exactement tel qu'il se le rappelait.) *Va bene*. Tout va bien. Vous pouvez vous retourner.

Une fois face à elle, Paul vit qu'elle était en fait assise à l'intérieur du pavillon, même s'il aurait été bien en peine de dire comment elle y était arrivée sans qu'il la voie. Un écran tendu en travers de la porte la protégeait des regards.

— Venez, n'ayez pas peur. Vous pouvez approcher. Comme vous pouvez le voir, nous sommes seuls.

Les yeux toujours rivés au sol, Paul s'approcha lentement du pavillon.

— Ainsi, Paul Pindar Aga, nous nous rencontrons de nouveau. (Une pause.) Je suis désolée qu'il n'y ait pas eu de place pour vos collègues sur mon petit bateau, mais c'est mieux ainsi, je suis sûre que vous en conviendrez.

— Vous me faites grand honneur, Votre Majesté.

Paul salua très bas l'ombre derrière l'écran.

— Ah oui ? (il y avait de l'amusement dans sa voix.) Pourtant, je suis certaine que votre ambassadeur espérait... comment dire ? Un peu plus de cérémonie, peut-être.

— Mon ambassadeur ne voit que le grand honneur que vous nous faites, répondit Paul. Il m'a demandé de vous assurer que son seul désir – notre seul désir à tous – est de vous servir autant qu'il nous sera possible.

— Bien parlé, Paul Pindar Aga ! Les affaires d'abord, pourquoi pas ? C'est tout à votre honneur. Nous savons tous que vous désirez renouveler les capitulations – et, entre nous, je ne pense pas que vous aurez trop de difficulté à y parvenir, malgré toute la générosité dont fait preuve M. de Brèves à l'égard du grand vizir. Le commerce est une bonne chose pour nous tous, c'est ce que je lui ai dit personnellement : notre grande cité en a toujours dépendu pour sa prospérité. De plus, la France et Venise ne peuvent s'attendre à ce que vous autres continuiez éternellement à commercer sous leurs drapeaux, n'est-ce pas ? J'ai entendu dire que les Hollandais souhaitaient particulièrement commercer sous protection anglaise, ces derniers temps. Mais tout cela n'a que peu d'importance. Ce qui compte, c'est que nous sommes maintenant alliés, n'est-ce pas ? Votre merveilleux navire... Comment l'appelez-vous

— Le *Hector*, madame.

— Ah oui, le *Hector*... (Une autre pause.) Le

383

Hector... Eh bien c'était une très bonne idée, pour-suivit-elle. Ce magnifique bateau fait jaser dans toute la ville, à ce qu'on m'a dit. Seul un monarque très puissant, disent les gens, pouvait envoyer un tel vaisseau. Et, par chance, il se trouve que nous avons un ennemi commun : l'Espagne. Nous nous rendrons mutuellement service, ne croyez-vous pas ? Même les Espagnols y réfléchiraient à deux fois avant de nous affronter tous les deux.

— L'amitié avec votre grand empire est le plus cher désir de notre reine.

— Voilà qui est courtoisement dit, Paul Pindar Aga.

Paul s'inclina de nouveau et ce faisant il s'aperçut qu'un petit pied blanc, lisse et cambré, apparaissait au bas du panneau ouvragé. Il se hâta de détourner les yeux.

— Mais le fait est que je ne vous ai pas fait venir ici pour parler de tout cela, reprit Safiye. Savez-vous où nous sommes ?

— À votre palais d'été, madame.

Les orteils aux ongles polis se retroussèrent d'amuse-ment.

— Cette petite chose, mon palais d'été ? Regardez un peu autour de vous, Paul Pindar ; vous croyez vraiment cela ?

Paul regarda mieux et vit que le petit bâtiment de bois qu'il avait remarqué à son arrivée ne pouvait guère être plus qu'une maison de gardien. Il finit par comprendre qu'il se trouvait en fait dans un simple jardin d'agrément, conçu pour être aussi loin que possible des formalités et de l'étiquette de la cour.

— Madame, il n'y a pas de palais ici, c'est vrai,

reconnut-il après un moment. Mais, ce jardin, je n'en ai jamais vu de pareil. C'est un jardin digne d'une reine.

— Non, pas une reine, Paul Pindar Aga, répondit la validé. Un jardin pour la *haseki*, pour la favorite du sultan. L'ancien sultan, mon maître, le sultan Mourad, m'a fait présent de ce jardin voici bien des années. Nous venions ici ensemble nous promener au bord de l'eau et regarder les bateaux. Par les chaudes soirées d'été, c'était d'ici qu'il aimait contempler le lever de la lune. Il faisait accrocher des lumières dans les arbres pour les voir se refléter sur l'eau comme des étoiles.

Un peu plus loin, au bout du jardin, le soleil dansait sur le Bosphore. Paul vit le chat blanc renifler avec intérêt l'eau d'un des bassins. Sous la surface, les carpes dorées, ignorant sa présence, évoluaient paresseusement.

— Toute ma vie – du moment où mon maître est revenu de Manisa s'installer ici –, tout ce temps, j'ai regardé passer les navires marchands sur les eaux du détroit. Souvent, je me demandais si certains d'entre eux repartaient vers mon pays, une pensée bien dangereuse pour une esclave, poursuivit la voix merveilleuse dont le son était une caresse aux oreilles de Paul. Et plus tard, bien plus tard, certains événements se sont produits. Pendant un temps, j'ai perdu les faveurs du sultan et ce jardin est devenu mon refuge. Un endroit, le seul endroit, où j'avais parfois la possibilité d'être seule. Jusqu'à ce que l'ancienne validé, Nurbanu, y mette un terme, soupira tristement Safiye. D'après elle, il n'était pas convenable pour moi – la *haseki* du sultan – de venir ici sans être accompagnée. Je devais avoir des serviteurs, des chambrières, des compagnes. Il me fut interdit de venir ici sans eux.

Le soleil avait passé les collines de la rive asiatique et commençait à gagner le jardin. Derrière le panneau ouvragé, un éventail s'agitait lentement. Paul se surprit à essayer de distinguer les contours de son visage. Quel homme sur terre ne tenterait pas de mettre un visage sur cette voix après l'avoir entendue ? Le petit pied le fascinait et il dut se forcer à en détourner les yeux.

— Savez-vous pourquoi je vous ai fait venir ici, Anglais ?

— Non, madame.

— En partie, bien sûr, parce que je désirais vous remercier des présents que vous m'avez apportés de la part de votre reine. Et pour vous annoncer que votre serviteur – le cuisinier – a été relâché. Tout cela n'aura été qu'un fort regrettable malentendu. Voilà ce que vous rapporterez à votre ambassadeur. (Il vit bouger la silhouette derrière le paravent.) Mais aussi, soupira-t-elle à nouveau, mais cette fois c'était un soupir de pur plaisir, eh bien, disons que je vous ai fait venir parce que j'en ai le pouvoir.

Il n'y avait plus un seul souffle d'air dans le jardin. Paul pouvait sentir le soleil taper, de plus en plus chaud, sur sa tête nue. Quel que puisse être le réel motif de la validé, elle ne semblait pas pressée de le dévoiler ; pas plus que lui n'était pressé de l'entendre. Il serait volontiers resté dans ce jardin pour toujours.

— Et donc, Paul Pindar Aga, vous aimez les jardins ?

— Beaucoup, madame. Quand j'étais apprenti, mon maître – il se nommait Parvish – me les a fait découvrir c'est une des nombreuses choses que j'ai apprises de lui.

— Oh ? Et que vous a-t-il enseigné d'autre ?

— Les cartes, les mathématiques et l'art de la navigation. Bien sûr, il était marchand, mais c'était également un bon astronome. Un érudit, aussi. Je crois qu'il n'y avait rien dont il ne soit pas curieux. Il collectionnait les instruments et en possédait une grande variété, surtout des instruments de navigation, des compas, des astrolabes, mais il s'intéressait également à toutes sortes de curiosités : les horloges, les montres et même les jouets d'enfants pourvu qu'ils renferment un mécanisme secret. Je n'étais qu'un jeune garçon quand je suis devenu son apprenti et il m'a transmis sa fascination pour toutes ces choses.

Il remarqua à quel point la cambrure de son petit pied était marquée. Sa peau était douce et lisse, les ongles polis brillaient comme des coquillages. Un petit tatouage noir ornait la cheville.

— Alors, vous êtes un érudit, vous aussi ?

Paul sourit.

— Non, madame, simplement un marchand très ordinaire, et j'en remercie Dieu.

— Allons donc, la vie que vous menez n'a rien de simple ni d'ordinaire. Vous autres marchands anglais serez bientôt les rois des mers, à ce qu'on m'a dit, et aussi riches que des monarques. De jour en jour, le monde rétrécit devant les proues de vos navires. Encore aujourd'hui, votre Compagnie étudie de nouvelles routes, vers les îles aux épices et même les

Indes. Ils n'ont jamais eu peur de prendre des risques. Cela me plaît. Êtes-vous étonné que je sache tout cela ? s'enquit-elle, amusée. Vous ne devriez pas. Nous avons nous aussi de bons informateurs, Paul Pindar Aga. Nous savons que vous, marchands, avez l'oreille et même la voix de cette grande dame, votre reine. D'ailleurs, elle a choisi son ambassadeur dans vos rangs – un scandale, à ce qu'on m'a raconté, pour les autres Francs qui trouvent cela extrêmement inconvenant, alors, poursuivit-elle après un instant de réflexion, que c'est en fait une preuve d'estime.

» Si j'étais un jeune homme, prêt à se lancer dans la vie, je crois que j'aurais pu choisir le même chemin que vous. La liberté, l'aventure, la richesse... (Elle se pencha à nouveau vers le paravent dans un bruissement de soie.) Venez travailler pour nous, Paul Pindar Aga. Le sultan est toujours disposé à accueillir avec honneur les hommes comme vous, intelligents et ambitieux. Vous ferez partie du plus grand empire que le monde ait jamais connu. Nous vous trouverons une jolie maison, de nombreux esclaves, de belles épouses. De très belles épouses.

Paul voulut lui répondre, mais s'aperçut qu'il en était incapable. Il mit la main dans sa poche à la recherche du compendium, trouva sous ses doigts la surface familière du métal.

— Ah, mais vous ne dites rien. (Il y avait de la déception dans la voix.) Vous semblez distrait, Paul Pindar Aga.

Comme il ne répondait toujours pas, elle reprit :

— Mais peut-être avez-vous déjà une femme et une famille qui attendent votre retour ?

Une idée folle lui vint. *Voilà ta chance, saisis-là !*

Montre-le-lui, montre-lui le portrait de Celia ! Le compendium lui brûlait les doigts.

— Il y a eu une femme, jadis, Majesté, s'entendit-il finalement répondre. Elle était chère, très chère à mon cœur.

— Étiez-vous mariés ?

— Nous devions nous marier, mais cela ne s'est pas fait.

Le cœur de Paul battait la chamade. Il revit Celia : sa peau, ses yeux, l'or vivant de ses cheveux. Les couleurs du jardin parurent trembler et se dissoudre sous ses yeux.

— C'était la fille de l'associé de Parvish, Tom Lamprey, du temps de l'ancienne Compagnie de Venise. Il était capitaine de vaisseau. Si jamais il y eut un homme sans peur ni reproche, c'était bien lui. Avant d'entrer à la Compagnie du Levant pour mon propre compte, j'ai longtemps travaillé comme mandataire de Parvish à Venise. Tom et moi, nous nous connaissions bien. C'était son vœu le plus cher que j'épouse sa fille.

— Son vœu, mais pas le vôtre.

— Oh, si, c'était aussi le mien. Nous nous convenions en tous points...

Montre-le-lui !

— Alors c'était elle qui ne le souhaitait pas ?

Je ne peux pas. Je ne peux pas prendre un tel risque.

— Je crois qu'elle m'aimait – et beaucoup, se força-t-il à répondre. Peut-être autant que je l'aimais, si une telle chose était possible. Mais je... l'ai perdue.

— Perdue ?

— Perdue à jamais.

— Comment cela ?

Tu n'auras pas d'autre chance !

— La Compagnie m'a demandé d'accompagner sir Henry à Constantinople. Et, comme vous le savez, notre mission ici a pris plus longtemps que prévu. (Paul hésita un peu avant de poursuivre.) Il y a deux ans, elle repartit pour l'Angleterre sur le bateau de son père. C'était le dernier navire marchand à prendre la mer cette année-là, à cause des tempêtes d'hiver. Mais ils étaient partis trop tard. Il y eut une grande tempête et le bateau coula avec tout ce qui était à son bord. Toute notre cargaison. Ainsi que Tom et sa fille. Sur la côte dalmate, à ce qu'on m'a dit.

Du pouce, il manœuvra le fermoir.

— Et son nom ?

— Celia, madame, dit Paul, sortant sa main vide de sa poche. Elle s'appelait Celia.

À part le bruit de l'eau qui murmurait dans les canaux de marbre, on n'entendait plus un son. Aucun oiseau ne chantait dans les bois profonds qui entouraient le jardin.

Après quelques instants, Safiye Sultane reprit la parole :

— Nurbanu, qui était validé quand je suis arrivée à Constantinople, m'a appris tout ce que je sais. Nurbanu était un excellent professeur, tout comme votre maître, comment s'appelait-il, déjà ?

— Parvish.

— C'est cela, tout comme votre Parvish. Ces leçons qu'on apprend tôt dans la vie, on ne les oublie jamais, je pense que vous en conviendrez.

390

Même si les miennes ont été, je crois, un peu différentes des vôtres.

» Nurbanu ne connaissait rien aux cartes ni aux mathématiques, mais elle en savait beaucoup sur le monde ; cela vous étonne-t-il ? Vous les Francs, vous pensez toujours que nous autres femmes, parce que nous sommes protégées par les murs du harem, nous ne savons rien de ce qui se passe en dehors. Rien ne pourrait être plus loin de la vérité. Nurbanu m'a appris qu'il n'y a que deux choses au monde qui soient plus précieuses que l'amour : le pouvoir et la loyauté. Ne jamais partager le pouvoir et, chez les serviteurs, placer la loyauté au-dessus de tout.

Il y eut un nouveau silence, un peu plus long que le précédent.

— Il y a longtemps que je ne suis pas venue ici, Paul Pindar Aga. (Il crut détecter dans sa voix une once de mélancolie.) J'ai toujours beaucoup aimé les roses qui sont ici, surtout celles de Damas. Le sultan me les avait fait venir de Perse. Imaginez un peu : la caravane les a transportées à travers le désert, emballées dans de la glace. Mes roses, me disait-il, avaient coûté plus cher que des émeraudes. Je ne crois pas que Nurbanu l'ait jamais su.

— Puis-je en cueillir une pour vous ?

— Ma foi, oui... Oui, cueillez-en une, Anglais.

Paul choisit une rose rouge pas encore tout à fait ouverte. Il la tendit et vit la silhouette de l'autre côté du paravent se pencher vers lui.

— Mon conseil, maintenant, sera de rentrer chez vous ; rentrez en Angleterre, Paul Pindar Aga. Gardez intacte la loyauté et vous aurez vos capitulations.

Elle était si près de lui qu'en dépit de l'écran il pouvait voir briller les joyaux sur ses vêtements, et apercevoir ses cheveux ; ses cheveux ; si près qu'il pouvait presque imaginer le souffle parfumé de son haleine.

— Mais gardez donc ma rose, monsieur Pindar. Ce n'est que justice, je crois – car je m'aperçois que j'ai déjà en ma possession quelque chose qui vous appartient.

27

CONSTANTINOPLE, 4 SEPTEMBRE 1599

Journée

Quand Paul revint à l'ambassade, il trouva la maison en ébullition. Des serviteurs, ceux de l'ambassade et de plusieurs dignitaires ottomans, étaient massés dans l'entrée qui était maintenant gardée par un bataillon de janissaires, les plumes de leur haute coiffe blanche flottant au vent. Deux chevaux richement caparaçonnés d'étoffe bleu et rouge et aux brides ornées de pierreries piaffaient sur les pavés.

Paul rencontra Thomas Glover dans la cour.

— Il était grand temps, s'exclama Glover en enfonçant sur sa tête un énorme chapeau à plumes, nous étions sur le point d'envoyer une expédition de recherche.

— Que signifie tout ceci ? s'enquit Paul en désignant les chevaux. Mon comité de bienvenue ?

— Les hommes du grand vizir. Ils sont avec sir Henry.

— Et vous l'avez laissé tout seul là-haut ? demanda Paul en haussant les sourcils.

— Ce n'est qu'une visite protocolaire. Il paraît qu'ils ne sont pas là pour parler affaires, donc je ne pense pas qu'il y ait trop de danger.

— Je n'en serais pas si certain à votre place.

— Ne vous inquiétez pas, j'étais justement sur le point de monter.

— Histoire de disperser un peu la brume ?

— En quelque sorte, sourit Glover. J'ai pour mission de prévenir sir Henry dès votre retour. Nous avons de bonnes nouvelles, Paul. Dallam a fini ses réparations et ils nous font savoir à l'instant que Lello peut enfin présenter ses lettres de créance. Je ferais mieux de me dépêcher, avant qu'il ne dise quelque chose qui les fasse changer d'avis. (Il secoua ses manches, fendues pour laisser voir une doublure rose vif.) De quoi ai-je l'air ?

— Eh bien, cela manque peut-être un peu de paillettes à mon goût, répondit Paul avec un sourire fatigué. Mais vous êtes très joli quand même, conclut-il en l'accompagnant jusqu'au bas de l'escalier.

— Et la validé ? voulut savoir Glover, avant de s'interrompre pour jeter à Paul un regard étonné. Eh bien, mon ami, qu'y a-t-il ? Vous semblez absolument épuisé.

— Ce n'est rien. Juste un peu le mal de mer, voilà tout. Ces eunuques seraient incapables de ramer droit pour toutes les piastres du sultan. (S'efforçant de sourire à nouveau, Paul posa la main sur l'épaule de Glover.) Voulez-vous une autre bonne nouvelle ? Nous aurons nos capitulations, Thomas. Je vous raconterai cela plus tard. Allez-y, il vaut mieux ne pas laisser sir Henry livré à lui-même.

Thomas commença à gravir les marches.

— À votre avis, qu'est-ce qui tourne le plus lentement les moulins de Dieu ou le bureau du grand vizir ? lui lança Paul.

— Posez-moi une autre question.

À mi-chemin de l'escalier menant à la salle de réception de l'ambassadeur, Thomas Glover s'arrêta.

— Oh, et tant que nous y sommes, encore une bonne nouvelle – si l'on peut dire, laissa-t-il tomber. Ce vaurien de Carew est réapparu ce matin, tout guilleret. Il semble qu'il y ait eu une erreur. Les Janissaires n'ont pas arrêté le bon, finalement, ou quelque chose comme cela, d'après ce que j'ai compris de l'histoire sans queue ni tête qu'il nous a racontée. Comme d'habitude... Mais si vous voulez mon avis, passer un bon petit moment aux fers ne lui ferait pas de mal. En tout cas, il est rentré.

Là-dessus, il disparut.

Cette fois encore, Paul trouva Carew assis sur le mur du jardin.

— Alors, ils t'ont finalement laissé sortir.

— Bonjour à vous aussi, secrétaire Pindar.

— Où étais-tu ? Aux Sept Tours ?

— Non, en fait j'étais dans la cave de votre ami Jamal. Merci pour tous les colis que vous m'avez envoyés, répliqua Carew sans lever les yeux.

Il tenait à la main un citron qu'il semblait examiner avec la plus extrême attention. Sous la tignasse indisciplinée, son visage arborait une expression renfrognée que Paul connaissait bien.

— Eh bien, contentons-nous d'une chose : aujourd'hui, tu as gardé ta chemise, rétorqua Paul en se hissant sur le mur à côté de lui. Mais nous sommes déjà l'après-midi, il me semble. Ne devrais-tu pas être en train de te rendre utile quelque part ?

Carew prit un des couteaux qu'il portait dans un harnais de cuir fixé à sa ceinture et, avec une délicatesse de couturière, fit une petite incision en haut du citron.

— Ayez un peu de pitié pour un condamné.

— Cela, c'était hier.

Carew émit un grognement.

— Apparemment, Cuthbert Boule de Graisse est parvenu à se faire recoudre le doigt, annonça-t-il sans le moindre enthousiasme, et on m'a enfin autorisé à retourner aux cuisines. Pour préparer les desserts de lady Lello – comme si elle n'était pas déjà assez bien nourrie. (Avec une intense concentration, il entreprit de détacher l'écorce du fruit en une parfaite spirale.) Ne riez pas, fit-il, l'œil menaçant. Je préférerais encore retourner chasser les rats dans la cave de Jamal.

— Et je connais plusieurs personnes qui seraient ravies de t'y renvoyer ! (Comme Carew ne répondait pas, il reprit :) Alors, Lello t'a rendu tes couteaux ?

— Comme vous pouvez le voir.

Carew leva la spirale d'écorce en équilibre sur la pointe de son couteau. Il avait les mains couvertes de coupures et d'anciennes brûlures.

— Quand Jamal t'a-t-il laissé sortir ?

— Tôt ce matin.

— A-t-il expliqué pourquoi ?

— La vieille femme, celle qui est habillée tout en

noir – vous vous souvenez d'elle ? Esperanza Malchi. Eh bien, elle lui a apporté un message. À croire que ça devient une habitude chez elle. (Carew plissa les yeux dans le soleil. La cicatrice sur sa joue ressortait en blanc sur sa peau brune.) Apparemment, elle est un peu le pigeon voyageur de la validé. Et, à eux deux, ils sont plutôt bien renseignés, exactement comme vous le soupçonniez. (il se tourna vers Paul.) Saviez-vous que Jamal fait des prévisions astrologiques pour quelqu'un du palais ?

— Non, mais cela semble logique. Les étoiles constituent son domaine, après tout.

— Je me demande si c'est tout ce qu'il fait. Il semble qu'ils aient découvert qui avait vraiment empoisonné le chef des eunuques noirs – c'est pour ça qu'ils m'ont relâché. Une femme du harem. Vous avez entendu les coups de feu, hier soir ? C'est cela qu'ils annonçaient, m'a dit Jamal. (Songeur, il essuya son couteau sur sa manche.) Ils ont jeté cette pauvre fille dans le Bosphore, enfermée dans un sac.

— Oui, j'ai entendu les fusils, répondit Paul en baissant les yeux vers les eaux de la Corne d'Or qui étincelaient innocemment sous le soleil de l'après-midi.

— Tu avais raison, pour Celia. Elle est bien là-bas.

Carew lui jeta un regard interrogateur.

— Comment le savez-vous ?

— La validé me l'a dit.

— Quoi ?

— Enfin, pas directement. Elle est trop intelligente pour cela.

— Comment, alors ?

— C'est très étonnant, en vérité, expliqua Paul en

397

fronçant les sourcils. Mais je crois que c'est en fait pour cela qu'elle voulait me voir. Je suis censé dire à l'Embrumé que c'était à propos des cadeaux de l'ambassade – et également qu'elle peut converser avec moi car je parle le vénitien – et c'est ce que tout le monde croira, y compris de son côté. Mais, en fin de compte, cela n'avait rien à voir.

» Ce n'est pas à son palais d'été qu'on m'a emmené, mais à un petit pavillon qu'elle possède sur la rive asiatique. C'est l'ancien sultan qui le lui avait offert, il y a longtemps, quand elle était encore la favorite. Un jardin sur l'eau. (Paul revit le jardin et ses couleurs de fin d'été, les vibrations de la lumière ; le petit pied blanc, cambré comme celui d'une danseuse.) Un des endroits les plus beaux que j'aie jamais vu, John, tout droit sorti d'un rêve.

— Qu'est-ce qu'elle a dit ?

— C'est cela, justement. Elle n'a pas vraiment dit quoi que ce soit. Elle a parlé – nous avons parlé – de toutes sortes de choses. De jardins. De la vie de marchand. De Parvish et de sa boîte de curiosités. (L'absurdité de tout cela le frappait rétrospectivement.) Et puis elle a dit quelque chose comme : « Je m'aperçois que j'ai pris une chose qui était à vous. » (Paul plongea la main dans le sac qu'il portait au côté.) Et elle m'a donné ceci.

Carew prit le bateau en sucre des mains de Paul. Il le regarda sans grand intérêt pendant quelques secondes avant de le lui rendre.

— Je viens de passer deux jours dans une cave infestée de vermine à cause de lui – tenez, vous pouvez le reprendre.

Paul prit le petit bateau, regarda briller dans la

lumière les voiles, les cordages en sucre filé et les petits hommes couleur de caramel.

— Tu t'es surpassé, cette fois, mon ami. Aussi vrai que je respire, c'est bien le *Celia* ; le navire de Lamprey, jusqu'au moindre hauban. (Il reposa doucement le bateau.) Et il porte même son nom inscrit sur le flanc.

— Est-ce qu'elle sait lire la calligraphie anglaise ?

— C'est peu probable. Mais il y en a certainement beaucoup d'autres qui en sont capables.

— Ce qui me paraît peu probable, c'est qu'elle pense que ça a un rapport avec Celia. Pourquoi est-ce qu'elle ferait le rapprochement ?

— N'oublierais-tu pas quelque chose ? Ta fantaisie – ta fantaisie un peu trop fantaisiste, ironisa Paul, s'est retrouvée au cœur d'un scandale dans le harem. Le chef des eunuques noirs a bien failli mourir. Il semble que toute l'affaire ait été fort habilement étouffée, nous ne savons pas pourquoi, mais ce que nous savons, c'est qu'à un moment ils ont cru que ce bateau y était pour quelque chose. (Il remit soigneusement le bateau dans le sac de toile.) Il n'y a pas grand-chose qui lui échappe et je parierais qu'elle a trois longueurs d'avance sur nous tous, poursuivit Paul, luttant contre la fatigue qui lui brûlait les yeux. Crois-moi, Carew, elle nous a bel et bien démasqués.

— Vous en êtes sûr ?

— Tout à fait sûr.

Paul tira impatiemment sur les lacets à son épaule et enleva une de ses manches. Son visage était devenu hagard, des ombres noires creusaient ses yeux.

— Que croyez-vous qu'elle va faire ?

— Si elle devait faire quelque chose, elle l'aurait déjà fait.

— Vous croyez qu'elle l'a dit à quelqu'un d'autre ?

— Si qui que ce soit à la Porte avait eu vent du moindre soupçon d'intrigue autour d'une des femmes du sultan, nous ne serions plus que de la viande froide à l'heure qu'il est.

— Ce n'était peut-être qu'un avertissement ?

— Peut-être, répondit Paul, passant la main dans ses cheveux. Je ne sais pas vraiment pourquoi, mais j'ai l'impression que tout ceci n'est qu'une partie de quelque chose de plus vaste – quelque chose qui nous dépasse.

Ils restèrent un moment silencieux. En contrebas, Paul observait les eaux de la Corne d'Or encombrées par le trafic de la fin de journée. À bord du *Hector*, un marin était en train de grimper dans les haubans ; lentement, le soleil descendait derrière les toits du palais du sultan.

— Elle veut que nous partions, John. Quand le *Hector* fera voile vers l'Angleterre dans deux jours, nous devrons être à bord.

Carew, qui tripotait distraitement ses couteaux, acquiesça en silence.

— Et il va falloir que j'en parle.

— Quoi ? À l'Embrumé ? protesta Carew avec un regard dégoûté.

— Tu es fou ? Non, bien sûr. À Thomas Glover et aux autres. Surtout à Thomas ; de nous tous, c'est lui qui a passé le plus de temps ici et a travaillé le plus dur pour la Compagnie. Il semble que Dallam ait enfin terminé les réparations et on vient de nous faire savoir que Lello peut présenter ses lettres de créance. Et quand cela sera fini et que le *Hector* reprendra la mer, nous partirons avec lui.

— Si vous le dites.

— Plus question de tenter d'envoyer un message à Celia.

— Si vous le dites.

— Dieu merci, Jamal a refusé de nous aider.

— J'en rends grâce au ciel chaque jour.

— Ainsi, elle ignore que nous sommes ici et ce qu'elle ignore ne peut la faire souffrir.

— C'est cela.

Un nouveau silence s'installa entre eux, dans lequel s'éleva la voix plaintive du muezzin appelant les fidèles à la prière du soir.

— J'ai failli le lui révéler, Carew.

— À qui ?

— À la validé.

— Dieu tout-puissant, Pindar, et c'est moi que vous accusez de prendre des risques !

— J'ai été à deux doigts de lui montrer le portrait de Celia.

Il la revit encore une fois. Pas la Celia de la miniature cachée dans le compendium, mais la sirène aux longs cheveux enroulés autour du cou qui flottait, verte et dorée, dans les profondeurs de l'océan. Et maintenant je me demande : pourquoi ne l'ai-je pas fait ? songea-t-il, déchiré. J'avais une chance et je l'ai laissée passer. J'aurais dû me mettre à sa merci, la supplier d'avoir pitié de moi. Paul pressa de ses poings ses yeux fermés, faisant exploser dans sa tête des arcs-en-ciel de lumière. C'était la seule personne qui aurait pu me répondre.

Parfois je pense qu'il vaudrait mieux savoir et mourir que rester dans l'ignorance. Il se tourna vers Carew.

— Est-il réellement possible que ce soit vrai ? John, Celia est-elle revenue d'entre les morts ? Dis-moi que je ne rêve pas.

— Vous ne rêvez pas.

À ce moment, une silhouette familière, en vêtements de travail, fit son entrée dans le jardin. C'était Thomas Dallam, le facteur d'orgues. Il pressa le pas en les apercevant.

— Eh bien, Thomas, quelles nouvelles ? s'enquit Paul en descendant du mur. Il paraît qu'il faut vous féliciter. L'orgue du sultan est remis à neuf.

— Oui.

Dallam, homme de peu de mots, restait là à triturer gauchement son chapeau.

— Que puis-je faire pour vous, Tom ?

— Ma foi, monsieur Pindar, ce n'est probablement rien mais...

— Mais ?

— Cette histoire dont nous parlions l'autre jour...

— Allons, parlez, l'ami.

Le regard de Dallam allait de Paul à Carew, visiblement incertain.

— Par Dieu, si jamais vous avez laissé échapper une seule syllabe...

— J'ai trouvé ceci, lâcha Dallam, sortant un morceau de papier de son gilet. Je ne sais pas ce que c'est, mais je me suis dit qu'il fallait quand même que je vous le montre.

Paul prit le papier. Carew vint regarder par-dessus son épaule.

— Qu'est-ce que c'est ? On dirait une image, une sorte de dessin...

— Quand l'avez-vous trouvé ? coupa Paul, soudain pâle comme la mort.

— Tôt ce matin, monsieur, quand je suis allé vérifier l'orgue une dernière fois. Je crois que quelqu'un a dû le placer là dans la nuit.

— Vous êtes sûr de cela ?

— Absolument sûr. Je vérifie toujours moi-même, pour m'assurer qu'on n'a pas laissé traîner d'outils et que tout est en ordre.

— Où l'avait-on laissé ?

— Sur l'orgue. Il était enroulé dans la trompette d'un des anges. Impossible de le manquer.

— Vous êtes sûr que ce n'était pas un de vos hommes, Bucket ou Watson ?

— Tout à fait sûr.

— Qu'est-ce que ça représente ? intervint Carew qui se tordait toujours le cou pour voir par-dessus l'épaule de Paul. On dirait un ver... non, une anguille, plutôt. Une anguille avec des nageoires...

— Ah, bravo, Carew. Mais tu ne vois donc pas ? (Paul tentait d'empêcher ses mains de trembler.) Seigneur Dieu, John, c'est une lamproie[1]. C'est le dessin d'une lamproie.

---

1. Lamprey en anglais.

28

CONSTANTINOPLE, 4 SEPTEMBRE 1599

La nuit

Dans son observatoire de Galata, Jamal al-Andalus avait travaillé toute la nuit.

Comme à son habitude, il se tenait dans son étude, tout en haut de la tour. Cette pièce se trouvait au-dessus de l'observatoire où il gardait la plupart de ses instruments et de ses livres et recevait les visiteurs ou les érudits de passage qui venaient parfois le voir. C'était un observatoire secret où nul autre que lui ne pénétrait, pas même ses propres serviteurs. Il était assis en tailleur par terre devant une grande table basse, occupé à écrire des chiffres dans un livre. Une grande carte du ciel, maintenue aux quatre coins par des pierres, et plusieurs tables astrologiques étaient étalées devant lui. Depuis maintenant des heures, le seul bruit dans la pièce était celui de sa plume grattant le fin vélin des pages. De temps en temps, il jetait un coup d'œil vers l'escalier, comme s'il attendait quelqu'un, mais il n'y avait personne.

À cet instant, Jamal avait un visage bien différent de celui qu'il montrait au monde extérieur. Était-il plus vieux ou au contraire bien plus jeune que son âge supposé ? L'observateur aurait eu du mal à le dire. Au repos, la gaieté qui animait ses traits quand il se trouvait en compagnie laissait place à une expression bien plus concentrée. Car c'était là, dans cette pièce, que se passait la vraie vie de Jamal : une vie de l'esprit, une immersion si totale dans les profondeurs de la pensée que, quand il refaisait surface, c'était avec le regard ébloui et presque aveugle d'un homme qui a soupé en compagnie des anges.

La table où il se tenait était aussi austère et dépouillée que les figures mathématiques auxquelles il travaillait cette nuit-là. Le reste de sa salle secrète, en revanche, tenait plus de l'atelier d'artiste que du laboratoire d'un astronome. Des pilons et des mortiers, un assortiment de récipients, d'entonnoirs et de tamis, des taches d'encre noire, et des pièces de fine étoffe recouverte de feuille d'or. Des fioles de verre emplies de poudres colorées, du bleu, du vert, du rouge tirés de différentes substances : lapis lazuli, cinabre, plomb blanc et rouge, vitriol vert, hématite, alun, vert-de-gris et gypse. Une quantité de petits pinceaux, de règles et de plumes étaient disposés en rangs bien ordonnés. Et près d'eux, étalé à plat sur le sol, se trouvait l'ouvrage en cours : une longue chemise, ouverte devant comme un caftan. Un des côtés était encore blanc mais l'autre était couvert, dans une écriture si fine qu'on aurait cru l'œuvre de djinns, de chiffres talismaniques.

Jamal ôta les lunettes qu'il portait et se frotta le haut du nez, pincé par l'arceau de métal. Il les remit soigneusement dans leur coffret de bois, prit sur la table devant lui deux instruments d'aspect étrange. Puis, soulevant un rideau sur le mur derrière lui, il passa la porte qu'il dissimulait pour monter par un petit escalier jusqu'au toit de la tour.

C'était une nuit parfaite. Le ciel était sans nuages, la lune pleine, et il n'y avait pas un souffle de vent. Jamal sortit un astrolabe de sa poche et, avec l'aisance d'une longue habitude, commença à l'assembler, insérant deux disques dans un boîtier extérieur de forme circulaire. D'abord le *tympan* qui donnait la latitude et les coordonnées de Constantinople, puis, par-dessus, une carte des étoiles couverte de volutes en forme de crochets, la *rete*. Intégré à la *rete*, un second disque plus petit, le cercle écliptique, portait les douze signes du zodiaque. Une fois les disques en place, Jamal. leva les yeux vers le ciel et éprouva le même sursaut d'émerveillement que chaque fois. Les étoiles incendiaient le firmament au-dessus de lui. Certaines, plus brillantes que les autres, scintillaient d'une lueur irréelle, comme pour lui faire signe. Aldébaran, Bételgeuse, Markab, Alioth, Véga. Leurs seuls noms étaient une incantation, aussi puissante qu'un poème.

« Duquel d'entre vous vais-je me servir, ce soir, mes frères ? » murmura Jamal. Bas sur l'horizon, il repéra l'étoile du chien. « Ah, mon ami Sirius, te voilà. Tu feras parfaitement l'affaire. » D'un geste précis, il leva l'astrolabe à hauteur des yeux en le tenant par l'anneau fixé en haut et fit pivoter la règle mobile, l'alidade, sur l'extérieur du boîtier jusqu'à ce que le trou à l'une des extrémités se trouve juste en face de son œil. Puis, après avoir localisé Sirius par le trou et tout en maintenant l'instrument en place, il ajusta la *rete* d'une main experte jusqu'à ce que l'une des marques en forme de crochet, celle qui correspondait à Sirius, soit correctement alignée.

Il avait repris l'astrolabe en main et commençait sa lecture quand une voix s'éleva derrière lui.

— Ce n'est pas nécessaire, Jamal. C'est la septième heure après le coucher du soleil, ainsi que tu l'as demandé.

L'astronome ne leva pas tout de suite les yeux mais il y avait un sourire dans sa voix quand il répondit :

— Lire l'heure dans les étoiles est un plaisir que je ne peux partager avec beaucoup de gens.

— Même les heures inégales, Jamal

L'astronome se retourna finalement et dit d'une voix douce :

— Ce n'est pas moi qui les ai faites inégales, mon ami.

Une silhouette noire se tenait dans l'ombre derrière lui.

— *As salaam aleikoum*, Jamal al-Andalus.

— *Wa aleikoum as salaam*, Anglais. Je commençais à croire que tu ne viendrais pas. Cela fait trop longtemps que nous n'avons pas observé les étoiles ensemble.

— Bien trop longtemps, tu as raison, approuva Paul en sortant de l'ombre pour s'avancer sur le toit.

— Ton visage est bien grave, Paul. Rien ne t'a arrêté en chemin ? Mon ami Carew n'a pas encore des ennuis, j'espère ? s'inquiéta Jamal, ses yeux noirs brillants.

— Non, Carew n'a pas d'ennuis, du moins pas pour le moment. Il faut que tu me pardonnes, Jamal. Je ne t'ai pas encore remercié de tout ce que tu as fait pour lui ; et pour moi, aussi. Pour nous tous, en fait.

— Mais ce n'était pas suffisant, je le crains. Cette autre affaire, Paul, la jeune fille... Ce jour-là, la dernière fois que tu es venu, j'ai bien peur de t'avoir fâché. Je t'ai refusé mon aide et j'en suis navré...

— Je t'en prie, n'en dis pas plus, l'interrompit Paul en levant la main. Je n'aurais même jamais dû te le demander.

Ils se turent, contemplant la nuit.

— Et Carew. Il va bien ?

— Il se porte comme un charme, merci. Je crois qu'il lui faudrait plus que quelques jours dans une cave pour l'abattre, ton Carew.

— Bien plus.

— Et ton ambassadeur, sir Henry Lello, j'espère qu'il ne l'a pas trop mal pris ? Des bataillons de janissaires à sa porte ?

— Nous sommes parvenus à cacher toute l'histoire à sir Henry jusqu'à ce que tu aies relâché Carew. Aucune conséquence fâcheuse là non plus. À ce qu'on m'a dit, le vizir en a parlé lors de sa visite à l'ambassadeur ce matin – il a fait toutes sortes d'excuses pour l'erreur commise –, et il semble donc qu'au lieu d'être en disgrâce l'ambassade en tire finalement bénéfice. L'orgue mécanique est finalement réparé et va enfin pouvoir être offert au sultan. Demain, en fait.

— Alors sir Henry aura ses lettres de crédit ?

— Oui.

— Tout va bien, donc ?

— Oui, de ce point de vue-là, tout va bien, acquiesça Paul, avant de jeter un regard circulaire à la terrasse. Tu as dit que tu avais quelque chose à me montrer ?

— Oui, c'est un projet auquel je travaille depuis de nombreux mois. Je voulais que tu sois le premier à le voir.

Il tendit un objet étrange, un cylindre d'environ deux pieds de long en cuir grossier, étroit à l'une des extrémités, un peu plus large à l'autre.

— C'est de cela qu'il s'agit ? s'étonna Paul, abandonnant son air grave. Mais c'est un jouet de foire que tu me montres là.

Il prit le cylindre.

— Ah, alors tu en as déjà vu ? s'enquit Jamal, qui l'observait attentivement.

— Sur le plateau d'un colporteur, oui, je pense, répliqua Paul, amusé, et dans la boutique de ce bon M. Pearl à Bishop's Gate, où le marchand Parvish avait coutume de se fournir en lunettes.

Il examina l'instrument de tous les côtés. Non pas un, mais trois cylindres bout à bout, recouverts de cuir rugueux.

— Une lorgnette d'enfant, Jamal ? Très jolie, j'en conviens, mais... je croyais que tu avais au moins découvert la pierre philosophale.

— Que voudrais-tu que je fasse de la pierre philosophale ? En voilà des bêtises ! s'exclama Jamal, reprenant le cylindre. Ce sont les verres de lunettes qui m'ont donné cette idée. Mais ceci n'a rien d'un jouet d'enfant, je t'assure. L'extérieur peut sembler rudimentaire, mais c'est un travail encore en progrès, Paul. La beauté, les finitions pourront venir plus tard. Son génie réside dans ces deux simples lentilles : ici, et ici, expliqua-t-il en désignant les deux épais disques de verre transparents fixés aux deux bouts du cylindre. Celle-ci est faiblement convexe, l'autre fortement concave. Aucune des deux n'a quoi que ce soit de spéciaL Mais si on les met ensemble de cette façon, la lentille concave près de l'œil... (Il mit son œil à une des extrémités de la lunette, et dirigea l'autre vers le ciel.) En fait, si je t'ai fait venir, c'est pour que tu puisses voir par toi-même. Tiens, c'est assez lourd, appuie-toi là-dessus. (Il tira un pied en bois et aida Paul à y poser l'instrument.) Regarde toi-même, Paul.

Il recula pour le laisser s'approcher et porter la lunette à son œil.

— Je ne vois rien, objecta Paul après un moment. Seulement du noir.

— Tu dois être patient, répondit l'astronome en déplaçant le cylindre pour pouvoir se mettre derrière. Tes yeux ont besoin de temps pour s'adapter. Et c'est plus facile quand on décide d'abord de ce qu'on veut regarder.

— Pourquoi pas la Lune ? Elle est assez grosse.

— Non, voila ce que je voudrais que tu voies.

Jamal déplaça le cylindre pour le pointer vers l'écharpe de lumière laiteuse qui traversait le ciel nocturne. Paul prit l'instrument et observa à nouveau. Il scruta longtemps, sans un mot. Quand il se tourna finalement vers Jamal, il avait le regard lointain, comme ébloui.

— Des étoiles, Jamal, des milliers, non, des millions d'étoiles.

— Des millions et des millions, Paul. Bien plus d'étoiles que nous n'aurions jamais cru possible.

— C'est incroyable.

— Mon instrument a la faculté de tout rapprocher. Ce sont les lentilles de verre. J'ai eu cette idée juste après avoir moi-même commencé à utiliser des lunettes, avec également un peu d'aide de l'ouvrage d'Ibn al-Haytham sur l'optique, le *Kitab al-Manazir*, précisa modestement Jamal. Utilisées seules, les lentilles n'ont pas énormément de force, mais ensemble, l'une devant l'autre, eh bien, tu peux constater par toi-même la puissance qu'elles peuvent atteindre.

— C'est extraordinaire, s'écria Paul en reprenant l'instrument. Tout à fait extraordinaire. De combien rapproche-t-il ?

— D'environ vingt fois, d'après mes estimations. Peut-être un peu plus.

— Alors ce que nous voyons comme une bande de brume lumineuse à travers le ciel est en fait composé d'étoiles, répéta Paul, des millions et des millions d'étoiles. (Il remit son œil contre la lentille.) Cela semble incroyable.

— J'ai vu bien des choses que tu trouverais inouïes, Paul.

— La Lune ?

— Évidemment. Et Vénus. Grâce à cet instrument, j'ai pu établir que Vénus a des phases, comme la Lune. Je peux te les montrer.

Se frottant les yeux, Paul abandonna l'instrument

411

pour aller s'appuyer à la balustrade du toit, les yeux perdus dans le ciel étoilé.

— Je crois que finalement votre docteur hérétique était dans le vrai avec le modèle qu'il proposait, avança Jamal.

— Nicolas Copernic ?

— Oh oui ! Ce que je viens de te montrer prouve sans doute possible que l'univers est infiniment plus grand qu'on aurait pu l'imaginer.

— Et que ce n'est pas le ciel qui est en mouvement, mais nous ? demanda Paul en se tournant vers Jamal.

— Et pourquoi pas ? Qui plus est, je crois que mon instrument pourrait bien aider à en faire la preuve. (Jamal adressa à Paul un sourire malicieux.) Vous, les chrétiens, toujours si ancrés dans vos habitudes.

Il vint à côté de Paul et, pendant quelques instants, tous deux contemplèrent les étoiles en silence.

— Quand je suis devenu astronome, il y a maintenant bien des années, raconta Jamal après un moment, ma tâche consistait à établir des cartes : des cartes du ciel et des étoiles fixes. Mon travail était de prédire les mouvements du Soleil, de la Lune et des planètes, ainsi que la date et l'heure de certains événements particuliers tels qu'éclipses, oppositions, conjonctions, équinoxes et autres. Je n'étais pas censé raisonner sur le pourquoi de ces choses. Elles se produisaient, mais je n'étais pas censé chercher les causes derrière les événements. Mais maintenant (il désigna le cylindre) je m'aperçois que cela ne me satisfait plus. J'ai besoin de chercher la raison des choses.

— J'ai moi aussi besoin de connaître la raison des choses, Jamal, répliqua Paul. Ce soir, j'ai vu plus loin sans doute qu'aucun autre Anglais n'a jamais vu et pourtant... pourtant, Jamal, je t'avoue qu'il y a des choses, ici, juste sous mon nez, qui sont loin d'être aussi claires que je le souhaiterais. Avant de partir, j'ai besoin de savoir, tu comprends ?

— Avant de partir ?

— Elle veut que je m'en aille, Jamal. La validé. Quand le *Hector* fera voile après-demain, Carew et moi serons à bord du navire.

Jamal le regarda d'un œil attristé.

— Et tu me manqueras, Paul Pindar Aga, plus que je ne saurais le dire.

— Eh bien ? Pas de surprise ? Pas de questions ? Tu ne me demandes pas pourquoi elle veut que je parte ?

— Nous connaissons tous deux la réponse, non ?

En disant ces mots, Jamal rabattit sur sa tête la capuche de sa robe, ce qui fit disparaître dans l'ombre les traits de son visage. Paul eut la curieuse impression que soudain il devenait plus grand, plus mince.

— Que se passe-t-il, Paul ? (Jamal fit un pas vers lui.) Tu me regardes étrangement.

— Ah oui ? répondit Paul en reculant instinctivement d'un pas. Peut-être est-ce là une de ces choses que j'ai besoin de savoir. Que signifie vraiment tout ceci ? Qui es-tu, Jamal ?

— Ne sois pas stupide, tu sais qui je suis. L'astronome Jamal al-Andalus.

— Mais est-ce bien tout ?

— J'ignorais que tu t'intéressais à la métaphysique, ironisa l'astronome.

— Je suis venu ici l'autre jour pour te demander de l'aide, car je savais que tu entrais et sortais librement du palais. Cette femme qui est venue te chercher, Esperanza Malchi...

— Tu as donc découvert qui elle était. Je me le demandais.

— C'est grâce à Carew. Il est doué pour ce genre de choses. Cette Malchi est l'une des femmes de confiance les plus proches de la validé. Et la plus redoutée, d'après mes informateurs. Et, cependant, tu sembles en bons termes avec elle...

— Tes... informateurs !

— Tu savais tout à propos du chef des eunuques noirs et du bateau en sucre de Carew, poursuivit Paul. Tu as caché Carew ici pour le protéger et tu l'as relâché à la minute où ils ont trouvé le vrai coupable. Tout cela sans histoires, sans bruit et, que je sache, sans que cela fasse la moindre vague au palais. Tout cela avant même que le grand vizir ait eu le temps de réagir. (Paul marqua une pause.) Comment as-tu fait ?

— Ma foi, oui, je dois avouer que j'étais assez fier que tout se soit si bien passé...

— Et puis il y a tout ceci, enchaîna Paul avec un geste en direction du nouvel instrument. Ce coquin de Carew avait bien raison. C'est une collection extraordinaire que tu as là, Jamal. Les plus beaux instruments de précision que j'aie jamais vus : des astrolabes, des cartes, des livres. Comment les as-tu eus ?

414

— Peut-être devrais-tu demander cela à tes informateurs ? (Jamal ne souriait plus.) Tu m'espionnes, et tu as en plus l'audace de croire que tu pourrais également me faire espionner pour toi ?

— Il ne s'agit pas d'espionnage. Je voulais juste des informations...

— Parce qu'il y a une différence ?

— Bien sûr que oui.

— Personne au palais ne verrait les choses ainsi. Vous les étrangers, vous êtes tous les mêmes, puérils. Vous voulez toujours savoir les choses qui sont *haram*. Ne crois pas être le premier à essayer cela avec moi.

— Je suis désolé, mais Dieu sait que j'avais de bonnes raisons. (Paul fourragea nerveusement dans ses cheveux.) C'est de Celia qu'il est question, la femme que j'aimais, que j'aime toujours. (Il y avait du désespoir dans sa voix, maintenant.) Celle qui aurait dû devenir ma femme. Pendant tout ce temps, je l'ai crue morte, Jamal. Et voilà qu'elle est en vie, qu'elle est ici, à Constantinople. Tout ce temps, juste sous mon nez ! (Paul se prit la tête à deux mains.) Et je n'ai rien fait pour l'aider !

— Suppose que Carew se soit trompé ?

— Il ne s'est pas trompé. (Paul jeta à Jamal un morceau de papier.) Tiens, regarde ceci.

— Qu'est-ce que c'est ?

— C'est le dessin d'une lamproie, une sorte de poisson qui ressemble à une anguille. C'est un jeu de mots sur son nom : lamproie, Lamprey. Dallam l'a trouvé caché dans l'orgue.

Sans un mot, Jamal lui rendit le papier.

— Quoi ? Tu n'as rien à dire ? Elle sait que je suis ici, Jamal, j'en suis certain...

— Tu ne comprends donc toujours pas, Anglais ? Dans la maison de tout homme, et à plus forte raison dans celle du sultan, les quartiers des femmes sont *haram*, répéta Jamal en articulant comme s'il s'adressait à un enfant. Cela signifie interdit, absolument interdit, à tous les autres hommes. Interdit, pas seulement aux regards, mais aux paroles, aux pensées même. Si ta jeune fille, Celia Lamprey, est vraiment dans la Maison de la Félicité ainsi que tu le prétends, alors elle appartient désormais au sultan. Elle n'existe plus pour toi. Quoi qu'elle ait pu être auparavant, elle est son esclave, à présent. Elle lui appartient. Rien – rien à moins d'un miracle – ne pourra changer cela. Et moi qui te croyais différent, Paul, soupira-t-il en baissant les yeux vers le cylindre de cuir. Je pensais que tu venais me voir parce que tu t'intéressais à mon travail.

— Arrête, tu sais bien que c'était le cas, protesta Paul, peiné.

— Oui, admit Jamal, s'adoucissant un peu, je le sais bien. Au fond de mon cœur, j'ai toujours su que tu étais un homme honnête. Même quand je me suis aperçu que les choses entre nous n'étaient – comment dire ? – pas tout à fait ce qu'elles semblaient être.

— C'est seulement que je croyais te connaître. (Paul se frotta le front du poing.) Et, d'un seul coup, j'ai eu l'impression de me trouver face à un étranger.

— Alors que c'est toi, l'étranger, Paul, répondit tristement Jamal. J'oublie parfois que c'est ce que tu es : un étranger sur notre terre. Tu vas me parler, me dire ce que tu étais venu me confier, mais, tout d'abord, viens avec moi, l'invita-t-il en posant la main sur le bras de Paul. La nuit se rafraîchit et tu es en train de prendre froid.

Jamal fit redescendre Paul dans son observatoire. Grâce à un petit brasero qui brûlait dans un coin, la pièce était chaude. Un des serviteurs de Jamal apporta deux minuscules verres de thé à la menthe.

— Assieds-toi et réchauffe-toi, dit Jamal. Et, pendant que tu bois ton thé, je vais te raconter quelque chose qui, j'espère, t'expliquera pourquoi j'ai aidé Carew.

» Quand j'étais enfant, dix ans à peine, commença Jamal, je fus mis en apprentissage chez un scribe, un des calligraphes travaillant pour le palais. J'étais un garçon habile et capable et je ne mis guère de temps à apprendre le métier, à l'apprendre bien, mais cela ne me satisfaisait pas.

» Quelque chose au plus profond de moi désirait plus de la vie que simplement copier les mots écrits par d'autres, même si c'étaient parfois des mots saints, des sourates du Qu'ran. À côté de l'atelier de mon maître au palais se trouvait celui d'un autre artisan, un homme qui fabriquait des horloges, des cadrans solaires et des instruments de toutes sortes pour le sultan. J'étais fasciné par ces objets, non seulement pour leur beauté, mais pour leur fonction. Je passais autant de temps que possible avec cet autre maître, à apprendre tout ce que je parvenais à le persuader de me montrer, y compris des rudiments d'arithmétique et de géométrie, au grand étonnement des autres artisans et au grand désespoir de mon maître. Heureusement, c'était un homme bon, presque comme un père pour moi ; quand il comprit que me battre ne m'empêcherait pas de continuer à m'y intéresser et qu'en outre je possédais un réel talent pour les mathématiques, il s'arrangea pour me faire entrer à l'école du palais.

» J'étais très heureux à l'école. Enfin, j'avais la sensation de faire ce à quoi Dieu m'avait destiné. On s'aperçut vite que j'étais doué de facultés hors de l'ordinaire. En quelques années, j'avais appris tout ce que mes professeurs pouvaient m'enseigner sur les mathématiques, mais je ne m'arrêtai pas là. Je continuai, apprenant par moi-même quand il le fallait. Tout ce qui m'intéressait, c'étaient les nombres, leur beauté, leur limpidité. Dans le monde chrétien, on pense que l'univers tourne au son de la musique des sphères, mais vois-tu, Paul, moi je sais que le langage de l'univers, sa musique la plus belle et la plus profonde, ce sont les nombres. (Jamal s'adossa aux coussins en souriant.) La plupart des garçons de mon âge ne s'intéressaient qu'au tir à l'arc ou aux chevaux alors que moi j'étais là à me passionner pour les problèmes d'Euclide !

» Quand j'avais treize ans, le sultan Selim mourut et son fils le sultan Mourad, le père de l'actuel sultan, arriva au pouvoir. Il avait avec lui son ancien professeur, l'érudit Hodja S'ad al Din, qui se prit d'intérêt pour moi. Cet homme, par chance, était un ami de l'astronome en chef Taqquiudin. Celui-ci souhaitait depuis des années faire construire un observatoire à Constantinople. Les tables astronomiques existantes commençaient à être dépassées et il désirait en compiler de nouvelles, fondées sur des observations récentes. Quand il vint présenter sa proposition au sultan et au Diwan – le Conseil des vizirs –, Hodja S'ad al Din fut l'un des principaux partisans du projet. Taqquiudin construisit son observatoire tout près d'ici, à Galata, dans le quartier de Tophane, et deux ans plus tard, quand il fut terminé, j'y fus accepté comme assistant.

» Ma foi, tu sais ce qui s'est produit, soupira Jamal. Cette même année, en 1577, une grande comète apparut dans le ciel. Taqquiudin établit une prévision pour le sultan. La comète, lui dit-il, était porteuse d'heureux présages, signe que les armées ottomanes remporteraient la victoire dans la guerre contre la Perse. Il avait raison, bien sûr. Les Perses furent vaincus, mais non sans lourdes pertes pour les armées ottomanes. En plus de cela, une épidémie frappa notre cité cette année-là et nombre d'importants dignitaires moururent en très peu de temps. On était assez loin des heureux présages annoncés par mon maître.

» Mon ancien protecteur, Hodja S'ad al Din, et son allié le grand vizir Soqullu Mehmet Pacha s'étaient fait à la cour de dangereux ennemis. L'un d'entre eux était le sheik al Islam – la principale autorité de Constantinople en matière de loi islamique. Le sheik alla voir le sultan pour essayer de le persuader que c'était l'observatoire lui-même qui était la cause de tous ces maux. Tenter de pénétrer les secrets de la nature, arguait-il, ne pourrait qu'attirer le malheur sur nous tous. En vérité, prétendait-il, il était bien connu que les empires dans lesquels on avait construit des observatoires étaient promis à un rapide déclin.

» Le sultan refusa tout d'abord de l'écouter car

c'était un homme qui avait un grand respect pour l'érudition, mais finalement, au bout de quelques années, le sheik et sa clique l'emportèrent. On nous envoya un escadron de démolisseurs, et tu connais la suite, ajouta sombrement Jamal. Sans le moindre avertissement, un jour, ils étaient là. La tour d'observation, tous nos instruments, la bibliothèque, nos inestimables cartes. Irréparable. Le pire de tout, ce fut la dispersion de notre équipe. Nous étions en disgrâce. Où aller ? Que faire ? Tout notre précieux travail avait été détruit. La plupart des autres assistants avaient des familles chez qui retourner, mais moi, je n'avais personne. Je suis venu ici, dans cette tour.

» Cet endroit, qui était encore entouré de champs, était une annexe appelée le Petit Observatoire, située à quelque distance du bâtiment principal. Elle avait aussi été ravagée par les hallebardiers du sultan, mais moins totalement que le Grand Observatoire. Il en restait suffisamment pour que je puisse m'y faire un abri de fortune. Ce fut ici que je parvins à récupérer quelques livres et certains des plus petits instruments.

» Quand en ville on apprit qu'un des astronomes vivait toujours ici, en ermite, on se mit à venir me voir, d'abord plus ou moins en cachette. C'étaient pour la plupart des gens simples, avec une notion très rudimentaire de ce qu'est l'astronomie. Au début, ils me demandaient de petites choses : interpréter leurs rêves, établir des horoscopes à la naissance d'un enfant ou quand ils désiraient connaître la date la plus propice pour un mariage ou une circoncision. Petit à petit, leurs requêtes sont

420

devenues un peu plus complexes. Ils me demandaient parfois des charmes ou des talismans de protection contre le mauvais œil, contre la maladie, ce genre de choses. Et, très occasionnellement... quelque chose de plus fort.

— De la sorcellerie ?

— Est-ce ainsi que tu l'appellerais ? demanda Jamal en lançant à Paul un regard interrogateur. En fait, c'était dans l'ensemble assez inoffensif. Parfois rien de plus que quelques versets du Qu'ran dans un petit sac de toile. Souviens-toi que j'avais gardé une belle écriture de calligraphe. Comme je te l'ai dit, tout cela était bien bénin. La plupart du temps.

— Et alors ?

— Alors, un jour, je reçus une visite qui allait tout changer : un eunuque noir du palais. Il s'appelait Hassan Aga.

— Le chef des eunuques noirs ?

— En personne. Mais il y a plus de vingt ans, il n'était pas encore chef des eunuques noirs.

— Et il t'a demandé de lui calculer son horoscope ?

— Pas exactement. Une très grande dame avait besoin de mes services, sous le sceau, évidemment, du secret le plus absolu. Si je parvenais à l'aider, je serais récompensé bien au-delà de mes rêves les plus fous. Mais si je venais à divulguer à quiconque la teneur de sa requête, alors, raconta Jamal avec un sourire amer, je finirais castré, comme lui.

— Et l'as-tu aidée ?

— J'ai refusé, en fait. Normalement, un homme avisé se garde bien de refuser une demande du palais, et pourtant c'est ce que j'ai fait. La nature de sa requête me terrifiait à un tel point que je n'osais pas l'accepter – en supposant même que je sois capable de l'aider, ce dont je doutais. Mais ils ont tout mis en œuvre pour me persuader. Je pourrais rebâtir la tour, disaient-ils, et ils me fourniraient de nouveaux instruments, de nouveaux livres. Je pourrais reprendre mes recherches de façon indépendante, sous sa protection cette fois.

— Une dame très puissante.

— Oh, oui.

— Et donc, que voulait-elle que tu fasses ?

— Elle voulait que je jette un sort au sultan. Un sort qui le rendrait incapable d'honorer une autre femme qu'elle.

— Qui le rendrait impuissant, en somme ?

— Précisément.

— Qui était cette femme ?

— À l'époque, elle était la *haseki*, la favorite du sultan. Tu la connais sous le nom de Safiye Sultane.

Paul ouvrit de grands yeux.

— Et est-ce que cela a marché ? demanda-t-il au bout d'un moment.

Jamal se mit soudain à rire.

— Mon talisman ? Bien sûr qu'il a marché. (Il retrouva son sérieux pour ajouter :) Pendant un certain temps. Le sultan Mourad était resté fidèle à Safiye pendant plus de vingt ans. À dire vrai, cela tenait du scandale. Il était de notoriété publique qu'il ne prenait pas d'autre concubine ; qu'il avait choisi de faire d'elle la seule mère de ses enfants. Mais, quand il revint à Constantinople en tant que sultan, les choses changèrent. D'abord à cause de sa mère, Nurbanu. Elle détestait Safiye et jalousait l'influence que la jeune femme avait sur son fils. Elle fit tout ce qui était en son pouvoir pour persuader Mourad de prendre de nouvelles concubines. Elle et sa fille Humashah écumaient l'empire à la recherche des plus belles esclaves, mais en vain. Bien que Safiye ne soit plus de première jeunesse, il n'avait d'yeux que pour elle. (Jamal but une gorgée de thé et reposa soigneusement le petit verre sur la table près de lui.) Et, un jour, elles en trouvèrent une. Deux, en fait, une paire de jeunes esclaves aussi belles que des anges. En les voyant, Safiye sut qu'elle avait perdu. Ce fut alors qu'elle fit appel à moi.

Jamal prit une autre gorgée de thé.

— Le talisman que je lui ai fait a marché long-temps. Le sultan avait beau essayer, il ne parvenait pas à honorer d'autres femmes que la *haseki*. Mais ils ont fini par le découvrir.

— Le talisman ?

— Oui. Une de ses chambrières s'est accusée du crime, à ce qu'on m'a dit, et s'est fait jeter dans le Bosphore pour sa peine.

— Et Safiye ? Que lui est-il arrivé ?

— Elle s'est résignée à chercher elle-même des femmes pour le sultan, toutes plus belles les unes que les autres, et il a eu dix-neuf enfants avec elles avant de mourir...

— Mais elle a gardé son cœur ?

— Quelque chose comme cela, je suppose.

— C'est donc ainsi que tu as construit ta tour. Tous les astrolabes, les globes. Ta bibliothèque.

— Oui, Safiye Sultane a tenu parole. C'est une protectrice d'une grande générosité.

— Et tu travailles encore pour elle, à l'occasion ?

— Cela m'est arrivé de temps en temps, acquiesça Jamal. Mais jusqu'à cette affaire avec Hassan Aga, cela faisait bien des années qu'elle n'avait pas eu recours à moi, bien que je me rende souvent au palais pour enseigner à l'école. La validé savait que Carew n'était pour rien dans l'empoisonnement et elle m'a demandé de l'aider, voilà tout.

» Sache, Paul, que je ne suis pas le seul dont elle se sert. Il y a beaucoup de gens à qui la validé peut faire appel en cas de besoin. Elle m'appelle son médecin. Quand Hassan Aga a été empoisonné, elle m'a fait venir pour l'aider. Là encore, j'étais réticent, dit-il en secouant la tête. L'homme avait absorbé une telle quantité de poison que je ne pouvais rien faire pour lui, et je crois qu'elle le savait aussi. C'est uniquement par la volonté de Dieu qu'il est toujours en vie, crois-moi. Cela et...

— Et quoi ?

— Qui sait, lâcha Jamal en haussant les épaules. Il a peut-être une raison de vivre. Quelque chose de très précieux. Mais c'est un eunuque, alors va savoir ce que cela pourrait bien être.

Quand Jamal eut fini son histoire, Paul resta un moment silencieux à regarder ses mains. Il se sentait soudain trop fatigué pour parler, même pour penser. Il ferma les yeux et se laissa aller en arrière, la tête contre le mur.

— Et moi, Jamal, articula-t-il avec peine, la bouche emplie des cendres amères de la défaite. Me reste-t-il une raison de vivre ?

— Tu as toutes les raisons de vivre, compatit Jamal. Mais laisse-moi te donner un conseil. Rentre chez toi, Paul. La validé t'a donné une chance. Tu n'en auras pas d'autre.

L'aurore pointait quand les deux hommes se dirent finalement adieu.

— Jusqu'au revoir, Paul Pindar Aga.

— Jusqu'au revoir.

Ils échangèrent une accolade.

— Jamal ?

— Mon ami ?

— Une dernière faveur.

— Tout ce que tu voudras, sourit Jamal. Qu'est-ce ?

— Mon compendium.

— Oui, je vois bien.

Jamal contemplait le compendium au creux de sa main.

— Fais-le-lui parvenir. Je t'en prie.

Pendant ce qui sembla à Paul un très long moment, l'astronome regarda l'objet sans rien dire.

— Ce n'est pas un regard ; ce n'est pas une parole, pas même une pensée, soupira Paul, mais elle comprendra. Elle saura que j'ai essayé.

— Très bien, répondit Jamal en acceptant l'instrument. Comme je te l'ai dit, Paul, aucun homme sur terre ne peut t'aider mais... peut-être quelqu'un d'autre le pourra-t-il.

29

ISTANBUL, DE NOS JOURS

Ce ne fut que le lendemain de sa sortie sur le Bosphore avec Mehmet qu'Elizabeth put enfin ouvrir le courriel. de sa directrice de thèse, le Dr Alis.

Chère Elizabeth, je suis heureuse que votre séjour à Istanbul se révèle fructueux. De bonnes nouvelles ici : le département a approuvé votre transfert du master de littérature vers le doctorat en philo. Nous pourrons discuter de tout cela à votre retour, mais, en attendant, voici un scan du portrait que vous avez demandé, j'espère qu'il sera plus précis que votre copie...

Sans prendre le temps de lire la suite, Elizabeth cliqua sur la pièce jointe. Après quelques instants, un message apparut sur l'écran : « Page temporairement indisponible, veuillez actualiser ou réessayer plus tard. » Elle cliqua sur l'icône d'actualisation et le pointeur se mit brièvement en attente, mais rien d'autre ne se produisit.

Et zut ! Elle revint au message, chercha l'endroit où elle s'était arrêtée :

... j'espère qu'il sera plus précis que votre copie. Au cas où vous vous poseriez la question, l'objet qu'il tient en main est un compendium, un instrument à vocation à la fois mathématique et astronomique. En regardant bien, vous pourrez constater qu'il est composé de différentes parties : un nocturlabe, une boussole magnétique, une table des latitudes et un cadran équinoxial En pratique, tout cela se rangeait dans un boîtier de cuivre suffisamment petit pour tenir dans une poche (un peu comme plus tard les montres de gousset) mais, comme vous le voyez, il le tient ouvert comme pour le montrer. Encore plus inhabituel, celui-ci semble avoir une sorte de compartiment supplémentaire au fond, sans doute pour y ranger autre chose : de quoi dessiner, peut-être. Ce qu'il faut vous demander c'est pourquoi il a choisi d'être peint avec cet instrument en main ? Quelle en est la signification ? Les Élisabéthains étaient friands de symboles et de codes en tous genres. Peut-être la date (à peine visible dans le coin en bas à droite) vous donnera-t-elle un indice.

Il y a une date ? Saleté de machine ! Impatiente, Elizabeth tenta à nouveau d'ouvrir la pièce jointe, pour n'obtenir que le même message : « Veuillez actualiser ou réessayer plus tard. » Pourquoi est-ce que dans les cybercafés les ordinateurs n'étaient jamais fichus de fonctionner correctement ? Rien à faire, elle devrait attendre jusqu'au lundi pour faire une nouvelle tentative depuis un des postes de l'université.

À son retour à la maison d'Haddba, une enveloppe brune d'aspect officiel l'attendait. Elle portait un cachet local et était adressée à Bayan Elizabeth Staveley. Plus tard ce soir-là, elle appela Eve.

— Tu sais quoi ? Mon autorisation pour les archives a fini par arriver.

— Il était grand temps. Quoi de neuf ?

Elizabeth lui parla du portrait de Paul Pindar avec le compendium et du journal de Thomas Dallam.

— C'est bizarre, mais tu sais à quoi je n'arrête pas de penser ?

— À quoi ?

— Je n'arrête pas de penser à la maison de Pindar. Tu te souviens, je t'en ai déjà parlé.

— Hum, vaguement. Elle était grande, c'est ça ?

— Plus que ça. Tiens, écoute ça. J'ai passé un bon moment sur Google l'autre jour et voilà ce que j'ai déniché. (Elizabeth sortit ses notes.) « Un des plus beaux spécimens à Londres de maison particulière à colombages, construite aux environs de 1600 par le riche marchand londonien Paul Pindar », lut-elle. La façade du bâtiment semble avoir été assez célèbre. « Une façade à deux étages, faite de chêne joint et sculpté avec des panneaux richement décorés au bas des baies du premier et du second étage. Au-dessus de ces panneaux se trouvent des fenêtres formées de nombreux morceaux de verre. »

— Est-ce qu'elle existe toujours ?

— Non. La maison est devenue un pub en 1787 et a été totalement démolie dans les années 1890 lors de l'extension de la station de Liverpool Street. Mais la façade se trouve au Victoria and Albert Museum – un de ces jours j'irai y jeter un coup d'œil.

— D'accord, d'accord, je vois le tableau. (Eve semblait exaspérée.) Mais ce que je ne vois pas c'est comment tout ça va t'aider à découvrir ce qui est réellement arrivé à Celia Lamprey.

— Tu as raison, cela ne m'aidera peut-être pas directement, admit Elizabeth. J'ai commencé à rechercher des images de la maison de Pindar, et, aussi incroyable que ça puisse paraître, il y en avait. Quelqu'un s'est donné la peine de mettre en ligne un livre d'un certain Smith appelé *Les Antiquités de Londres*, daté de 1791, et, bingo, elle était là – pas seulement la maison elle-même mais le pavillon d'entrée du parc qui l'entourait à l'origine et qui existait encore apparemment dans un endroit appelé Half-Moon Alley. (Elle lut la légende.) « Il reste encore aujourd'hui des gens pour se souvenir des mûriers et des autres vestiges du parc. »

— Et alors ? Il avait une grande maison avec un jardin. Bishopsgate était juste en dehors de l'ancienne enceinte de la ville et, à la fin du XVe siècle, ça devait encore être la campagne, là-bas.

— Mais tu ne comprends pas ? La maison a été construite en 1600, l'année juste après que les marchands ont offert l'orgue au sultan. Nous savons que Pindar est resté à Constantinople au moins jusqu'en 1599, puisqu'il est mentionné dans le journal de Thomas Dallam ; il était l'un des deux secrétaires qui accompagnaient l'ambassadeur quand il a finalement présenté ses lettres de créance. Mais ce qui importe, c'est que cette maison n'était pas n'importe quelle baraque. C'était une immense demeure, comparable à celles de Thomas Gresham et d'autres grands financiers londoniens. Mais s'il était seul

– toujours célibataire, sans femme ni enfants – pourquoi aurait-il construit quelque chose de si grand ?

— Euh, parce qu'il était très riche ? suggéra Eve. Comme tu l'as dit toi-même, Pindar était l'archétype du marchand banquier, qu'avait-il d'autre à faire de tout son argent ? Je croyais que les Élisabéthains étaient comme ça : ostentatoires et dépensiers.

— Mais justement, lui n'était ni l'un ni l'autre. (Elizabeth revit l'homme du portrait dans son austère gilet noir.) À t'entendre, on croirait un affreux nouveau riche, alors qu'il n'était rien de la sorte. C'était un gentleman et un érudit.

— Il était peut-être gay, rétorqua Eve. Oh allons, avec tous ces intérieurs somptueux !

— Je ne pense pas. Une maison comme celle-là, c'est pour le futur, la postérité. Quelque chose à léguer à la génération suivante.

— Il a pu épouser quelqu'un d'autre. As-tu envisagé ça ?

— Bien sûr que oui ! (Elizabeth pressa ses doigts sur ses yeux.) J'ai envisagé toutes les hypothèses possibles. Mais non, il n'en a jamais aimé d'autre qu'elle. Celia s'est échappée, j'en suis sûre.

Elizabeth leva les yeux et regarda par la fenêtre de sa chambre qui donnait sur la Corne d'Or et le palais : une vue d'ensemble de Constantinople, la même que les marchands de la Compagnie du Levant devaient avoir depuis leurs maisons de Galata. Comme c'était étrange qu'elle l'ait à peine remarquée en arrivant. En seulement quelques semaines, la chambre lui était devenue si familière que c'était tout juste si elle y faisait encore attention

430

et l'espace d'une fraction de seconde elle la revit comme elle lui était apparue alors : le plancher nu et en pente, les lits jumeaux, l'ensemble aussi austère et dépouillé qu'une cabine de bateau.

Eve s'était remise à parler.

— Désolée, tu disais ?

— C'est bien beau tout ça, mais tu n'as pas de preuves, objecta Eve en détachant soigneusement les trois derniers mots.

— Ça va, pas la peine de me parler comme si j'étais complètement idiote. Je ne peux pas expliquer comment, mais je le sais, s'énerva soudain Elizabeth. Et je n'ai pas besoin de preuves. Pas pour ça !

Les mots étaient sortis avant qu'elle puisse les retenir. Il y eut un moment de silence au bout du fil.

— Pour une thèse de philo ? fit sèchement Eve. Je crois bien que si.

— Ce que je veux dire c'est... (Elizabeth soupira.) Et merde, qu'est-ce que je veux dire ? Il ne t'est jamais arrivé... d'avoir l'impression que le passé te parle ?

Un autre silence au bout du fil.

— Pas de la façon dont tu t'imagines qu'il le fait, marmonna Eve.

Elizabeth se tut.

— Tu as l'air fatiguée, déclara finalement Eve.

— C'est vrai, admit Elizabeth en se frottant encore les yeux. Je n'ai pas très bien dormi.

Encore un silence.

— Il y a autre chose ? Marius n'a pas essayé de te contacter au moins ? s'enquit Eve après un moment. J'ai entendu dire qu'il avait appelé le collège plusieurs fois.

— Marius ? (Elizabeth faillit rire.) Non.

L'image lui vint, non de Marius, mais de Mehmet. *Effacer Marius.* Était-il possible qu'elle y soit finalement parvenue ?

— Eh bien, c'est au moins quelque chose.

Une autre pause tendue.

— Bon, je vais peut-être y aller.

— Bon.

— Salut.

Elizabeth s'allongea sur son lit, les yeux au plafond. Mais qu'est-ce qui lui prenait ? Jamais elle n'avait été aussi près de se disputer avec Eve. Elle aurait pu lui parler de Mehmet et pourtant elle ne l'avait pas fait. Pourquoi ? Roulant sur le lit, elle prit son portable sur la table de nuit et fit défiler les photos prises la veille. Elle admira son profil, le dessin bien défini de son nez. Que n'aurait-elle pas donné pour l'avoir avec elle et entendre sa voix ! Mais il était absent, parti à Ankara pour affaires, et elle ne le verrait pas pendant deux jours entiers.

Elizabeth éteignit son portable et se rallongea sur le lit. Dans la distance, perçant l'obscurité qui était tombée derrière sa fenêtre, elle pouvait entendre le muezzin appeler les fidèles à la prière.

Elle ferma les yeux. C'était vrai qu'elle était fatiguée. Elle avait à peine fermé l'œil la nuit précédente tant elle avait pensé à Mehmet, et le peu qu'elle avait dormi, c'était d'un sommeil troublé et agité. Parfois, elle se retrouvait au hammam, le matin où elle avait imaginé le regard de Mehmet sur son corps nu. Ou bien elle revivait le moment où il lui avait pris la main au restaurant et le contact troublant de son pouce sur la peau tendre de son poignet.

Ils avaient fait le trajet du retour très près l'un de l'autre, sans se toucher mais si proches qu'elle pouvait sentir son souffle sur son cou.

— Ça va ?

— Oui.

— Vous frissonnez encore.

— Non, vraiment...

— Vous êtes sûre ?

Il avait tendu la main pour remettre en place une longue mèche de cheveux derrière son oreille.

— Tout à fait sûre.

— Regardez, il y a ici quelque chose que je voudrais vous montrer.

Une rangée d'élégantes maisons de bois surplombait l'eau le long d'une petite baie.

— Ce sont les *yalı* dont je vous ai parlé. (Il désignait l'une des plus grandes, dont les murs de bois étaient peints d'un brun chaud.) C'est ici qu'Haddba voulait que je vous emmène.

— Elle est très belle. À qui appartient-elle ?

— À ma famille. Une de mes grand-tantes, la plus jeune sœur de ma grand-mère, y vit toujours, mais elle passe l'hiver en Europe. (Il la regardait attentivement.) Je vous y emmènerai un de ces jours. Si vous le souhaitez.

Ils avaient navigué un moment en silence. Le soleil, maintenant bas sur l'horizon, avait disparu derrière les nuages. Un vol de cormorans était passé près d'eux au ras de l'eau.

— Vous avez peur ? avait-il demandé.

— Non.

— C'est bien, avait-il déclaré en se tournant vers

433

elle. Vous n'avez aucune raison d'avoir peur, vous le savez, n'est-ce pas ?

— Oui, avait-elle acquiescé. Je le sais.

Et voilà pourquoi elle avait passé une nuit agitée à penser à lui, somnolant par intermittences. Parfois, elle ne savait plus très bien si elle était éveillée ou si elle rêvait. À un moment, elle avait cru entendre sa porte s'ouvrir violemment et quelqu'un entrer en courant dans la pièce. Elle s'était redressée dans un cri.

L'ombre d'une jeune femme – les cheveux en désordre, des perles autour du cou – se tenait au-dessus d'elle.

Elle entendit une voix – était-ce la sienne ? – qui criait.

Celia ?

Mais il n'y avait personne.

30

CONSTANTINOPLE, 5 SEPTEMBRE 1599

Matin

Ce ne fut que deux jours plus tard que Celia eut à nouveau l'occasion de parler à Annetta. Elle trouva son amie seule, adossée à ses coussins. Bien qu'encore pâle, elle était habillée et coiffée, les cheveux bien tressés.

— Tu as meilleure mine.

— Et toi, tu as une mine affreuse.

Annetta examina son amie d'un œil critique, puis regarda par-dessus son épaule vers le couloir et s'enquit :

— Où sont tes femmes, aujourd'hui ?

Celia baissa les yeux.

— La gouvernante du harem avait besoin d'elles ailleurs.

— Est-ce que ça signifie que tu n'es plus *gözde* ? demanda sans ménagement Annetta.

— Il semblerait.

Celia revit le sultan, son corps pâle et lourd, sa

barbiche et ses bajoues. Elle se souvint de la frêle silhouette d'Hanza qui montait et descendait sur lui et des étranges petits hoquets qu'elle laissait échapper, comme un enfant qui essaie de s'empêcher de pleurer.

— Et tu peux dire ce que tu veux, déclara-t-elle en agrippant la main d'Annetta, je n'en suis pas fâchée.

— Ça ne fait rien, petite oie.

— Je m'attends d'ailleurs à être bientôt de retour ici avec toi, poursuivit Celia en parcourant du regard le petit dortoir sans fenêtres qu'Annetta partageait avec cinq autres *cariye*. Et, de cela non plus, je ne serai pas fâchée.

— On se serrera les coudes, quoi qu'il arrive, la rassura Annetta en lui pressant la main. Maintenant plus que jamais.

— Oui, il va le falloir. Et voilà pourquoi tu dois me révéler ce qui s'est réellement passé la nuit où Hassan...

— *Madonna*, tu ne vas pas recommencer ! protesta Annetta en se radossant à ses coussins, toute sa bonne humeur envolée. Tu ne pourrais pas oublier ça ?

— Oublier ? Tu as promis que tu me le dirais ! « Plus de secrets », tu te souviens ? Tu crois peut-être pouvoir faire comme si rien n'était arrivé ? Détrompe-toi. Si vraiment Hassan Aga t'a vue là-bas, alors ta situation n'est pas meilleure que la mienne. (Celia chuchotait, maintenant.) Chut ! Qu'est-ce que c'est ?

— Quoi ? Je n'entends rien.

— Attends un instant.

Celia courut à la porte, regarda rapidement à

droite et à gauche dans le corridor, puis dehors vers la Cour des Cariye. Personne en vue. Quand elle revint, elle était pâle.

— Ils ont fouillé mes affaires, j'en suis sûre. Partout où je vais, je les sens qui m'observent, qui m'écoutent. Tout le temps. Même ceux auxquels je croyais pouvoir me fier – Gulbahar... Hyacinthe... tous les autres. Tu n'as pas idée de ce que c'est. J'ai l'impression de ne plus connaître personne.

— Pourquoi ? À cause du bateau en sucre ? Mais ils ont la preuve qu'il n'avait rien à voir avec l'empoisonnement...

— Vraiment ? Je n'en suis pas si sûre. Je n'arrête pas d'y penser, Annetta : suppose qu'ils aient tout découvert au sujet de Paul, suppose que lui aussi soit en danger, maintenant ! (Celia pressa de la main son côté, où la douleur était maintenant constante.) Annetta, rien n'est fini ; il y avait mon nom sur ce bateau. (Elle recommençait à avoir du mal à respirer.) Écoute, nous n'avons pas beaucoup de temps. Raconte-moi juste ce que tu as vu. Crois-moi, cela ne t'aidera pas de faire comme si rien ne s'était passé.

— Je crois au contraire que c'est notre meilleure chance, faire le gros dos et attendre que ça passe. Et ça passera, à condition qu'aucun fouineur ne s'avise de venir faire des vagues, s'énerva Annetta avec un regard furieux vers son amie. Le fait est que rien ne s'est vraiment passé, poursuivit-elle en se redressant. Ils ont trouvé le responsable, Hanza, ou la *haseki*, ou les deux, qui sait, et j'en suis désolée, parce que je sais que tu l'aimais bien, la *haseki*. Mais si Hassan Aga m'avait vue, il l'aurait déjà dit à l'heure qu'il est.

437

Personne n'a rien dit et n'en dira rien – et maintenant est-ce qu'on ne pourrait pas parler d'autre chose ?

— Tu réagirais différemment si tu avais été là. C'était affreux, Annetta ; moi, j'étais là quand ils les ont emmenées. (Celia leva son poignet où brillaient les morceaux de verre bleu et noir du bracelet de la *haseki*.) Le chef des eunuques noirs a été empoisonné et deux femmes sont mortes pour cela. On les a enfermées dans des sacs et jetées dans le Bosphore. Imagine... (Elle passa les doigts sur la surface lisse des perles de verre.) Le fait qu'Hassan Aga n'ait rien dit à ton sujet est peut-être un bon signe. Il est tout à fait possible qu'il ne t'ait pas vue, après tout. Ou bien c'est qu'il attend simplement le moment opportun. Parce que c'est comme ça qu'ils font, ici, tu te souviens ? Ils observent et ils attendent, c'est toi-même qui me l'as enseigné.

Annetta tourna le dos à Celia, refusant de l'écouter. Celia lui secoua l'épaule.

— La *haseki* essayait de me dire quelque chose, mais elle n'a pas pu finir son histoire, reprit-elle. Tu crois qu'Esperanza Malchi t'a jeté le mauvais œil, mais je ne pense pas qu'elle y soit pour quelque chose. Il s'agit de quelqu'un d'autre, la *haseki* a eu au moins le temps de me dire ça. Quelqu'un de beaucoup plus dangereux.

— Raison de plus pour laisser les choses comme elles sont, insista Annetta, toujours tournée contre le mur.

— Je ne peux pas. Plus maintenant.

Il y eut un long silence.

— Tu l'as fait, n'est-ce pas ? accusa Annetta en se retournant.

— Quoi ?

— Ne fais pas l'innocente avec moi. Tu es allée à la Porte de la Volière, c'est ça ?

Celia battit des paupières. Il n'y avait pas moyen de nier, surtout pas avec Annetta.

— Personne ne m'a vue.

— Tu crois ça ? Qu'est-ce qu'il ne faut pas entendre ! Annetta ferma les yeux, l'air désespéré.

— Il y a autre chose que tu devrais savoir.

Rapidement, Celia lui parla de Handan et de ce qu'elle avait découvert deux nuits auparavant. Annetta l'écouta en silence. Quand elle prit enfin la parole, sa voix n'était qu'un sifflement furieux.

— Mais qu'est-ce qui t'a pris ? *Santa Madonna*, ce n'est pas de moi que tu devrais t'inquiéter ! C'est toi, maintenant, qui vas te retrouver avec des ennuis jusqu'au cou.

— Chut ! fit Celia en regardant autour d'elle un doigt sur les lèvres. Réfléchis un peu. Cariye Mihrimah. Est-ce que tu as déjà entendu parler de quelqu'un qui s'appellerait comme ça ?

— Je savais que le chef des eunuques noirs était appelé Petit Rossignol, autrefois. Mais Cariye Mihrimah ? Non, je n'ai jamais entendu ce nom-là.

— Si nous pouvons découvrir de qui il s'agit... en fait, je crois que c'est elle la clef

— La clef ?

— La clef de tout le reste. Qui a empoisonné le chef des eunuques noirs, qui se trouve vraiment derrière la mort de Gulay Haseki, s'impatienta Celia. Pourquoi le bateau en sucre – une confiserie à l'image du navire de mon père, et à mon nom – s'est trouvé mêlé à cette histoire. Je suis sûre que c'est ce

439

que Gulay Haseki essayait de me dire, seulement elle n'en a pas eu le temps.

— Mais ils ont trouvé la coupable. C'était elle, depuis le début, geignit Annetta. Et que fais-tu de cet horoscope qu'Hanza a trouvé ?

— Je n'y ai jamais cru, et toi ? Je doute que quiconque y ait cru. Il aurait pu être mis là par n'importe qui. Tu te souviens du jour où nous avons vu Esperanza Malchi livrer quelque chose à l'appartement de la *haseki* ? Quelqu'un l'a pris, mais je n'ai pas vu qui c'était. Tu l'as vu, toi ? Je crois que Gulay pressentait que quelque chose de ce genre allait se produire. Elle me l'a dit elle-même. Une chose est sûre, elle savait qu'elle avait des ennemis. Des ennemis assez dangereux pour qu'elle veuille renoncer à être *haseki*.

— Alors c'est ce qu'elle t'a raconté ? rétorqua Annetta en la foudroyant du regard. Est-ce que tu n'oublies pas quelque chose ? Gulay avait un fils. Il aurait pu être le prochain sultan, ce qui signifie qu'elle serait devenue la prochaine validé. Un enjeu de taille. Quand l'actuel sultan est arrivé sur le trône, ses dix-neuf frères ont tous été assassinés. Tu ne te souviens pas des histoires de Cariye Lala ? Et Gulay savait bien que, à moins qu'elle ne gagne, son fils risquait de finir ainsi. C'est encore le cas, ajouta-t-elle sombrement.

— Je ne le nie pas. Mais je crois quand même que cela faisait partie de son plan.

— Tu n'as jamais pensé que c'était ce qu'elle voulait te faire croire ? Qu'elle avait ses propres raisons de te parler des Rossignols ? (Annetta frissonna et remonta la courtepointe sur ses épaules.)

Plus j'entends parler de cette histoire, et moins elle me plaît.

— Tu as tort. Il faut que tu me fasses confiance. Et maintenant, s'il te plaît, vas-tu me dire ce que tu as vu exactement ?

— Bon, très bien, soupira Annetta en fermant les yeux. Cette nuit-là – celle où on t'a conduite au sultan pour la première fois –, je n'arrivais pas à dormir, commença-t-elle. Je n'arrêtais pas de penser à toi. Je me demandais si... tu allais bien. Je me demandais, ajouta-t-elle avec l'ombre d'un sourire, quel genre de tours Cariye Lala avait dans son sac et si elle était à la hauteur de tout l'argent qu'on lui avait donné. (Annetta battit des paupières.) Il y avait tellement en jeu et je savais que ce serait sans doute notre seule chance. Quantité de filles passent par ici et, pour la plupart, on ne les regarde même pas. Mais toi, Celia, mais toi, belle et douce comme tu es, avec tes manières de grande dame, je savais qu'on te remarquerait. Alors que moi, eh bien, regarde-moi, fit-elle en riant, rien qu'une petite maigrichonne aux cheveux noirs, comme le disaient les sœurs. Personne, et encore moins le sultan, ne m'accorderait un regard. En revanche, j'ai une tête, une tête solide et qui fonctionne bien, et à nous deux, eh bien, deux valent mieux qu'une.

» Enfin, cette nuit-là, je n'arrivais pas à dormir. Si tu te souviens, nous étions très peu nombreuses ici, ce soir-là. À part les novices, presque toutes les femmes étaient encore au palais d'été de la validé et ne devaient pas rentrer avant le lendemain. Je suis descendue aux bains pour chercher de l'eau. Tout était si calme. Je me rappelle avoir vu mon ombre

441

au clair de lune, et m'être demandé si c'était comme ça quand on était un fantôme.

» Et là, j'ai entendu du bruit – des gens qui parlaient à voix basse –, quelque part dans les quartiers de la validé. Peut-être était-il question de toi, alors je suis allée jusqu'à la porte qui relie la Cour des Cariye à l'antichambre de la validé pour mieux entendre. Et juste comme j'arrivais, la porte s'est ouverte d'un seul coup et Cariye Lala est sortie. Elle tenait quelque chose à la main : le bateau en sucre. On a sursauté toutes les deux – c'est tout juste si on a pu se retenir de crier –, et pendant un horrible moment j'ai cru qu'elle allait m'expédier chez la gouvernante, mais, au lieu de ça, elle m'a simplement tendu le bateau en me disant qu'on lui avait demandé de l'apporter au chef des eunuques noirs mais que je ferais aussi bien l'affaire.

— Alors c'est comme ça qu'il est arrivé là ? C'est toi qui l'as apporté ! Mon Dieu, Annetta, s'exclama Celia en regardant fixement son amie. Alors maintenant, voilà deux personnes qui savent où tu étais cette nuit-là ?

— Oh, tout le monde sait bien que Cariye Lala est inoffensive, s'impatienta Annetta avec un claquement de langue. La question qu'il faut se poser, c'est qui l'a envoyée.

— Oui, oui, une chose à la fois, rétorqua Celia en se frottant nerveusement les yeux. Raconte-moi d'abord ce qui s'est passé quand tu es arrivée dans les appartements d'Hassan Aga.

— C'est ça qui est bizarre, il n'y avait personne. J'ai posé le bateau sur un plateau installé à côté de son divan, mais pas avant de l'avoir inspecté sous toutes les coutures. Désolée, petite oie, je sais bien que j'aurais dû te le dire. (Annetta regarda son amie et avala péniblement sa salive.) Enfin bref, quand j'ai eu posé la confiserie sur le plateau, je ne savais pas trop quoi faire. Il fallait peut-être que j'attende Hassan Aga pour lui annoncer ce que j'avais apporté, mais personne ne venait, alors, poursuivit-elle en jetant un regard à Celia, je me suis dit : voilà ma chance, je vais fouiner un peu...

— Tu as fait quoi... (C'était au tour de Celia d'avoir l'air horrifié.) Dans la chambre d'Hassan Aga ?

— Tu peux parler ! (Annetta se pencha vers Celia et baissa la voix.) Et j'ai trouvé quelque chose, j'ai entendu quelque chose, plutôt. J'ai entendu un chat.

— Un chat ? Je ne vois pas ce que ça a d'extraordinaire. Le palais est plein de chats.

— Sauf que le bruit venait de l'intérieur des murs. J'ai écouté, écouté jusqu'à ce que je localise le bruit derrière les carreaux d'un des murs, celui en face du divan. Le pauvre miaulait de plus en plus fort, alors j'ai passé la main sur tous les carreaux et, finalement, j'ai trouvé une sorte de poignée dans le mur. Je l'ai tirée et d'un seul coup tout un pan de mur s'est ouvert devant moi.

— Une porte secrète ! Une de plus !

— Précisément. Et, derrière la porte, il y avait un placard, un grand placard, assez large pour que quelqu'un, même un grand et gros eunuque, puisse s'y cacher. Le chat était là...

— Pauvre bête !

— Mais pas n'importe quel chat. Imagine un peu !

C'était le gros chat blanc de la validé, tu vois lequel ? Celui qui a des yeux bizarres ?

— Bien sûr que je le connais, acquiesça Celia, abasourdie, mais qu'est-ce que Chat pouvait bien faire là ?

— J'y arrive. Quand j'ai ouvert la porte, le chat a jailli – il a bien failli me renverser tellement il était pressé de sortir – et je me suis aperçue qu'au fond du placard il y avait encore un battant.

— Je crois que je vois où tu veux en venir...

— Exactement ! Derrière cette deuxième porte, j'ai trouvé un escalier dérobé. Comme celui que tu as trouvé dans les appartements de la *haseki*.

— C'est donc pour ça que tu t'intéressais aux différentes entrées de son appartement. Tu penses que les deux pourraient communiquer ?

— Bien sûr. C'est sûrement comme ça que Chat est arrivé là. Il a dû se glisser par une des autres entrées et se retrouver enfermé. Bref, j'étais encore dans le placard quand j'ai entendu des voix venant de la pièce derrière moi, continua Annetta en jetant à Celia un regard gêné. Qu'est-ce que je pouvais faire ? Je n'avais plus le temps de sortir. J'ai juste eu le temps de refermer le placard, avec moi dedans, cette fois, avant qu'Hassan Aga n'arrive.

Celia ouvrit de grands yeux.

— Je sais, je sais. Ne me fais pas ces yeux-là. C'était idiot de ma part, enfin, peut-être pas si idiot que ça en a l'air. Parce qu'il n'était pas seul, le vieux rhinocéros. Eh non, il était avec une fille, la servante de Cariye Lala au hammam de la validé. Je pouvais très bien les voir par un judas dans la porte.

— La fille aux cheveux tressés ? Je me souviens

d'elle, intervint Celia. Elle a aidé à me préparer ce soir-là. Je ne crois pas l'avoir revue depuis.

— C'est parce qu'elle est morte.

— Morte ? répéta Celia. Elle aussi ?

— Oh oui.

— Mais comment ?

— Cette fille – cette petite fille à l'air si innocent – s'est révélée être le *culo* attitré du chef des eunuques noirs.

— Impossible !

Devant l'expression horrifiée de Celia, Annetta eut un rire ironique.

— Tu crois que parce que ces eunuques sont châtrés et qu'ils ne peuvent pas forniquer pour de bon, fit-elle avec un geste éloquent des doigts, tu crois qu'ils n'ont ni sentiments ni désirs ? Ou même, ajouta-t-elle en penchant la tête de côté, qu'ils ne sont pas capables de satisfaire une femme par d'autres moyens ? Eh bien, à en croire ce que j'ai vu ce soir-là, c'est tout le contraire. (Elle fronça le nez, dégoûtée.) Mais de toutes les choses bestiales et contre nature que j'aie jamais vues...

— Tu n'as pas...

— Ma foi, admit Annetta avec un haussement d'épaules nonchalant, comme je te l'ai déjà dit, tous les bordels se ressemblent. Mais ce n'était pas tant ce qu'il lui a fait, ou ce qu'il l'a obligée à faire, c'étaient tous ces mots doux, ces roucoulements et ces cajoleries. Pouah ! frémit-elle. À vous rendre malade. Tu sais, je me demande si ce pauvre idiot ne s'imaginait pas avoir des sentiments pour elle. Et « ma petite nymphe » par-ci, et « ma petite fleur » par-là. « Déshabille-toi pour moi, mon petit oiseau

445

chanteur, que je te voie nue, que je baise tes petits pieds, que je goûte à tes petits seins, si doux et sucrés, comme des petites tulipes roses. » (Annetta grimaçait en imitant le curieux fausset éraillé de l'eunuque.) Toutes ces niaiseries, beurk ! Cet affreux vieil hippopotame tout grisonnant qui la reniflait de partout, ça me donnait envie de sortir du placard pour le gifler en plein dans sa vilaine figure.

Celia, qui la regardait toujours sans un mot, pâlit à cette idée.

— Mais comme tu peux le constater, je ne l'ai pas fait.

— C'est ce que je vois.

— Et, là, j'ai vu la fille tendre la main et prendre quelque chose dans le bateau en sucre.

— Tu veux dire qu'elle en a cassé un morceau ?

— Non, rectifia Annetta, les sourcils froncés, je crois qu'il devait y avoir quelque chose de caché dans le bateau. En fait, j'en suis sûre. Je ne l'avais pas vu moi-même parce qu'il faisait sombre, et de toute façon je n'aurais pas eu l'idée de chercher ; mais elle, elle devait savoir que c'était là, parce qu'elle l'a trouvé tout de suite, et je ne sais pas ce que c'était mais elle se l'est mis dans la bouche.

— Et il ne l'a pas vue faire ?

— Non, il prenait un châle pour lui mettre sur les épaules. Elle a attendu qu'il ait le dos tourné.

— Et après ?

— Quand il a été certain qu'elle était bien installée – et on aurait dit qu'il prenait plaisir à la servir, imagine un peu, le chef des eunuques noirs qui joue les chambrières ! –, là il a essayé de l'embrasser sur la bouche. Elle ne se laissait pas faire, au début, mais il a insisté. Il l'a coincée entre lui et le divan pour qu'elle ne puisse plus bouger. Je pouvais entendre – oh, c'était vraiment dégoûtant ! – le bruit de ses grosses lèvres mouillées qui lui suçaient la bouche, qui lui aspiraient les joues. Il lui léchait toute la figure comme un chien. (Annetta frémit de dégoût.) Je ne pouvais plus supporter de voir ça. Alors je me suis assise au fond du placard, les yeux fermés. Et, peu de temps après, j'ai compris que quelque chose n'allait pas. C'est la fille qui a crié la première, un cri de douleur. J'ai cru qu'il lui avait fait quelque chose, comme la violer vraiment, je ne sais comment, peut-être avec ses doigts, ou avec un faux membre... Oh, s'écria-t-elle en voyant le visage horrifié de Celia, j'ai vu pire que ça. Mais là, il s'est mis à hurler aussi. Et j'ai entendu d'autres bruits. Sans parler des odeurs... Mon Dieu, petite oie, tu ne peux pas imaginer ce que c'était. (Annetta avait pâli.) Du vomi partout, les déjections, la puanteur ! Et puis, très vite, ça a été fini. La fille est morte en quelques minutes.

— Alors elle a mis le poison dans sa bouche, résuma lentement Celia, et quand il l'a embrassée, il s'est empoisonné aussi.

— Non, non, protesta Annetta, véhémente. Je parierais au moins mille ducats qu'elle n'avait pas la moindre idée que c'était du poison, et qu'elle avait encore moins l'intention d'empoisonner l'eunuque. Elle devait croire que c'était une sorte de potion d'amour...

— En tout cas, elle avait accès à toutes sortes de choses. Cariye Lala a une vraie boutique d'apothicaire dans sa grande boîte. C'était facile pour cette fille de prendre quelque chose pendant qu'elle avait le dos tourné.

— Mais alors, pourquoi prendre la peine de le cacher dans le bateau ? Elle ne pouvait pas savoir que j'allais l'apporter et le poser sur ce plateau... Oh Seigneur, gémit-elle en prenant sa tête dans ses mains, tout ça me donne le vertige. Non, non, ça ne va pas. D'ailleurs, pourquoi vouloir mordre la main qui allait la nourrir ? Être la maîtresse du chef des eunuques noirs – aussi révoltant que ça puisse nous paraître, à toi et à moi – lui aurait donné une puissance dont elle ne pouvait même pas rêver. Elle aurait eu presque autant de pouvoir que la *haseki* elle-même. Non, quelqu'un d'autre se servait d'elle, je suis convaincue qu'elle n'avait aucune idée de ce qu'elle faisait. Il y a quelqu'un d'autre derrière tout ça, j'en suis certaine.

— Quelqu'un qui savait qu'elle devait lui rendre visite ce soir-là.

— Peut-être même quelqu'un qui l'avait envoyée là exprès, qui sait ? suggéra Annetta en haussant les épaules. Mais attends la suite.

» J'ai attendu très, très longtemps – enfin, ça m'a paru interminable, cachée dans ce placard. (Annetta déglutit nerveusement rien que d'y repenser.) J'avais si peur, ma petite oie, tu ne peux pas imaginer, j'étais presque trop effrayée pour faire un mouvement. Si quelqu'un me trouvait là, on allait sûrement croire que j'y étais pour quelque chose. Finalement, après ce qui m'a paru des heures, j'ai rassemblé assez de courage pour sortir de là. J'étais certaine qu'ils étaient morts tous les deux. J'ai ouvert la porte et juste comme je commençais à m'avancer dans la pièce, j'ai encore entendu des voix, d'autres gens qui arrivaient. Qu'est-ce que tu voulais que je fasse ? Je suis retournée en vitesse dans ce cher placard. Et devine qui est entré ? La validé en personne, avec Gulbahar et Esperanza Malchi.

— La validé ? Alors elle savait depuis le début. Personne n'avait donné l'alarme, pourtant, comment pouvaient-elles savoir ?

— Je n'en ai aucune idée, mais quelqu'un a dû les avertir. Elles sont d'abord restées à la porte, comme si elles avaient peur d'entrer. Mais, même comme ça, elles étaient si près que je pouvais entendre chacun des mots qu'elles échangeaient. J'étais sûre qu'elles allaient me découvrir. J'ai fait du bruit, à un moment, mais Dieu merci, elles ont cru que c'était le chat...

— Qu'est-ce qu'elles ont fait ?

— La validé a demandé : « Est-ce qu'ils sont morts ? » Esperanza est entrée dans la chambre pour voir. « La fille, oui », a-t-elle confirmé, et puis elle est allée regarder de près Hassan Aga, et lui a mis un miroir sous le nez. Et quand elle s'est aperçue qu'il n'était pas tout à fait mort, elle a proposé d'envoyer chercher le médecin, mais la validé a dit quelque chose comme. « Non, pas encore. »

— Elle a refusé de lui venir en aide ?

— Pas exactement. C'était comme si... (Annetta se concentra en fronçant les sourcils.) comme si elle savait déjà qu'une chose de ce genre allait arriver, ou du moins qu'elle s'y attendait.

Celia resta un moment sans piper mot.

— Tu crois que c'est elle qui a fait cela, murmura-t-elle finalement. La validé ?

— Elle aurait certainement pu, mais pourquoi

449

ferait-elle une chose pareille ? argua Annetta. Le chef des eunuques noirs est un de ses principaux alliés. C'est son bras droit. Celui sur qui elle a toujours pu compter. Et d'ailleurs, si c'était elle, tu crois qu'elle se serait précipitée comme ça sur les lieux ? Elle aurait plutôt pris soin de rester prudemment à l'écart. Non, ajouta-t-elle en secouant la tête, je crois que la validé venait pour essayer d'empêcher que ça se produise.

— Tu veux dire qu'elle savait ce qui allait se passer ?

— Je pense qu'elle soupçonnait qu'il allait se passer quelque chose.

— Et, depuis, elle protège le coupable.

— Oh, je suis persuadée qu'elle sait qui c'est, acquiesça Annetta. Tu ne la connais pas comme je la connais. Pourquoi crois-tu qu'il n'y a eu pour ainsi dire aucune enquête ?

— Eh bien, c'est évident, non ?

— Ah bon ?

— Bien sûr. Pour protéger qui, mis à part le sultan, la validé se donnerait-elle tant de mal ? Les autres Rossignols, évidemment. Et comme il est clair que Petit Rossignol ne s'est pas empoisonné lui-même, alors ce ne peut être que...

— Le troisième Rossignol ?

— Exactement. Cariye Mihrimah.

— Celle qui est censée être morte.

— Et si je veux découvrir qui est Cariye Mihrimah, affirma Celia, alors il n'y a qu'une seule personne qui puisse m'aider.

— Qui donc ?

— Il va falloir que je retourne voir Handan.

— C'est de la folie, protesta Annetta en agrippant le bras de Celia. Je t'en prie, c'est de la folie complète. Tu vas te faire prendre et, même si tu y arrives, il paraît qu'Handan est à moitié folle. Comment pourras-tu savoir si ce qu'elle te dit est vrai ? C'est une très mauvaise idée !

— J'ai déjà réussi à la faire parler de Cariye Mihrimah, non ?

— Oui, mais...

— Alors j'arriverai peut-être à lui faire dire le reste. Et, d'ailleurs, je ne pense pas qu'elle soit folle. Elle est malade et affaiblie à cause de l'opium, mais elle n'est pas folle.

Des voix se faisaient entendre dans la cour en dessous. Comme Celia se levait, Annetta lui attrapa le bras.

— Je t'en prie, petite oie, je t'en supplie, n'y va pas.

— Il le faut.

Celia se pencha pour déposer un baiser sur la joue d'Annetta et s'en alla avant que son amie ne parvienne à lui faire assez peur pour la dissuader.

Celia descendit l'étroit escalier de bois qui menait à la Cour des Cariye. Deux vieilles servantes noires étaient en train de la nettoyer avec des balais de palmes. En voyant Celia, elles reculèrent, murmurant de respectueuses salutations. Un pigeon s'envola brusquement d'un des toits. Le claquement sec de ses ailes déchirant l'air immobile rappela soudain à Celia le matin où Annetta était venue la chercher pour l'emmener chez la validé. Elles s'étaient tenues juste là, devant la porte menant aux appartements de

451

Safiye Sultane. Était-ce vraiment moins d'une semaine auparavant ? Et la fille d'alors, la Celia d'alors : Kadine Kaya, celle qui était *gözde*, elle la reconnaissait à peine.

Une des servantes lâcha son balai qui tomba à grand bruit et, pour la première fois, Celia les regarda. Étaient-ce les mêmes femmes qui nettoyaient la cour l'autre matin ? Elle se rappelait qu'Annetta leur avait parlé durement, mais en dehors de cela, elle n'en avait aucun souvenir. Même ici, dans la Maison de la Félicité où l'on vivait les unes sur les autres, toutes les servantes se ressemblaient. Était-ce ainsi que Cariye Mihrimah s'y était prise ? Était-elle revenue dans le harem déguisée en servante, pour ne pas être reconnue ?

Impulsivement, Celia s'arrêta pour se tourner vers les deux femmes. En la voyant, elles courbèrent la tête et s'inclinèrent respectueusement dans sa direction.

— *Kadine !* (Celia était sur le point de partir quand une des femmes l'appela.) Madame !

Elle portait une fine chaîne d'or à la cheville. L'autre, dont les cheveux crépus et clairsemés étaient plus gris que ceux de sa compagne, avait un œil légèrement voilé par une taie. La première prit l'autre par la main et elles avancèrent lentement vers Celia.

— S'il vous plaît, madame...

Maintenant qu'elles avaient attiré son attention, elles ne semblaient plus savoir quoi faire.

— Désirez-vous quelque chose, *cariye* ? s'enquit Celia, intriguée. Comment t'appelles-tu ? demanda-t-elle à celle qui portait la chaîne d'or.

— Cariye Tusa.

— Et toi ? Elle se tourna vers l'autre.

— Cariye Tata, madame.

Elles la regardaient d'un œil étonné, toujours main dans la main. *Ma parole, on dirait des enfants*, pensa Celia, et soudain elle comprit.

— Vous êtes sœurs, n'est-ce pas ? Des jumelles.

— Oui, *kadine*, répondit Cariye Tusa en posant une main protectrice sur le bras de sa compagne.

La seconde vieille femme, celle qui avait l'œil abîmé, regardait droit vers Celia. Ou plutôt, droit à travers elle. Celia vérifia par-dessus son épaule s'il y avait quelqu'un derrière elle, mais la cour était vide.

— Toi, s'adressa-t-elle à Cariye Tata, sais-tu qui je suis ?

La vieille femme chercha Celia de son œil intact, à l'iris couleur de bleuet. Sa sœur, Cariye Tusa, commença à répondre pour elle, mais Celia l'arrêta.

— Non, non, pas toi. Laisse-la répondre.

— Je... je...

Perdue, Cariye Tata secouait sa tête grise d'un côté à l'autre. Elle fixait toujours un point derrière l'épaule de Celia de son étrange regard vide ; le regard d'une personne si vieille qu'elle ne pouvait plus voir dans cette cour déserte que des fantômes.

— Vous êtes une *kadine*, finit-elle par dire. Oui, c'est bien ça, je sais comment il faut que je vous appelle. *Kadine*..., répéta-t-elle en enchaînant des courbettes de plus en plus rapides. S'il vous plaît, c'est comme ça qu'il faut que je vous appelle, s'il vous plaît, madame.

— Je vous en prie, intervint Cariye Tusa, les yeux pleins de larmes. Je vous en prie, Kadine Kaya, pardonnez à ma sœur, elle n'avait pas l'intention de vous manquer de respect.

— Mais c'est vous qui devez me pardonner, *cariye*, répondit Celia d'une voix radoucie. Je n'avais pas vu... Non, se corrigea-t-elle, je ne savais pas que ta sœur était aveugle.

Et, à ce moment-là, Celia les vit telles qu'elles avaient dû être autrefois : deux petites esclaves noires aux yeux bleus, aussi semblables que deux perles assorties. Tout le monde avait son histoire et elle se demanda quelle était la leur. Quel âge avaient-elles en arrivant ici, six, sept ans ? Comme elles avaient dû s'accrocher l'une à l'autre, les deux petites filles effrayées, si loin de chez elles, qui ne s'étaient jamais lâchées, devenues maintenant vieilles, lentes et aveugles après d'innombrables années au service du sultan. Tandis qu'elle réfléchissait à tout cela, Cariye Tusa tendit la main et Celia vit qu'elle tenait quelque chose, un objet sorti de sa poche qui brillait d'un éclat cuivré.

— Pour vous, Kadine Kaya, dit-elle en refermant sa vieille main sur celle de Celia qui sentit sous ses doigts une surface ronde et lisse. Une des *kira* a laissé ceci pour vous.

Celia ouvrit la main. Sur sa paume, le boîtier en cuivre doré du compendium de Paul luisait dans le soleil.

— Qu'y a-t-il ? (Cariye Tusa posa une main sur le bras de Celia.) Vous ne vous sentez pas bien, *kadine* ?

Celia ne répondit pas. Elle fit jouer du doigt le ressort caché à la base, le compendium s'ouvrit et son propre visage lui apparut.

Le Temps et les Heures passent, et la Vie de l'Homme s'efface.
Nul ne peut rattraper le Temps,
Dépense-le donc sagement.

Avant d'avoir pu se rendre compte de ce qu'elle faisait, Celia s'assit sur le seuil de la maison de bains et se mit à pleurer. Elle pleurait et pleurait, des larmes jaillies d'un puits au fond d'elle dont elle n'avait jamais soupçonné la profondeur : pour Cariye Tata et Cariye Tusa, deux vieilles femmes qu'elle ne connaissait pas avant ce jour, pour Haseki Gulay, noyée au fond du Bosphore. Mais elle pleurait avant tout sur elle-même, parce qu'elle avait survécu au naufrage, et pour les marins du bateau qui y avaient péri. Elle pleurait son père mort et son amour perdu, un amour qui n'avait jamais été aussi perdu pour elle que depuis qu'elle était retrouvée.

31

Le lendemain de ce rêve, Elizabeth passa presque toute la journée à lire dans sa chambre. Quand elle descendit en fin d'après-midi, dans l'espoir d'envoyer Rachid lui chercher un sandwich, elle eut la surprise de trouver Haddba qui l'attendait dans le hall.

— Elizabeth, vous voilà enfin... Je viens juste d'appeler votre chambre. Je suis contente de vous trouver. (Énigmatique, Haddba lui fit signe de la rejoindre dans le réduit sous l'escalier.) Ma chère, vous avez de la visite.

— Mehmet ? (Le cœur d'Elizabeth bondit de joie.) Il est rentré ?

Elle s'apprêtait à courir au salon quand Haddba lui posa la main sur le bras.

— Non, ma chère petite, ce n'est pas Mehmet...

Mais, avant qu'elle ait pu finir sa phrase, Elizabeth entendit dans son dos une voix qu'elle connaissait bien.

— Salut, Elizabeth.

Elle se retourna. Et il était là, fidèle à lui-même. Le jean délavé, le blouson de cuir, l'œil enjôleur. À son corps défendant, elle sentit monter une bouffée de pur désir.

— Marius ?

— Salut, beauté.

— Mais qu'est-ce que tu fais ici ? (Vraiment stupide comme question.) Comment est-ce que tu m'as trouvée ? (De mieux en mieux. Et pourquoi est-ce qu'elle lui souriait comme ça ? Les nerfs ?)

— Je suis venu te retrouver, bébé.

Il avait pris sa voix douce, presque caressante, cette voix qui dans le passé lui avait fait accepter toutes les humiliations, rien que pour l'entendre à nouveau.

— Désolée, Marius, mais je...

Mais avant qu'elle ait pu protester il l'avait prise dans ses bras et l'embrassait sur les lèvres.

— Tu t'es enfuie loin de moi, chuchota-t-il.

— Arrête...

Elizabeth essaya de le repousser, sentit sa hanche cogner la sienne.

C'est quoi, son problème ? Elle entendit la voix amère d'Eve répéter son éternel refrain. « Il ne veut pas de toi, pas vraiment, mais il n'est pas fichu de te laisser partir. »

— Comment est-ce que tu m'as trouvée ?

Elle leva les yeux vers lui et frissonna. Était-ce de peur ou d'excitation ? Ses cheveux, en désordre comme toujours, avaient encore poussé et rebiquaient sur le col de son blouson. Il était si près qu'elle pouvait sentir son odeur familière, ses cheveux, sa peau, les relents un peu louches de tabac et de draps pas changés ; le parfum de cuir légèrement rance, mais pas déplaisant, de son blouson.

— Tu m'as manqué, bébé..., dit-il.

Carrément. Sans même répondre à sa question. Elizabeth se rendit compte qu'elle avait le bras autour de son cou, la main dans ses cheveux. Presque six semaines à l'oublier, et pour quel résultat ?

— Et si on allait dans ta chambre ? Il faut qu'on parle, susurra-t-il en lui caressant légèrement le dos du bout des doigts. J'ai essayé de persuader la concierge de me laisser monter, lui murmura-t-il à l'oreille, mais rien à faire. Et d'ailleurs c'est qui, cette vieille peau ?

Elizabeth prit soudain conscience de la présence solide et imperturbable d'Haddba à quelques mètres d'eux.

Il joue avec ton cœur.

Surprise, elle se tourna vers Haddba.

— Vous disiez ?

— Je n'ai rien dit, répondit Haddba sans bouger d'un pouce.

L'inconvenance criante de la conduite de Marius se lisait si clairement sur son visage que cela fit à Elizabeth l'effet d'une douche glacée. Honteuse, elle s'écarta de lui.

— Désolée... Haddba, je vous présente Marius. Marius, voici ma logeuse, Haddba.

Marius tendit la main, mais Haddba s'abstint ostensiblement de la serrer. Les émeraudes de ses boudes d'oreilles luisaient comme les yeux d'un chat dans la lumière tamisée du couloir. Elle lança à Marius un regard propre à écorcher vif le commun des mortels.

— Bonne journée.

C'était un congé en bonne et due forme.

Quand ils furent sortis, même Marius semblait troublé.

— Tu parles d'une vieille mégère.

Au désappointement mêlé de soulagement d'Elizabeth, il ne remit pas son bras autour d'elle mais enfonça les mains dans les poches de son blouson, marchant dans la rue un pas devant elle.

— Tu la laisses toujours te marcher dessus comme ça ? Que je suis bête, bien sûr que tu te laisses marcher dessus.

— Ne parle pas d'elle comme ça, c'est une amie.

— La concierge de l'hôtel ?

— Ce n'est pas la concierge, répliqua Elizabeth, presque obligée de courir pour arriver à le suivre.

L'air était si froid qu'elle en avait mal aux dents.

— Vraiment ? s'enquit-il, irrité. Elle en a pourtant bien l'allure.

Elizabeth réprima un sourire. Ce n'était pas souvent que Marius échouait à charmer une femme – jeunes, vieilles, entre deux âges, aucune ne lui résistait. Pas étonnant qu'il soit contrarié.

Ils marchèrent un moment en silence dans les rues raides et étroites qui montaient vers Istiklal Cadesi. Le soir tombait ; des nuages pourpres emplissaient le ciel. Des chats maigres cherchaient un abri dans l'embrasure des portes. Ils longèrent les *büfe*, minuscules échoppes de rue où Rachid allait acheter le thé et les journaux ; les boutiques vieillottes des barbiers et des marchands de pudding ; l'homme qui vendait des marrons chauds au coin de la rue. Comme tout cela lui était devenu familier en quelques semaines, songea Elizabeth.

Une maison abandonnée faisait le coin, sa porte condamnée par des planches. Marius s'arrêta et l'attira soudain à lui, la poussant dans l'embrasure.

Ses lèvres étaient tout près des siennes.

— Comment veux-tu que je t'embrasse ?

Il la tira par le col de son manteau pour l'amener plus près de lui.

Non ! cria encore la voix dans sa tête, mais sans résultat. Elle sentait son souffle sur sa gorge, dans ses cheveux. Avec un soupir elle ferma les yeux, arqua le cou vers lui. *Il est venu me chercher*, c'était tout ce qu'elle parvenait à penser. *Combien de fois est-ce que j'en ai rêvé ? À une époque, j'aurais vendu mon âme pour ça.* Mais quand il l'embrassa, la langue de Marius était froide sur ses lèvres.

— Bon sang, on gèle, ici, pesta-t-il quand il la lâcha enfin. On ne pourrait pas aller quelque part ?

— Si, je connais un endroit.

Elle l'emmena à son café préféré, sur Istiklal Cadesi. La nuit était tombée et il faisait si froid qu'elle était certaine de sentir la neige dans l'air. C'était maintenant elle qui marchait devant, remontant la rue des marchands d'instruments de musique, passant devant le cimetière du *tekke* des derviches tourneurs, dont les pierres tombales enturbannées se détachaient au clair de lune.

— Où est-ce qu'on est, exactement ? demanda Marius qui la suivait dans les rues étroites.

— À Beyoglu, autrefois connu sous le nom de Pera ; c'étaient là que vivaient tous les étrangers.

Elle coupa par un des étroits *pasaj*. Ils débouchèrent sur une placette où de vieux messieurs buvaient leur thé et jouaient aux dominos à la lueur d'un réverbère des années 1930. Ils levèrent les yeux au passage d'Elizabeth. Derrière elle, Marius hésita.

— C'est sûr, par ici ?

— Sûr ?

Elizabeth rit et le regarda, surprise. Était-ce son imagination ou lui paraissait-il différent, d'un seul coup ? Plus petit. Moins de contenance.

— Je suppose que ça dépend de ce que tu entends par sûr.

L'intérieur était bien chauffé, éclairé par des lampes de cuivre comme dans les cafés de Vienne. Les murs étaient recouverts de panneaux de verre et d'acajou. Elizabeth commanda du thé et des gâteaux. Une fois la serveuse partie, elle s'aperçut que Marius la regardait.

— Tu as l'air d'avoir changé, dit-il au bout d'un moment. (Le ton n'était plus séducteur, mais intrigué.) Tu es belle, Elizabeth. Vraiment belle, ajouta-t-il, et elle eut l'étrange impression qu'il la regardait pour la première fois.

— Merci, répondit-elle simplement.

— Non, sincèrement.

Normalement, Elizabeth se serait dépêchée de combler le silence par des mots ; mais cette fois, décida-t-elle, ce serait à lui de parler le premier.

— Tu n'as pas répondu à mes textos, finit-il par dire.

— Non.

Un autre silence. Il prit une cuiller sur la table, la tapota sur la paume de sa main. *Mon Dieu, ce n'est pas possible*, remarqua Elizabeth. *Marius est nerveux !*

— Tu m'as manqué, bébé.

— Vraiment ?

Vraiment ? Il avait presque l'air sincère.

— Oui, vraiment.

Sa seule pensée fut que c'était étrange, très étrange d'être assise là avec Marius. Ils parlaient, mais elle ne se sentait pas vraiment concernée. Maintenant que le premier choc était passé, elle s'aperçut qu'elle pouvait le regarder calmement. Beau et mal rasé, la séduction équivoque d'un bateleur de fête foraine.

— Qu'est-ce que tu veux, Marius ? demanda-t-elle, curieuse sans plus. Et qu'est-il arrivé à l'autre fille ? Tu sais, la blonde.

Mais même cette fille, dont la seule pensée lui avait fait souffrir mille morts, ne semblait plus avoir le moindre pouvoir sur elle.

— Oh, elle... Ça n'avait pas d'importance.

— Non. Non, aucune importance, effectivement. (Elizabeth reposa sa tasse d'une main parfaitement assurée.) Alors, vas-tu m'expliquer ce que tu fais ici ? fut-elle surprise de s'entendre demander.

— Je suis venu te chercher. Je suis venu pour te ramener avec moi.

Il joue avec ton cœur.

Elizabeth entendit clairement les mots. Elle regarda autour d'elle, s'attendant à trouver quelqu'un à son côté sur la banquette. D'où étaient venues ces paroles ? À Oxford, elle avait cru que c'était Eve qui les avait prononcées et, tout à l'heure, Haddba. Mais, cette fois, il n'y avait personne.

Elle eut le regard attiré par une jeune femme, à

l'autre bout du café, avec un manteau bleu marine et de longs cheveux noirs qui lui retombaient sur l'épaule. Elle fut frappée de l'air serein de cette jeune femme et, à la même seconde, se rendit compte qu'il s'agissait de son propre reflet.

— Qu'est-ce qui te fait rire ? s'étonna Marius. J'ai dit que j'étais venu te chercher pour te ramener chez nous.

Il répéta les mots, comme s'il était certain qu'elle ne l'avait pas entendu.

— Tu veux dire que tu es venu me sauver ?

— En quelque sorte, fit-il, déconcerté. Je ne vois pas ce que ça a de si drôle.

— Désolée, s'excusa Elizabeth en s'essuyant les yeux. Non, tu as raison, ce n'est pas drôle. C'est... en fait c'est assez triste.

Son portable bourdonna dans son sac, à l'arrivée d'un message. Elle jeta un coup d'œil à l'écran et, sans un mot, remit le portable dans son sac.

Il y eut un autre court silence.

— Tu as rencontré quelqu'un, finit par comprendre Marius.

En le regardant, Elizabeth éprouva une vertigineuse sensation de chute, non pas vers le bas, mais vers le haut.

— Oui, j'ai en effet rencontré quelqu'un, admit-elle, en le regardant, la tête légèrement de côté.

— Mais ce n'est pas pour ça.

— Pas pour quoi ?

— Ce n'est pas pour cette raison que je ne rentrerai pas avec toi.

Elle se leva et se pencha pour l'embrasser sur la joue. Il la regarda rassembler ses affaires.

463

— J'espère que tu sais ce que tu fais, Elizabeth, lança-t-il comme elle s'éloignait. Est-ce qu'au moins tu seras en sécurité ?

— En sécurité ? répéta-t-elle, s'arrêtant à la porte. Non, mieux que ça. Bien mieux que ça. (Elle se tourna vers lui, elle avait l'impression de marcher sur un nuage.) Je serai libre.

32

Constantinople, 5 septembre 1599

Le matin

Les deux vieilles femmes laissèrent Celia pleurer. À elles deux, elles parvinrent à la tirer hors de la cour jusque dans le hammam et la dissimulèrent derrière un des bassins de marbre, à l'abri des regards des autres femmes et des dignitaires du harem qui passaient parfois par là faire leur ronde. Elles ne disaient rien, mais lui caressaient tour à tour les cheveux et faisaient entendre de curieux petits claquements de langue.

Finalement, Celia se calma. Assise sur le sol de marbre, elle laissa les deux femmes lui essuyer le visage et presser des linges frais sur ses yeux gonflés. Sa respiration revint à la normale, mais elle se sentit soudain envahie d'une telle fatigue qu'elle aurait pu se coucher sur le marbre froid et dormir.

— Mais je ne peux pas rester ici, dit-elle, s'adressant plus à elle-même qu'aux deux autres.

Chassant la fatigue, une peur sournoise s'insinuait en elle à l'idée de ce qui lui restait à faire.

Elle regarda autour d'elle les bassins de marbre évasés dont les robinets d'or avaient la forme de dauphins et tenta de rassembler ses esprits. La dernière fois qu'elle était venue se baigner ici, c'était avec Annetta et les autres chambrières de la validé. Elles avaient parlé, mais de quoi ?

Celia regarda les deux vieilles femmes et sentit l'appréhension la gagner. Elle prit la main de Cariye Tusa.

— *Cariye*, quel âge avez-vous, ta sœur et toi ?

— Je ne sais pas, Kadine Kaya. (La servante haussa les épaules.) Nous sommes vieilles, c'est tout, répondit-elle simplement.

Une idée – ou était-ce un souvenir ? – faisait lentement son chemin dans l'esprit de Celia.

— Vous souvenez-vous de l'ancien sultan ?

— Bien sûr que oui.

— Nous étions là avant tout le monde, renchérit sa sœur avec un sourire de fierté. Les autres ont toutes été envoyées au Palais des Larmes, mais pas nous. Parce que nous étions au service de la gouvernante, vous savez, Janfreda Khatun.

Ce nom, *Janfreda Khatun*. Un souvenir. Il s'agissait bien d'un souvenir.

— C'est vrai, ils sont tous partis. Tout le monde. Même les petits princes, tous les dix-neuf. Morts, tous morts. Ce que nous avons pu pleurer !

Où avait-elle déjà entendu ces mots ? Le cœur de Celia fit un bond. Et ces yeux, pas si bleus, peut-être mais... laiteux, en quelque sorte. Où avait-elle déjà vu ces yeux ?

— Alors, mesdames, puisque vous êtes des anciennes ici, dit-elle avec un sourire d'encouragement, peut-être pourriez-vous m'aider à trouver quelqu'un. (Celia s'efforçait de parler lentement pour empêcher sa voix de trembler. Elle avait la bouche sèche.) Voulez-vous m'aider, connaissez-vous... Cariye Mihrimah ?

Cariye Tusa secoua la tête.

— Oh non, elle est partie, il y a longtemps, maintenant. Vous ne le saviez pas ?

— Qu'est-ce que tu racontes, ma sœur ? (Les yeux aveugles de Cariye Tata s'ouvrirent grands de surprise.) Moi, je l'entends tout le temps.

Cariye Tusa se tourna vers elle.

— Tu l'entends, ma sœur ? s'enquit-elle, sidérée. Tu ne me l'as jamais dit.

— Tu ne me l'as jamais demandé, répliqua Cariye Tata, le visage aussi innocent que celui d'une enfant. Elle est revenue ici, à la maison de bains.

— Tu en es sûre ? (Celia sentait revenir les larmes.) Tu es bien sûre que c'est Cariye Mihrimah ?

— Oh, mais elle ne s'appelle plus comme ça, maintenant, *kadine*. On lui a redonné son nom d'avant, je ne sais pas pourquoi. On l'appelle Lili, enfin, c'est comme ça qu'Hassan Aga l'appelle. Lili. Un bien joli nom. Seulement, nous autres, nous ne l'appelons pas ainsi, nous l'appelons Lala, expliqua la vieille femme avec un sourire radieux à l'adresse de Celia. Oui, c'est comme ça que nous devons toutes l'appeler maintenant. Cariye Lala.

Celia courut jusqu'à la cour de la validé où elle trouva l'ancien appartement de la *haseki* exactement comme elle l'avait laissé la nuit précédente. La tasse brisée et la mule brodée gisaient encore sur le sol. Il y avait la porte au fond du placard, et le minuscule escalier derrière. En haut, elle trouva la seconde porte. Elle se glissa rapidement dans le corridor, passa la fourche, le trou qui donnait chez la validé, et déboucha finalement du placard dans la chambre d'Handan.

La pièce était toujours aussi chaude et renfermée. Malgré la richesse de l'ameublement, les tentures de brocart et de soie brodée, les robes doublées de fourrure accrochées aux murs, Celia fut à nouveau frappée par l'aspect négligé, presque abandonné, de la chambre. Dans un coin se trouvait un coffre en bois de santal. Posés dessus, un vase avec des fleurs fanées et un coffret d'or incrusté de rubis et de cristal de roche, débordant de bijoux de toutes sortes – des diamants, surtout, et une magnifique aigrette ornée d'une émeraude de la taille d'un rocher –, mais même eux semblaient poussiéreux, ternis : les vaines richesses d'une concubine délaissée.

Au bruit de ses pas, quelque chose bougea dans le lit.

— Handan Sultane ! s'écria Celia en allant s'agenouiller près d'elle. N'ayez pas peur, c'est moi, Kaya.

La forme frêle sous les courtepointes émit une sorte de petit soupir.

— Handan Sultane, je crois que je sais qui est Cariye Mihrimah, mais j'ai besoin que vous me le confirmiez.

Derrière le masque chamarré, les yeux bordés de khôl d'Handan. la fixaient, grands ouverts, mais si vitreux que Celia en vint à douter qu'elle soit consciente.

— Handan, je vous en prie, vous m'entendez ? lui murmura-t-elle à l'oreille.

Elle secoua l'épaule décharnée, faisant glisser la couverture. Une terrible odeur, douceâtre et fétide comme celle d'un nid de souris, la prit à la gorge, faillit lui soulever le cœur.

— Je ne crois pas qu'elle puisse vous entendre, *kadine.*

Celia se retourna si vivement qu'elle faillit renverser le brasero.

— Mais ne vous inquiétez pas, poursuivit la voix familière, elle n'est pas tout à fait réveillée, mais pas complètement endormie non plus. Handan fait ce qu'elle sait faire de mieux. Elle rêve. Des rêves merveilleux. Ne la dérangeons pas, voulez-vous ?

— Vous ! Mais je vous croyais...

— Morte ? compléta Haseki Gulay en s'avançant dans la pièce. Eh bien, comme vous pouvez le constater, il n'en est rien. (Elle sourit. À la main, elle tenait la petite mule brodée.) Et vous voyez, j'ai même retrouvé ma chaussure. (Elle fit entendre son rire léger et charmant.) Ma pauvre enfant, vous semblez sur le point de vous trouver mal. Je suis désolée de vous avoir fait peur. Voudriez-vous me toucher ? demanda-t-elle en tendant une main rassurante. Pour vous assurer que je ne suis pas un fantôme.

— Oh oui, s'empressa Celia qui prit la main tendue et la porta à ses lèvres. Oh, Dieu merci, Dieu merci ! (Elle baisa les doigts de la *haseki*, pressa sa paume fraîche sur ses joues brûlantes.) Je croyais

469

qu'on vous avait..., balbutia-t-elle, les larmes aux yeux. Oh, mon Dieu, je pensais...

— Je sais ce que vous pensiez. J'étais certaine qu'ils essaieraient de m'accuser. Cette malheureuse affaire du chef des eunuques noirs était une trop bonne occasion pour qu'ils la laissent passer. La validé a fait établir un horoscope prédisant la mort d'Hassan Aga et l'a fait dissimuler dans ma chambre. Heureusement, je l'ai découvert et j'ai fait mettre autre chose à la place ; ce qui fait que quand ils l'ont ouvert, ce soir-là, dans la Grande Salle – le soir où nous étions toutes là pour voir les acrobates –, tout ce qu'ils ont trouvé, c'était une recette pour faire du savon, poursuivit-elle avec un petit rire. Imaginez leurs têtes. Imaginez sa tête, à cette pauvre petite idiote. (Elle retira sa main de celle de Celia.) Plutôt maladroit de leur part, vous ne trouvez pas ? La validé n'est plus ce qu'elle était.

— Alors, c'était la validé, depuis le début, articula Celia avec difficulté. Je savais bien que cela ne pouvait pas être vous. Et Hanza, alors ?

— Oh, ne vous inquiétez pas pour elle, rétorqua Gulay avec un rire joyeux, elle ne va pas revenir d'entre les morts.

Celia regarda la *haseki* marcher jusqu'au divan. Elle se déplaçait avec une ondulation exagérée des hanches et, dans la pièce silencieuse, le brocart rigide de ses jupes émit un murmure soyeux. Elle s'assit au bord du divan et souleva le poignet d'Handan du bout des doigts pour lui prendre le pouls. La *haseki* leva vers Celia un regard pensif, la tête penchée de côté. Son visage aux proportions parfaites était tel que Celia se le rappelait : la peau crémeuse, les cheveux noirs et lisses, les yeux aussi bleus qu'un ciel d'hiver. Des diamants brillaient à ses oreilles et tant d'entre eux ornaient sa coiffe qu'on l'aurait crue touchée par le givre.

— Hanza, murmura la *haseki* comme pour elle-même. Cette petite peste commençait à se faire des idées de grandeur bien au-dessus de sa position. Vous savez cela aussi bien que moi.

Celia ouvrit la bouche pour dire quelque chose, mais se ravisa.

— Vous devriez remercier tout ce qui vous est sacré de ne pas avoir été choisie comme messagère, poursuivit Gulay. Au début, je me suis demandé laquelle d'entre vous elle allait choisir. Mais il est vite devenu évident que ce serait Hanza. Les ambitieux. sont toujours plus faciles à manipuler, ceux qui croient qu'ils peuvent y arriver seuls. C'est une leçon que j'ai apprise très tôt dans ma vie.

Un silence s'installa entre elles ; un silence aussi perçant que le cri d'une banshie, un silence si bruyant que Celia avait envie de se couvrir les oreilles pour ne plus l'entendre.

— Mais, et votre appartement ? Ils ont tout enlevé, toutes vos affaires sont parties, finit-elle par dire. Vous êtes toujours décidée à partir pour le Vieux Palais ?

Cela fit rire Gulay.

— Vous pensez vraiment que je ferais cela ? Partir en lui laissant le champ libre, à elle ? demanda-t-elle en pinçant les lèvres. Si vous croyez cela, c'est que vous êtes encore plus naïve que je ne pensais. Non, en fait, je déménage dans un autre appartement. Je viens de passer deux jours avec le sultan au palais d'été. Après cette ennuyeuse affaire l'autre soir, nous avons pensé que ce serait mieux. De plus, il commençait à y avoir un peu trop de... courants d'air dans mon ancien logement.

— Une affaire « ennuyeuse », voila tout ce que c'est pour vous ?

Dans le lit à côté d'elle, le corps frêle d'Handan s'agita. Un faible miaulement de chat malade monta de sous les courtepointes. Gulay lâcha sa main, dégoûtée.

— Pouah ! Elle sent de plus en plus mauvais.

— Ne voyez-vous pas qu'elle n'est pas bien ? frémit Celia. Je n'arrive pas à croire que la validé ait pu lui faire cela.

Haseki Gulay pencha la tête de côté, songeuse.

— Hum... En fait, ce n'est pas exactement la validé.

— Que voulez-vous dire, pas exactement ? Qui, alors ?

— Mais moi, bien sûr, petite kaya, répliqua la *haseki*, perçant Celia de ses yeux d'azur. En fait, c'était plutôt gentil de ma part. Voyez-vous, à la naissance de son fils, le prince Ahmet, elle a eu des problèmes, des problèmes féminins, vous comprenez. Elle a été très malade. On lui a donné de l'opium pour soulager ses souffrances. Et chacun a ses petites faiblesses. Ils ont tout essayé pour la faire arrêter, la validé l'a même fait enfermer ici, la pauvre, mais d'une manière ou d'une autre, soupira-t-elle, ses amis ont toujours trouvé le moyen de l'aider. C'est ce que font les amis, ajouta-t-elle, regardant Celia dans les yeux. Ils aident, tout comme moi, je vous ai aidée.

472

— Vous m'avez aidée ?

— Bien sûr. Dès que vous êtes devenue *gözde*. Je me suis dit : « Il faut que j'aide cette pauvre enfant à affronter cette terrible épreuve. » Et j'ai envoyé la servante avec une boisson.

— Oh ! s'écria Celia, la main sur sa joue brûlante. Et moi qui croyais que c'était Cariye Lala qui m'avait donné trop d'opium.

Gulay eut un rire incrédule.

Désolée, mais c'était nécessaire, je le crains, fit-elle en haussant légèrement les épaules. Vous savez, j'avais vraiment peur qu'il ne vous trouve trop à son goût.

— Eh bien cela n'a pas été le cas, répondit Celia d'une voix atone. C'est Hanza qu'il a trouvée à son goût.

— Ce misérable petit sac d'os de Bosnie ? rétorqua Gulay en jouant avec ses bagues. Les filles comme Hanza ne font que passer. J'en ai vu beaucoup toutes ces années et, croyez-moi, elle n'aurait pas duré longtemps. Quelques petits allers-retours, dit-elle avec un geste crûment explicite, et, pouf, les voilà reparties vers leurs petits dortoirs surpeuplés. Oh, non, les Hanza ne m'ont jamais inquiétée. (Ses yeux bleus revinrent vers Celia.) Ce qu'il aime, c'est la douceur, la tendresse. (Elle se renversa sur les coussins d'Handan et Celia put apercevoir ses seins laiteux à travers les plis de sa fine chemise de linon.) La chair douce et tendre, ajouta-t-elle, le regard presque lascif. Oh, pour l'amour du ciel, ne me regardez pas comme cela. Nous faisons toutes ce qui est nécessaire pour sauver notre peau.

Même celles qui nous sont les plus proches. Même votre amie Annetta...

— Non, elle ne ferait jamais cela !

— Vous croyez ? Comme c'est charmant ! Écoutez, c'est ce que tout le monde fait, ici, et vous aussi vous allez le faire.

— Que voulez-vous dire ?

— Que vous allez m'aider à détruire les Rossignols de Manisa.

Encore les Rossignols. Pourquoi en revenait-on toujours à eux ?

— Pourquoi les Rossignols sont-ils si importants ?

— Parce que si je les détruis, je la détruis.

— Qui ?

— Mais de qui croyez-vous que je parle ? s'impatienta Gulay. La validé, bien sûr, (Elle soupira comme si elle avait affaire à un enfant particulièrement borné.) Bon, je vois qu'il va falloir un peu plus d'explications. Quoique en fait vous m'ayez déjà considérablement aidée, bien plus que je n'aurais espéré.

— Finalement, c'est Annetta qui avait raison. Vous m'avez manipulée afin que je travaille pour vous. Vous ne saviez pas non plus qui était Cariye Mihrimah, alors vous avez fait en sorte que je le découvre pour vous.

— Qu'auriez-vous fait à ma place ? argua Gulay en riant. Dans ma position, je ne peux pas me permettre de poser trop de questions. Vous avez vous-même constaté comment la validé m'espionne. Il me fallait trouver quelqu'un. Quelqu'un, disons, qui ne soit pas encore habitué au mode de vie d'ici, quelqu'un d'un peu plus âgé, peut-être, que la moyenne des *cariye*, avec un statut lui permettant d'aller et venir dans le palais dans une relative liberté. Mais surtout quelqu'un qui aurait ses propres raisons de vouloir découvrir la vérité, Quelqu'un qui ferait un peu bouger les choses...

— Mais je n'avais aucune raison de chercher à découvrir qui était Cariye Mihrimah, protesta Celia. Je ne savais même pas que je la cherchais, jusqu'à...

— Jusqu'à ?

Les yeux bleus de la *haseki* semblaient presque noirs dans la pénombre de la chambre.

— Jusqu'à cette histoire de bateau en sucre, souffla Celia en se laissant tomber assise sur le lit.

Soudain ses jambes ne la portaient plus, elle avait très chaud et la tête lui tournait.

— Plutôt malin de ma part, ne trouvez-vous pas ? J'ai fait en sorte que vous appreniez qu'il y avait une ambassade anglaise. Et que c'étaient eux qui avaient envoyé le bateau en sucre...

— Celui qui est censé avoir empoisonné Hassan Aga...

— Également appelé Petit Rossignol.

Encore une fois, Celia resta bouche bée.

La *haseki* se leva pour aller jusqu'au brasero. Elle prit de la résine dans un bol et, l'émiettant entre ses doigts, en jeta les fragments sur les braises. Ils s'enflammèrent instantanément et un agréable parfum commença à se répandre dans l'air fétide de la pièce.

— Vous avez tort de croire que je ne savais pas qui était Cariye Mihrimah. Il y a longtemps que je soupçonnais Cariye Lala d'être le troisième Rossignol, mais je n'en avais pas la preuve absolue. Cette insignifiante petite sous-maîtresse des bains, une intime de la validé et du chef des eunuques noirs ? Cela paraissait impossible.

» Alors, je me suis mise à la surveiller. À la surveiller de très près. Dans les rares occasions où je l'ai vue en présence de la validé, aucune n'a montré le moindre signe d'un possible lien entre elles. Mais, avec Hassan Aga, c'était différent. C'était la nuit, il y avait moins de gens autour et ils baissaient leur garde. D'abord, j'avais beaucoup plus d'occasions de les voir ensemble. Quand lui et sa garde d'eunuques m'escortaient le soir jusqu'aux appartements du sultan, il était fréquent que Cariye Lala soit également présente.

» La première fois, je n'ai fait que surprendre un regard échangé entre eux ; mais, au fil des mois, j'ai commencé à voir d'autres choses, de petits gestes révélateurs, imperceptibles pour tous ceux qui ne les cherchaient pas : un sourire, quelques mots murmurés, des mains qui se touchent. Cela fait donc des mois que je la soupçonne d'être Cariye Mihrimah, mais je n'avais toujours aucune preuve.

— Mais pourquoi en faire un pareil secret ?

— Parce que Cariye Mihrimah était censée être morte.

— Morte ?

— Oui, comme Hanza. Attachée dans un sac et jetée au fond du Bosphore.

— Qu'avait-elle fait ?

— Cela remonte au temps de l'ancien sultan. L'affaire ne s'est pas ébruitée à l'époque car il s'agissait de Safiye Sultane, mais il y a eu de nombreuses rumeurs. La première fois que je les ai entendues, c'était par un des vieux eunuques, quand je vivais moi-même à Manisa, avant que nous ne venions ici. À ce qu'on raconte, l'ancienne validé complotait contre elle, essayait de pousser le sultan vers de nouvelles concubines. Safiye Sultane était terrifiée à l'idée de perdre son influence ; terrifiée que le sultan puisse lui en préférer une autre et peut-être même choisir comme successeur le fils d'une autre concubine. À ce qu'on raconte, elle aurait jeté un sort au sultan en se servant de sorcellerie ou, pire encore, de magie noire, pour le rendre incapable d'aimer une autre femme. Mais un jour, tout a été découvert. Peut-être a-t-elle été trahie par une de ses propres servantes, qui sait ? Quoi qu'il en soit, tout est retombé sur Cariye Mihrimah. Elle a été condamnée à mort mais apparemment... (la *haseki* haussa les épaules) il se trouve qu'en fin de compte elle n'est pas morte.

— Que lui est-il arrivé ?

— Je n'en sais rien. Je pense qu'ils ont dû soudoyer les gardes et l'envoyer se cacher quelque part, jusqu'à la mort du vieux sultan. À ce moment-là, toutes les femmes de son harem ont été envoyées à l'*Eski Sara*, le Vieux Palais, toutes sauf bien sûr Safiye Sultane, qui est alors devenue elle-même validé et a pris la tête de la nouvelle maisonnée de son fils.

Et aussi Cariye Tata et Cariye Tusa, pensa Celia, qui se garda bien de les mentionner.

— Au harem du sultan Mehmet, il ne restait plus personne pour savoir qui elle était, poursuivit Gulay. Plus personne capable de la reconnaître. Alors, ils l'ont fait revenir au palais sous un autre nom, et le tour était joué.

» Mais quelle importance, maintenant ? (Gulay

émietta encore de la résine dans le brasero, faisant crépiter et siffler les braises.) Cela m'a pris des années. Des années à observer et à attendre ; à sourire encore et toujours, comme si je ne me souciais de rien, mais j'ai fini par trouver son point faible. Comme j'ai trouvé celui de cette pauvre folle...

Elle prit Handan par les cheveux et, d'un mouvement vif, lui tourna la tête vers elles, montrant ses tristes yeux vides au fond desquels les flammes se reflétaient en un point rouge.

— Haseki Sultane, s'enquit Celia quand elle eut retrouvé sa langue, revenant à l'étiquette du harem. Cariye Lala est une vieille femme, maintenant. Pourquoi voudriez-vous lui faire du mal ?

— Ce n'est pas elle qui m'intéresse, petite sotte. C'est la validé. Ne comprenez-vous pas ? Quand le sultan apprendra qu'elle a délibérément enfreint un ordre royal – l'exécution de Cariye Mihrimah –, cela la discréditera tellement à ses yeux qu'il la fera bannir d'ici une bonne fois pour toutes.

— Vous croyez que le sultan infligerait cela à sa propre mère ? se récria Celia, incrédule. On prétend qu'il ne fait pas un geste sans lui demander son avis.

— Le sultan est gros, influençable et paresseux, rétorqua Gulay avec une grimace dégoûtée. Au début, quand il est devenu sultan, il y a quatre ans, il est vrai qu'il avait besoin d'elle. Mais croyez-vous franchement qu'il apprécie sa façon de se mêler de tout ? Elle essaie d'influencer tout ce qu'il fait, des relations avec les ambassades étrangères jusqu'à la nomination du prochain grand vizir. Elle a fait ouvrir une porte secrète dans la salle du conseil pour pouvoir assister à ses audiences. Et elle a même tenté de l'empêcher de faire de moi sa *haseki* ; elle pensait apparemment que je serais moins facile à contrôler que celle-ci, siffla Gulay en montrant Handan. Ce fut là sa plus grosse erreur.

Voilà donc toute l'histoire, songea Celia. Elle sentit la sueur perler à son front. Durant toute leur conversation, Gulay avait gardé la même voix douce et sereine que lors de leur première rencontre dans le jardin. Mais quand elle se tourna vers Celia, il y avait à nouveau dans ses yeux cette lueur d'intelligence pure et, en arrière-plan, une détermination si terrifiante que la jeune fille baissa les yeux comme si elle s'était brûlée.

— Rien n'empêchera mon fils de devenir le prochain sultan.

— Et ainsi vous serez la prochaine validé.

— Et je serai la validé.

Pendant quelques instants, le silence le plus total régna dans la pièce.

— Vous voyez donc, petite *kaya*, que dans ma position il y a tout à gagner, et tout à perdre, déclara la *haseki* en lissant de ses doigts ornés de bagues le tulle de sa coiffe, Si je perds, eh bien je ne risque pas seulement d'être exilée au Vieux Palais avec le reste des femmes ; je risque aussi le meurtre de mon fils. Il sera étranglé avec une corde d'arc, comme les autres. (Une ombre passa brièvement sur son visage.) J'étais là quand c'est arrivé. Les dix-neuf petits cercueils, les cris de douleur des femmes qui pleuraient leurs bébés, soupira-t-elle, la gorge soudain serrée. Vous n'imaginez pas, Kadine Kaya, vous ne pouvez pas imaginer ce que c'était.

Sur le lit derrière elle, le corps frêle d'Handan s'agita un peu sous les courtepointes.

— Le sultan est las des interventions incessantes de sa mère. Il a plus d'une fois menacé de l'envoyer au Vieux Palais et cette affaire, croyez-moi, pourrait bien la faire exiler pour de bon.

— Et les deux autres ?

— Sans sa protection, ils sont impuissants. Peut-être emmènera-t-elle Hassan Aga avec elle mais, pour ce qui est de Cariye Lala, cela m'étonnerait qu'elle échappe une seconde fois au Bosphore.

— Mais Cariye Lala est vieille, objecta doucement Celia. Pourquoi s'accuserait-elle encore une fois d'un acte qu'elle n'a pas commis ?

— Oh, mais cette fois elle a vraiment fait quelque chose. Ne comprenez-vous pas que c'est elle qui a empoisonné le chef des eunuques noirs ?

Mais non, non, ce n'est pas elle, faillit crier Celia. Elle se retint et suggéra d'une voix aussi calme que possible :

— Mais je croyais... Vous m'aviez dit qu'Hassan Aga était son ami.

— Je crois qu'il était bien plus qu'un ami, répliqua Gulay en riant. J'ai un instinct pour ces choses-là. N'avez-vous jamais entendu parler de ces idylles ? De petits arrangements bien innocents pour la plupart, faciles à écraser dans l'œuf, où l'on se contente de se tenir la main, d'échanger des niaiseries enfantines et parfois quelques baisers volés.

Gulay se leva et alla jusqu'au coffre ; elle prit une paire de boucles d'oreilles en diamants couvertes de poussières et les tint devant son visage.

— Certaines de ces relations peuvent être très

passionnées ; il y en a même, à ce qu'on m'a dit, qui durent toute une vie, reprit-elle en laissant négligemment tomber les boucles d'oreilles. C'est pourquoi je savais qu'elle ferait quelque chose, peut-être même quelque chose de terrible, articula Gulay en pesant chacun de ses mots, si jamais elle le trouvait avec quelqu'un d'autre.

— Que voulez-vous dire ?

— Je voulais la démasquer, répondit-elle d'une voix soudain durcie. La faire sortir de sa cachette. L'obliger à faire quelque chose qui la révélerait au grand jour.

Elle prit l'aigrette d'émeraude, en éprouva distraitement la pointe du bout du doigt.

— Alors j'ai fait en sorte qu'une de mes propres servantes le séduise. J'ai trouvé le soir idéal pour cela. Par une étrange coïncidence, c'était ce même soir où vous aviez été choisie – une idée de la validé, au fait – pour rendre visite au sultan. Si vous vous souvenez – si toutefois il vous reste un quelconque souvenir de ce soir-là –, le harem était presque vide ; la plupart des femmes et des eunuques étaient encore au palais d'été.

— Bref, après m'être débarrassée de vous, le sultan et moi nous avons... pris un peu de repos et, quand il a été endormi, j'ai envoyé un des gardes me chercher Cariye Lala. Je lui ai donné le bateau en sucre, celui qui était resté prés du lit du sultan et qui après notre petit repos ensemble m'appartenait de droit, et je lui ai ordonné de le porter à la chambre du chef des eunuques noirs, avec toutes mes excuses pour le dérangement que j'avais causé ce soir-là, fit Gulay en souriant.

— Et vous saviez qu'elle le trouverait en compagnie de la fille.

— C'est cela.

Gulay jeta l'aigrette d'émeraude qui atterrit sur le divan, près d'Handan toujours endormie.

— Et... est-ce qu'elle les a trouvés ? s'enquit Celia d'une voix qu'elle espérait normale, tandis qu'une sueur froide lui coulait le long du ventre.

— Bien sûr que oui. Vous savez ce qui est arrivé, elle l'a empoisonné, les a empoisonnés tous les deux. Après tout, qui d'autre aurait pu vouloir leur mort ?

— Mais... commença Celia en se levant, mais les mots refusaient de sortir. L'atmosphère confinée de la pièce lui faisait tourner la tête.

— Bon, finalement, il n'est pas mort, mais nous devons être patientes, vous et moi, patientes encore et toujours.

— Vous et moi ?

— Mais évidemment, vous et moi. Une chose qu'il vous faut apprendre, c'est que les choses ne se déroulent jamais exactement comme on l'avait prévu, récita Gulay comme pour elle-même. La validé est parvenue à étouffer l'affaire, mais même elle ne pourra les protéger éternellement...

— Mais Cariye Lala... tenta encore Celia.

— Oui, Cariye Lala, Cariye Mihrimah, siffla Gulay dont les yeux lançaient des éclairs, quel que soit le nom que se donne cette pitoyable vieille loque rata-tinée ; la validé doit vraiment l'aimer, cracha-t-elle. Sauver cette vieille femme inutile aura probablement été la seule erreur de sa vie. (Sur les joues de la *haseki*, deux taches rouge vif étaient apparues.) Et j'ai enfin ma chance. Je vais les démasquer une bonne fois pour toutes et vous allez m'y aider. Je la briserai. Je briserai son pouvoir. Et je lui briserai le cœur !

— Mais Cariye Lala n'a rien fait.

— Quoi ?

— Ce n'est pas Cariye Lala, cria presque Celia. Ce n'est pas elle qui a empoisonné le chef des eunuques noirs, c'est vous !

L'excitation de la *haseki* se changea instantanément en rage froide. Ses yeux n'étaient plus que d'étroites fentes.

— Vous êtes folle.

— Non, pas du tout.

Il y eut un instant de silence stupéfait.

— Vous n'arriverez jamais à le prouver.

— Je peux prouver que Cariye Lala n'y est pour rien.

— Je ne vous crois pas.

— Ce n'est pas elle qui a apporté le bateau en sucre dans la chambre d'Hassan Aga, ce soir-là. C'est quelqu'un d'autre.

Celia recula d'un pas, mais la *haseki* fut plus rapide et lui agrippa le poignet.

— Qui ?

— Je serais vraiment folle de vous le révéler, vous ne croyez pas ? rétorqua Celia tandis que les ongles de Gulay s'enfonçaient dans son poignet. Et elle a vu la fille prendre quelque chose sur le plateau par terre et le mettre dans sa bouche. Le bateau en sucre n'y a jamais été pour rien.

— « Elle ». Nous savons donc qu'il s'agit d'une femme, c'est un début.

— C'est vous qui le lui avez donné, n'est-ce pas ? En lui faisant croire que c'était un aphrodisiaque quelconque, alors qu'en fait c'était du poison...

— Dis-moi qui c'était ou je te tue aussi.

Le poignet de Celia la brûlait comme s'il était enserré dans du fer rouge.

— Elle est morte dans d'affreuses souffrances et lui n'a survécu que par miracle. C'était cela votre idée pour « démasquer » Cariye Lala ? L'obliger à voir une chose pareille ?

Un terrible hurlement emplit la pièce. Du coin de l'œil, Celia perçut comme un éclair vert et soudain une petite silhouette, fantôme nu et squelettique, sembla voler dans leur direction. Un autre éclair. La *haseki* lâcha soudain le poignet de Celia et porta la main à son cou avec un cri de douleur. L'aigrette d'émeraude était plantée dans sa chair.

— Sale petite peste... regardez ce qu'elle m'a fait !

Elle se retourna et frappa rageusement Handan, l'envoyant voler sur le lit comme elle l'aurait fait d'une mouche. Du sang, aussi noir que du goudron, commençait à couler de sa blessure au cou.

— Tu vas me le payer... !

La *haseki* fit un pas en arrière et levait la main pour frapper le corps recroquevillé sur le divan quand d'un seul coup Celia la vit se figer. La *haseki* resta là un moment, comme pétrifiée, la bouche arrondie en un petit « o » de surprise et, tout aussi soudainement, elle tomba en avant pour se prosterner à genoux, le front dans la poussière.

— Il est un peu tard pour cela, Gulay, dit une voix familière.

Sur le mur où pendaient les robes d'Handan, un panneau venait de s'ouvrir silencieusement derrière elles.

— Je crains fort, dit la validé depuis le seuil, que ce ne soit vous qui deviez payer.

33

Le matin

Depuis un kiosque dans les jardins du palais, Safiye, sultane validé, mère de l'ombre de Dieu sur terre, contemplait le confluent du Bosphore et de la Corne d'Or. Une brise soulevait sur les eaux des vaguelettes couronnées d'écume, les faisant passer du turquoise au mauve, puis au blanc nacré. Quand le vent soufflait dans sa direction, on pouvait entendre de lointains bruits de marteaux.

— Il paraît que le cadeau offert au sultan par l'ambassade d'Angleterre sera prêt aujourd'hui à nous être présenté, dit-elle à sa compagne. Les entends-tu, Kadine Kaya ?

Celia acquiesça. Elle entendait elle aussi les ouvriers qui travaillaient à la Porte de la Volière.

— À ce qu'on raconte, il s'agirait d'un orgue qui joue seul de la musique, et d'une horloge, également, avec le Soleil, la Lune, des anges qui

486

soufflent dans des trompettes, toutes sortes de merveilles.

— Cela plaira-t-il au sultan ?

— Oh oui, il aime beaucoup les horloges.

— Donc, l'ambassade d'Angleterre sera reçue favorablement ?

— Tu veux sans doute savoir s'ils auront leurs capitulations, le droit de commercer librement sur nos terres ? répondit Safiye Sultane en s'installant plus confortablement sur ses coussins. Les Français ont toujours considéré ce droit comme leur appartenant et ils ne se laisseront pas faire facilement. À ce qu'on dit, l'ambassadeur de France a fait présent de six mille sequins au grand vizir pour qu'il n'accède pas à la demande des Anglais... (Elle la laissa méditer là-dessus quelques secondes.) Mais je ne m'inquiéterais pas pour ces marchands anglais, je les ai toujours trouvés pleins de ressource.

Sur le plateau de fruits et de friandises posé à côté d'elle, Safiye prit une rose de Damas et en respira pensivement le parfum.

— De plus, ils ont eux aussi des amis.

Les deux femmes contemplèrent un moment l'eau et les cyprès en contrebas. Autour du kiosque, des jasmins embaumaient l'air. Celia respira la brise aux parfums de mer et de fleurs et, l'espace d'un instant, elle eut l'impression que sa vie dans la Maison de la Félicité avait toujours été ainsi, une vie pleine de beauté et de courtoisie, sans place pour la peur.

Elle regarda la validé, sa peau crémeuse de courtisane, à peine marquée malgré son âge ; la fortune d'or et de turquoises, hommage d'un sultan, qui ornait ses oreilles et son cou. Pourtant, en dépit de tout cela, il y avait chez elle quelque chose d'étrangement simple, pensa Celia. Elle se tenait toujours si parfaitement immobile, son profil pur tourné vers l'horizon. Toujours à observer, à attendre. Qu'attendait-elle ?

Celia baissa les yeux vers ses mains, se demandant comment l'aborder. Était-il acceptable de poser des questions ? Était-ce pour cela qu'on l'avait fait venir ici ? Depuis les événements dans la chambre d'Handan elle n'avait rien entendu, pas la moindre allusion, pas même un murmure, concernant leur sort à toutes.

— Majesté ?

Le mot était sorti avant qu'elle ne puisse changer d'avis.

— Oui, Kadine Kaya ?

Celia prit une profonde inspiration.

— Les deux femmes, Handan et Haseki Gulay, que va-t-il leur arriver, maintenant ?

— Je suis certaine qu'Handan finira par se rétablir. La raison pour laquelle l'opium la rendait si malade est longtemps restée un mystère. Jusqu'à ce que nous commencions à soupçonner Gulay d'avoir trouvé un moyen de lui en fournir toujours plus. C'est à ce moment-là que j'ai fait déplacer Handan dans la chambre au-dessus de mes appartements, l'endroit le plus sûr que je connaissais, mais elle a trouvé le moyen de passer quand même, par les vieux couloirs condamnés depuis l'époque de l'ancien sultan.

— Que va-t-il lui arriver ?

— À Gulay ? On va l'envoyer au Vieux Palais, où elle ne pourra plus nuire à personne.

— Elle ne sera plus *haseki* ?

Cela fit rire Safiye.

— Oh non ! Elle ne sera certainement plus *haseki*. Le sultan a décidé, sur mon conseil, qu'il n'y aurait plus de *haseki*. Après ce qu'elle a fait, elle a de la chance de s'en tirer avec la vie sauve.

Celia regarda autour d'elle le petit kiosque de marbre blanc, l'endroit même où elle avait parlé à Gulay pour la première fois.

— J'ai cru tout ce qu'elle me disait, avoua-t-elle en secouant la tête, incrédule. Absolument tout.

— Ne te fais pas de reproches. Tu n'as pas été la seule.

— Comment avez-vous appris que Gulay savait, pour les Rossignols de Manisa ?

— Eh bien curieusement, c'est grâce à toi. Te souviens-tu du jour où Gulay t'a fait appeler ? C'est là qu'elle a commencé à faire allusion aux Rossignols, n'est-ce pas ? N'aie pas l'air si surprise, Hanza me l'a rapporté.

— Je me souviens qu'elle était parmi les servantes qui nous ont apporté les fruits.

— Hanza avait l'oreille très fine, ironisa Safiye. Elle n'avait bien sûr aucune idée de ce que tout cela signifiait. Mais c'était une grosse erreur de la part de Gulay.

— Alors vous avez envoyé Hanza pour... (Celia chercha le mot qui convenait.) Pour surveiller Gulay ?

— Non, je l'ai envoyée te surveiller, toi.

— Moi ?

— N'oublierais-tu pas quelque chose ? Toi et ton amie Annetta m'aviez été offertes par la *haseki*. Et,

489

au premier abord, vous étiez deux filles plutôt inhabituelles ; la plupart des *kislar* arrivent ici très jeunes. Je n'avais moi-même que treize ans. Je me suis toujours demandé quel motif réel se cachait derrière le cadeau de Gulay ; de quelle façon elle comptait vous utiliser. Et j'avais raison, n'est-ce pas ? Ce n'est pas si difficile à deviner. Quand les hommes vont chasser dans les montagnes, ils se servent souvent d'un animal pour en piéger un autre.

— Alors c'est cela que j'étais ? Un appât ?

— En quelque sorte, répondit la validé qui la gratifia d'un de ses merveilleux sourires. Mais quelle importance, maintenant ? Tout est fini, Kadine Kaya.

La rose toujours entre deux doigts, elle replongea dans sa rêverie, contemplant à l'horizon la rive asiatique du Bosphore.

— Je ne cherche pas les montagnes, si c'est à cela que tu penses, dit-elle au bout d'un moment, comme si elle lisait dans l'esprit de Celia. Il y a longtemps que j'ai cessé de les chercher. À moins que tu n'appelles cela une montagne, s'exclama-t-elle soudain. Regarde !

Sur une terrasse, loin en dessous d'elles, deux personnes s'avançaient entre les arbres. Bien qu'un peu courbé, maintenant, et marchant avec difficulté, Hassan Aga se reconnaissait de loin ; à côté de lui se trouvait la silhouette beaucoup plus petite d'une femme, dans le simple habit des servantes du palais.

— Mes Rossignols. C'est ainsi que l'on nous appelait, sais-tu, quand nous sommes devenus esclaves.

Fermant les yeux, la validé se caressa la joue avec les pétales veloutés de la rose.

— Tu ne peux pas imaginer à quel point tout cela me semble loin, maintenant. Nous savions tous chanter, vois-tu...

Enhardie par la pointe de tristesse dans la voix de la validé, Celia risqua une autre question.

— Et Cariye Lala ? Ne va-t-elle pas avoir d'ennuis

— J'en ai parlé au sultan, fut la seule réponse.

Celia préféra sagement ne pas insister et garda le silence.

— Elle est heureuse, regarde-la, reprit Safiye Sultane. Sa petite Lili, c'est ainsi qu'il l'appelait. Ma petite Mihrimah. Elle peut bien te sembler vieille, mais pour moi elle sera toujours la petite Mihrimah. Elle était si menue, si effrayée. Une enfant apeurée. Je lui disais : « Je veillerai toujours sur toi, je t'apprendrai toutes les ruses de chasse que je connais. » Mais, en fin de compte, c'est elle qui m'a sauvée.

Celia suivit son regard. Les deux promeneurs s'arrêtèrent ; ils ne parlaient pas beaucoup mais se tenaient très près l'un de l'autre, regardant vers la haute mer où les silhouettes des bateaux se découpaient sur l'horizon.

— Est-ce vrai qu'elle l'aimait ? laissa-t-elle échapper avant de pouvoir se retenir.

— L'amour ? demanda la validé, l'air presque étonné. Que vient faire l'amour dans tout cela ? L'amour est pour les poètes, ma naïve enfant. Entre nous, il n'a jamais été question d'amour ; il s'agissait de survie. Elle l'a sauvé lui aussi, sais-tu. Du moins, il en a toujours été persuadé.

— Comment ?

— Autrefois, il y a longtemps, dans le désert.

— Dans le désert ?

491

— Oui. Quand on l'a castré. C'était il y a bien, bien longtemps.

La validé arracha quelques pétales à la rose et les jeta dans la brise qui les emporta en tourbillonnant.

— Sa Lili. Sa Lala. Sa Li.

Et moi ? Que va-t-il m'arriver ? Celia s'agita sur son siège. *Elle va sûrement me dire ce qui m'attend, maintenant ?* Mais la validé resta silencieuse. En bas, sur la Corne d'Or, les bateaux allaient et venaient d'une rive à l'autre. Les bruits de marteaux en provenance de la Porte de la Volière avaient cessé et, dans le calme de l'après-midi, le jardin était maintenant parfaitement silencieux.

À la fin, Celia n'y tint plus et trouva l'audace de se lancer.

— Ces capitulations...

— Oui, eh bien ?

— J'ai entendu dire qu'il ne s'agissait pas seulement de droits commerciaux.

— Oh ?

— Et que d'après les termes du traité, tout Anglais capturé sera relâché, sous la condition que son prix d'achat soit remboursé. Est-ce vrai ?

— C'était effectivement le cas. Mais souviens-toi que ce traité n'était pas en application ces quatre dernières années, depuis la mort de l'ancien sultan, et qu'il n'a toujours pas été renouvelé.

À bord du *Hector*, si imposant que tous les navires qui l'entouraient semblaient des nains en comparaison, Celia pouvait voir de minuscules silhouettes s'agiter dans les haubans et, tout en haut des mâts, un marin solitaire dans la vigie.

— Je vois que le vaisseau anglais se prépare pour son voyage de retour, constata enfin la validé.

— C'est ce qu'on m'a dit, commença Celia, mais elle ne put continuer. Je suis désolée, balbutia-t-elle, portant la main à sa gorge, incapable de respirer ni d'avaler. Je suis désolée, Majesté.

— Allons, allons, ne sois pas désolée. Tout ira bien, Kadine Kaya. Il faut qu'il en soit ainsi, déclara la validé, tendant la main pour enfoncer les doigts dans la fourrure du gros chat blanc endormi à côté d'elle. La première fois que nous nous sommes rencontrées, je me souviens de t'avoir dit qu'un jour tu me raconterais ton histoire. Et je crois que le moment est venu. Veux-tu ? Veux-tu me faire confiance ?

La jeune fille en pleurs leva les yeux et vit à sa grande surprise que, comme les siens, les yeux de Safiye Sultane étaient pleins de larmes. Elles restèrent un long moment à se regarder.

— Oui, dit-elle enfin. Je veux bien.

34

Quand Elizabeth sortit du café où elle avait laissé Marius, les premiers flocons de neige commençaient enfin à tomber et la ville ne tarda pas à être tapissée de blanc. Il faisait de plus en plus froid. De l'autre côté du pont de Galata, les dômes et les tourelles fantomatiques de la vieille ville se reflétaient en scintillant dans l'eau noire. L'air était pur et si glacial qu'il en était douloureux à respirer.

Comme la première fois, elle retrouva Mehmet sur le quai.

— Tenez, j'ai pensé que vous aimeriez peut-être emprunter ceci, offrit-il en lui drapant quelque chose sur les épaules.

Le manteau était doux au toucher, mais si lourd qu'on l'aurait dit doublé de plomb. Son poids lui fit pousser un petit cri de surprise.

— En quoi est-il ?

— C'est de la zibeline. (Il vit son expression et leva la main, s'excusant d'un petit rire.) Je sais déjà ce que vous allez dire. Ne vous affolez pas, considérez-le comme une antiquité, si vous préférez. Ce qui est d'ailleurs vrai, dans un sens, puisqu'il appartenait à ma grand-mère. Une antiquité pratique, en somme. Vous en aurez besoin, il fait très froid sur l'eau.

Il lui prit la main, la porta brièvement à ses lèvres.

— Vous avez l'air d'une reine, la complimenta-t-il sans lui lâcher la main. L'attirant près de lui, il lui embrassa la paume.

— J'ai l'impression d'en être une, déclara-t-elle.

Ils se regardèrent en souriant.

Ils se mirent en route. Les eaux du Bosphore luisaient comme de l'encre argentée. Bien qu'il n'y ait que peu de circulation à cette heure de la journée, ils voyaient de temps en temps passer un petit bateau, telle une luciole dans la nuit.

— Quand êtes-vous rentré ?

— Dans l'après-midi. (Il tenait toujours sa main.) Est-ce que j'ai eu raison de vous appeler ? Haddba m'a dit que vous étiez avec quelqu'un...

Il lui lança un bref regard de côté.

— Haddba ! J'aurais dû me douter qu'elle y était pour quelque chose, répliqua Elizabeth en riant. En fait, votre texto est arrivé juste au bon moment. Et j'étais effectivement avec quelqu'un..., reprit-elle après un instant d'hésitation. Mais..., hésita-t-elle, se demandant comment lui parler de l'arrivée soudaine de Marius.

— Pas de problème, vous n'avez rien à expliquer...

— Non, je voudrais le faire. Je n'ose pas penser à ce qu'Haddba a pu vous raconter...

Un peu honteuse, elle se rappela comment Marius avait tenté de l'embrasser, de monter avec elle dans sa chambre ; et comment elle avait failli le laisser faire et l'avait suivi comme un petit chien.

— Je ne m'inquiéterais pas pour cela. Haddba est quelqu'un d'absolument impossible à choquer. Elle pense qu'il ne vous vaut rien, voilà tout.

— C'est vrai, il ne me vaut, il ne me valait rien, se corrigea-t-elle, même si je me demande bien comment Haddba peut savoir ça. Je ne lui ai jamais dit le moindre mot à son sujet.

— Hadbba est un peu... comment dites-vous... *sorcière*[1]. Je l'ai toujours dit.

— Sorcière ?

— Pour ce qui est des affaires de cœur. Je plaisante, bien sûr. Mais elle a une sorte de génie pour ces choses-là, ajouta-t-il en souriant. Après tout, c'est quand même grâce à elle que nous nous sommes rencontrés.

Une sensation difficile à décrire l'envahit. Une impression de légèreté, de clarté.

— C'est cela que nous allons vivre, tous les deux ? Une affaire de cœur ?

Adressés à n'importe qui d'autre, ces mots auraient pu sembler guindés, même un peu évasifs. Mais pas avec lui. Malgré la chaleur du lourd manteau de zibeline, elle se sentit frissonner, mais, cette fois, le froid n'y était pour rien.

— Je crois que nous ferions bien, répondit-il.

Ils étaient là, côte à côte comme l'autre fois ; très

---

1. En français dans le texte.

près l'un de l'autre sans que leurs corps se touchent. Elle avait tant envie de lui qu'elle en avait le vertige.

— J'ai d'ailleurs l'impression que c'est déjà le cas, tu ne crois pas ? poursuivit-il en se tournant vers elle. Ma merveilleuse Elizabeth.

Il ne lui avait pas dit qu'ils se rendaient au *yalı*, la maison de bois sur la rive du Bosphore qu'il lui avait montrée l'autre fois, mais elle savait que c'était là qu'ils allaient. Quand ils arrivèrent, un homme, sans doute le gardien, était là pour l'aider à débarquer et s'occuper du bateau. Derrière la maison, le vent soupirait, faisant frissonner les arbres couverts de neige. Elizabeth marchait avec précaution sur le sol gelé à la suite de Mehmet jusqu'à une sorte d'antichambre. La maison était claire, chaude et accueillante après le froid brutal de la nuit, comme si on attendait des invités, mais Elizabeth ne vit personne ; le serviteur n'avait pas reparu.

— Peux-tu m'attendre ici ? Juste pour un petit moment ? (Il l'embrassa sur les lèvres.) Je dois m'occuper de quelque chose.

— Oui, je vais t'attendre, dit-elle, mais ni l'un ni l'autre ne fit mine de bouger.

Il pencha la tête pour l'embrasser encore une fois. Elle sentit son goût, son odeur, et une grande douceur la traversa de part en part.

— Je ne serai pas long.

— Non.

— C'est promis.

— Vraiment ?

— Oui, vraiment.

Il l'embrassait toujours, pas seulement sa bouche mais son cou, ses cheveux.

— Tu es sûr ?

Elle se pressait de tout son long contre lui.

— Oui, tout à fait sûr, acquiesça-t-il en lui caressant tendrement la joue.

— Mehmet ?

— Oui ?

Il avait les yeux rivés sur sa bouche.

— Rien...

Elle ferma les yeux, le sentit tracer le contour de ses lèvres, les entrouvrir du bout du doigt.

— Tu es sûre ? Ça ne t'ennuie pas que je t'aie amenée ici ? Je peux attendre, tu sais.

Il la regardait d'une telle façon que son cœur faillit oublier de battre.

— Je suis sûre. Vas-y, dit-elle en s'écartant finalement de lui. Je vais t'attendre.

Suivant ses instructions, elle monta un escalier et se retrouva dans une galerie, un salon tout en longueur qui occupait toute la façade de la maison. Au milieu, surélevée par une estrade, une sorte d'alcôve s'avançait au-dessus de l'eau. Des coussins couverts de velours richement brodé et de soie étaient disposés sur trois côtés, donnant à celui qui s'y asseyait l'impression de flotter juste au bord de l'eau. Un gros chat noir était allongé sur un des sièges.

— Tiens, salut, minou.

Elizabeth laissa glisser de ses épaules le manteau de zibeline et alla s'asseoir à côté de l'animal, cherchant des doigts le point sensible sous son menton. Le chat ne fit pas la moindre attention à elle, les yeux obstinément fermés. Seul un léger mouvement réprobateur du bout de la queue montrait qu'il avait enregistré sa présence. De l'autre côté de la vitre, sur la rive européenne, brillaient les lumières de la ville. Elizabeth vit passer un petit bateau, minuscule luciole dans la nuit noire.

— Si cette maison était à moi, je ne la quitterais jamais, affirma-t-elle, s'adressant à elle-même autant qu'au chat.

— Qu'est-ce que tu ne quitterais jamais ?

Mehmet était revenu.

— Cette maison.

— Elle te plaît ?

— Énormément.

— Cela me fait plaisir de l'apprendre. Les Ottomans ont construits ces *yalı* comme maisons d'été, parce qu'elles étaient tout près de la fraîcheur de l'eau. (Il vint s'asseoir près d'elle.) Mais il y a eu beaucoup d'incendies. Comme ils sont en bois, les *yalı* brûlaient trop facilement. Les gens ont cessé de les utiliser et beaucoup ont pourri à l'abandon. Maintenant, ils reviennent à la mode.

Ensemble, ils contemplèrent la cité qui étincelait sur l'autre rive.

— C'est beau aussi en hiver, ici. Tu ne trouves pas ?

— Oh oui, magnifique, répondit Elizabeth.

Une pause.

— Je vois que tu as trouvé Milosh, constata-t-il en la regardant caresser le chat.

— C'est son nom ?

Une autre pause.

— Un ange passe, déclara-t-elle avec un coup

499

d'œil vers lui. C'est ce que nous disons quand il y a un silence comme ça.

— Tu es songeuse ?

— Non... en fait, si, peut-être un peu, avoua-t-elle. Mais j'ai eu une journée vraiment, vraiment étrange. Tu ne peux pas imaginer à quel point. Et maintenant, ça...

Elle se demanda, avec une angoisse soudaine, combien de femmes il avait amenées dans cet endroit au décor fait pour la séduction.

— Et maintenant

— Et maintenant, c'est le plus étrange de tout.

Comme s'il pouvait lire dans ses pensées, il déclara :

— Je vois bien que tu te poses des questions. Tu sais que tu peux tout me demander.

— Oui, je sais, répondit-elle, et elle comprit qu'elle le pouvait vraiment, ce qui aurait été impensable avec Marius.

Il l'attirait vers lui, l'embrassait dans le cou.

— J'ai envie de te demander combien de femmes tu as amenées ici, s'entendit-elle dire avec une audace qui l'étonna. (Elle jeta un coup d'œil circulaire à ce qui avait tout d'une garçonnière et ajouta :) Mais je ne suis pas sûre d'avoir envie de le savoir.

— La vérité, c'est que je n'ai amené qu'une seule personne ici avant toi.

Il défit les cheveux d'Elizabeth qui tombèrent en cascade noire sur son épaule.

— Récemment ?

— Non, c'est du passé.

Il lui enlevait ses chaussures.

— Tu veux dire que c'est fini ?

— L'histoire d'amour est finie, si c'est ce que tu veux savoir, sourit-il. Elle est maintenant mariée à quelqu'un d'autre, mais nous sommes restés de très grands amis.

— Ah, je vois.

Elle essaya sans succès de s'imaginer ce que ce serait d'être amie avec Marius.

— Tu as l'air surprise.

— Non. Elle le regarda déboutonner son chemisier et étendre le manteau de zibeline sur les coussins, la fourrure au-dessus.

— C'est ça que nous allons devenir ? s'enquit-elle en s'allongeant nue sur le divan pour le regarder se déshabiller. De très grands amis ?

Pourtant, je ressens bien plus que de l'amitié, pensa-t-elle. *Qu'est-ce que je ressens ? Qu'est-ce que cette sensation de total abandon ? Est-ce de l'amour ?* s'effraya-t-elle soudain.

— Elizabeth, pourquoi penser déjà à la fin alors que nous n'en sommes qu'au début ?

Il embrassa la peau douce de son épaule.

— Et si nous commencions d'abord par nous aimer ? suggéra-t-il en riant.

Riant aussi, Elizabeth se jucha sur lui et lui immobilisa les bras au-dessus de la tête. Éprouva de nouveau cette extraordinaire impression de légèreté, de clarté. Il lui vint à l'esprit qu'elle pourrait, tout simplement, être heureuse.

Elle le regarda, éblouie.

— D'accord, fit-elle. Commençons par là.

35

Dans la troisième cour du palais de Topkapi, Elizabeth attendait devant le bureau du directeur l'heure de son rendez-vous longtemps espéré pour visiter les archives du palais.

— Elizabeth Staveley ?

Un homme vêtu d'un impeccable costume marron et d'une chemise blanche lui ouvrit la porte.

— Oui.

— Je suis Ara Metin, un des assistants du directeur. Entrez, je vous en prie.

Elizabeth le suivit.

— Prenez place, l'invita l'homme en désignant une chaise devant son bureau. Je crois que vous avez demandé l'autorisation de visiter nos archives.

— Effectivement.

Il avait des papiers devant lui. Elizabeth reconnut son formulaire de demande et la lettre de recommandation de sa directrice de thèse, le Dr Alis.

— Il est écrit ici que vous vous intéressez à la mission anglaise de 1599, sous le règne du sultan

502

Mehmet III, affirma-t-il après un coup d'œil au formulaire. Vous avez également demandé à voir l'orgue offert au sultan par les marchands anglais ?

— Oui, c'est exact.

— Et dans quel but ?

— C'est pour ma thèse. Une thèse de doctorat en philosophie.

— Sur les missions commerciales à Constantinople ? insista-t-il gentiment.

— Oui.

Pourquoi ai-je l'impression de tricher ? Elizabeth s'agita inconfortablement sur sa chaise. Elle se rappela les conseils du Dr Alis : « L'important, c'est de mettre un pied dans la porte ; si vous ne savez pas quoi demander quand vous tentez d'accéder à des archives, faites une demande pour autre chose – n'importe quoi – que vous savez être en leur possession. »

— Félicitations, s'exclama-t-il avec un sourire courtois. Vous serez donc docteur en philosophie ? Dr Staveley.

— Eh bien, il me reste encore du chemin à parcourir, mais un jour, j'espère. (Elle chercha ce qu'elle pourrait bien dire d'autre.) Merci à vous de me recevoir dans un délai si bref.

— Il est écrit ici que vous n'êtes plus à Istanbul que pour quelques jours.

— Je rentre chez moi pour Noël.

— Dans ce cas, nous allons devoir vous fournir notre service rapide, sourit-il. Surtout que ceci est votre deuxième demande chez nous, je crois ? La première concernait... voyons...

Il feuilleta ses papiers.

— Je cherchais des informations concernant une jeune Anglaise, expliqua Elizabeth. Celia Lamprey. Je pense qu'elle a pu être une des esclaves du sultan Mehmet, à peu près à l'époque où la mission anglaise est arrivée ici.

— Mais votre demande n'a pas abouti ?

— Non.

— Eh bien, ce n'est pas surprenant. À l'exception des femmes de très haut rang – la mère du sultan, par exemple, parfois une concubine ou une haute dignitaire du harem –, pratiquement aucune information les concernant n'est parvenue jusqu'à nous. Pas même leur nom, qui sur les registres d'ici auraient de toute façon été différents de leur nom de naissance. Votre jeune femme, Celia Lamprey, n'aurait pas été connue sous ce nom-là, on lui aurait donné un nom arabe, probablement avant même son arrivée. Mais je suppose que vous savez cela. (Il la regarda par-dessus ses lunettes et secoua la tête.) Pourquoi cette obsession occidentale pour les harems ? l'entendit-elle murmurer. (Puis, un peu brusquement, comme si le sujet l'embarrassait, il revint au fait :) Bon, voyons si nous pouvons vous être plus utiles cette fois-ci.

Il prit une feuille de papier sous le dossier d'Elizabeth et la parcourut attentivement.

— Eh bien, je suis désolé, annonça-t-il, levant des yeux navrés derrière ses lunettes, je suis vraiment désolé d'avoir à vous dire que, cette fois-ci non plus, nous ne pourrons pas vous être d'une grande utilité.

— Pas du tout ? Il y a sûrement quelque chose ?

— Cette note vient d'une de mes collègues, expliqua-t-il en montrant une feuille qui avait été fixée à l'aide d'un trombone sur le formulaire d'Elizabeth. Apparemment il y a bien un compte-rendu officiel de la présentation des cadeaux, mais il se résume à une liste des objets. Autrement dit, pas grand-chose, mais si vous désirez l'examiner, nous pouvons certainement arranger cela. L'orgue, pour sa part, n'existe plus. Il a été détruit voici déjà longtemps.

— Et « longtemps », cela fait combien de temps ?

— Très longtemps, sourit-il. Du temps du sultan Ahmet, le fils de Mehmet III. Il semble que, contrairement à son père, le sultan Ahmet ait été un homme très pieux et, à ses yeux, l'orgue offert par la reine anglaise était, comment dîtes-vous ? il comportait des images d'êtres humains, ce qui est interdit par notre religion...

Elizabeth pensa aux anges avec leurs trompettes et aux oiseaux chanteurs.

— Idolâtre ?

— Oui, c'est le mot. Idolâtre.

— Alors il a été détruit ?

— J'en ai bien peur. Aucune trace ne subsiste du cadeau des marchands.

Il semblait sincèrement déçu de n'avoir pu l'aider.

— Je vois, conclut Elizabeth en se levant pour partir. Merci beaucoup d'avoir pris le temps de me recevoir.

— Mais il y a autre chose, miss Staveley.

— Oui ?

— Un objet dont ma collègue a pensé qu'il vous intéresserait peut-être.

— Ah bon ?

Elizabeth vit sur sa main ouverte un petit sac de velours rouge fané.

— Qu'est-ce que c'est ?

— Il a été trouvé avec certaines des archives du palais concernant la mission anglaise. Personne ne sait très bien comment il est arrivé là. Mais, apparemment, il y avait une date précise le concernant : 1599 selon le calendrier européen.

Elizabeth prit l'objet. À travers le velours, elle sentit sur sa paume le poids du métal : un objet rond et lisse, à peu près de la forme d'une montre de gousset à l'ancienne. Les doigts un peu raides, la jeune femme défit les liens qui fermaient le sac et en fit doucement glisser le contenu dans sa main. C'était plus petit qu'elle ne s'y attendait et à première vue, très ancien. Le boîtier de cuivre, délicatement gravé de fleurs et de feuilles, luisait faiblement comme un soleil terni.

— Ouvrez-le. Ma collègue pense qu'il s'agit d'une sorte d'instrument astronomique.

Du pouce, Elizabeth fit doucement jouer le fermoir à la base de l'instrument. Il s'ouvrit aussi facilement que s'il venait d'être fabriqué, révélant ses divers composants. Elle le contempla un moment en silence.

— On appelle cela un compendium, fit-elle d'une voix douce.

— Alors vous avez déjà vu un objet de ce genre ? s'enquit-il, surpris.

— Seulement sur un tableau. Un portrait.

Elle prit quelques instants pour admirer la facture de l'objet.

— Ceci est un quadrant, expliqua-t-elle, désignant

de l'index le dos du boîtier intérieur. Là, c'est une boussole, et là un cadran solaire équinoxial. Et là, vous voyez ces inscriptions sur le dessus du couvercle ? C'est une table des latitudes pour les principales villes d'Europe et du Levant.

Elizabeth leva le compendium à la hauteur de ses yeux. Et, comme par hasard, les deux moitiés du boîtier comportaient dans leur partie inférieure deux minuscules panneaux mobiles, tenus en place par des fermoirs représentant une main gauche et une main droite.

— Et là, au fond, si je ne me trompe pas... Est-ce que je peux ? demanda-t-elle avec un coup d'œil vers M. Metin.

Il acquiesça et elle fit doucement pivoter les fermoirs pour ouvrir le compartiment secret.

Sur la miniature, une jeune femme à la peau blanche et aux yeux sombres la regardait. Elle avait les cheveux cuivrés, portait des perles au cou et aux oreilles. Un vêtement couvrait l'une de ses épaules, les minuscules coups de pinceau suggérant de la fourrure ; l'autre épaule était nue, la peau d'une blancheur de neige, presque bleutée, la main, elle tenait une unique fleur, un œillet rouge.

Celia ? Il sembla à Elizabeth qu'elles se rejoignaient à travers les siècles, le temps d'un long regard échangé. *Celia, est-ce que c'est toi ?* Et puis, tout aussi soudainement, cela passa.

— Extraordinaire ! s'écria Ara Metin à côté d'elle. Saviez-vous que ce portrait se trouvait là ?

Elizabeth secoua la tête. Quatre cents ans, c'était tout ce qu'elle parvenait à penser, quatre cents ans dans le noir.

— Cela vous dérange si je me sers de votre ordinateur quelques instants ? demanda-t-elle en indiquant le portable posé sur le bureau.

— Eh bien...

Il semblait dubitatif, mais Elizabeth insista.

— Je vous en prie, je n'en ai pas pour longtemps.

— En fait, c'est l'ordinateur du directeur et je ne suis pas certain...

— Est-ce qu'il est connecté à Internet ?

— Oui, bien sûr, nous avons une connexion sans fil...

Elizabeth était déjà sur sa boîte mail. Elle avait un nouveau message, accompagné d'une pièce jointe.

Bénie soit le Dr Alis ! Sans s'attarder à lire le message de sa directrice de thèse, elle cliqua directement sur la pièce jointe et, cette fois, le portrait de Paul Pindar apparut instantanément à l'écran.

— Ici, regardez, indiqua Elizabeth en désignant un coin de l'écran. Vous voyez ce qu'il tient à la main ?

— Ma parole, on dirait bien le même objet, constata-t-il par-dessus son épaule.

— C'est le même ! s'exclama-t-elle joyeusement. La question, c'est : qu'est-ce qu'il peut bien faire ici ? Se pourrait-il qu'il ait fait partie des cadeaux offerts au sultan ?

— Non. Si c'était le cas, il figurerait sur la liste avec les autres cadeaux, j'en suis absolument certain. Et, d'ailleurs, qui était cet homme ?

— Un marchand du nom de Paul Pindar. Il était secrétaire de cette même ambassade de la Compagnie du Levant qui a apporté l'orgue au sultan. Je crois que ce compendium lui a appartenu. Regardez, il y

508

a une inscription, ici, que j'avais été incapable de lire la première fois que j'ai vu le portrait. C'est en latin. *Ubi iaces dimidium, iacet pectoris mei*, lut-elle à haute voix.

— Vous pouvez le traduire ?

— Oui, je pense. (Elizabeth regarda l'écran fixement pendant un moment.) Cela veut dire quelque chose comme : « Là où repose l'autre moitié de moi-même, c'est là qu'est mon cœur. »

— Et qu'est-ce que cela signifie ?

— Je n'en suis pas sûre, dit-elle lentement. À moins que... (Elle prit le compendium et étudia encore une fois la miniature.) Oui, c'est bien ça, regardez. (Tenant la miniature à côté de l'image sur l'écran, elle se mit soudain à rire.) Comment ai-je pu ne pas m'en apercevoir ? C'est une paire !

— Vous croyez vraiment ? fit-il, sceptique.

— Oui, regardez leurs positions. Elle regarde vers la droite et tient une fleur dans la main gauche. Lui regarde vers la gauche et tient le compendium dans la main droite. Je ne m'en suis pas aperçue avant parce que la reproduction était trop mauvaise, mais le portrait de Paul Pindar doit lui aussi être une miniature. Pas étonnant que la photo du livre ait eu autant de grain, Elle a été agrandie à la taille de la page, poursuivit-elle, l'esprit en ébullition. Vous croyez qu'il pourrait s'agir de portraits de fiançailles ?

— Y a-t-il une indication quelconque de la date à laquelle ils ont été peints ?

— Vous avez raison, il y a sûrement une date quelque part, le Dr Alis l'a mentionnée, se souvint Elizabeth en se rasseyant devant le clavier. Est-ce que je peux agrandir cette zone ? Ah, oui, voilà. (Une inscription apparut à l'écran et le visage d'Elizabeth s'assombrit.) Mais c'est impossible !

Les chiffres, un peu passés mais encore parfaitement lisibles, formaient le nombre 1601.

Ara Metin fut le premier à reprendre la parole.

— Eh bien, on dirait que ce ne sont pas des portraits de fiançailles, finalement, dit-il en haussant les épaules. Le portrait de la femme doit dater d'avant 1599. Donc ce portrait de votre marchand, ajouta-t-il en désignant l'écran, a été peint au moins un an après, peut-être plus.

— Mais comment est-ce possible ? s'exclama Elizabeth en prenant le petit sac dont elle caressa machinalement le velours fané. Vous me dites que cet objet est ici depuis 1599, et pourtant il le tient à la main en 1601... Alors dans ce cas il ne peut s'agir du même compendium, n'est-ce pas ? Je me demande jusqu'où je peux l'agrandir... (Elle déplaça le zoom sur le compendium.) Regardez, dit-elle en désignant la base. Là, on voit très clairement le compartiment secret. Et vous voyez qu'il n'y a pas de miniature à l'intérieur. Pas de portrait. Je crois bien que je me suis trompée depuis le début. Complètement trompée. Elle repoussa la chaise et se leva.

— Miss Staveley, vous vous sentez bien ?

Ara Metin, qui se tenait toujours derrière son épaule, remarqua qu'elle avait pâli.

— Oui.

— Vous semblez sur le point de vous trouver mal. Rasseyez-vous, je vous en prie, s'inquiéta-t-il en mettant une main sous son coude pour la soutenir.

— Non. Merci.

— Un verre d'eau, alors ?

Elizabeth ne paraissait pas l'entendre.

— « Là où repose l'autre moitié de moi-même, c'est là qu'est mon cœur », récita-t-elle à haute voix. Vous ne voyez pas ? C'est très simple en fait, insista-t-elle en le regardant. C'est une sorte de jeu, une devinette, si vous préférez. Ceci est bien l'autre moitié – mais pas seulement des deux portraits. Je crois que cela signifie qu'elle était son autre moitié. (Elle contempla le portrait de la jeune fille aux yeux paisibles et à la peau de porcelaine.) L'autre moitié de son cœur, de son âme. Et elle repose ici. Littéralement ici, dans ce palais.

Donc il savait, pensa-t-elle. *Il savait qu'elle était ici.* Est-ce que Paul Pindar, comme Thomas Dallam, avait eu l'occasion de regarder à travers la grille du mur et de l'apercevoir ? Elizabeth sentit un frisson lui parcourir le dos. Et Celia ? Pendant tout ce temps, elle l'avait imaginée courir, rieuse, courir vers lui à travers la cour déserte. Mais ce n'était visiblement pas ce qui était arrivé. Il savait, et il l'avait laissée ici.

— Mais je ne vois vraiment pas comment vous pouvez en être si sûre..., doutait Ara Metin.

— Je crois que si, déclara Elizabeth avec conviction. Pendant tout ce temps j'ai dû me contenter de deviner. J'ai avancé à l'intuition parce que c'était tout ce que j'avais. Mais, cette fois, j'ai des preuves, affirma-t-elle avec un pâle sourire. Regardez ici, (Elle désigna de nouveau la partie du compendium où aurait dû se trouver la miniature de Celia.) S'il n'y a pas de miniature dans celui-là, c'est qu'il n'a pas été peint avec le même compendium, parce que l'original avait échoué ici au palais – je doute que nous sachions jamais pourquoi et

511

comment. Mais il y a autre chose à la place du portrait.

— Je ne vois rien, juste des lignes gravées sur le métal, commenta Ara Metin en scrutant l'écran pardessus son épaule. On dirait une sorte de poisson, ou peut-être une anguille ?

— Les Élisabéthains les appelaient lamproies, répondit Elizabeth qui tenait le compendium contre sa poitrine, la miniature au creux de sa main, et voici Celia Lamprey, la jeune fille dont je vous parlais. (À sa grande consternation, Ara Metin vit couler sur le visage d'Elizabeth des larmes silencieuses.) Le portrait n'est pas un portrait de fiançailles, en fin de compte. C'est un mémorial. Un mémorial pour une morte.

36

Le soir

— Celia !
— Annetta !
— Tu es revenue !

Dans la cour de la validé, Annetta prit son amie dans ses bras et la serra très fort.

— Eh bien, qu'est-ce qu'il y a ? Qu'est-ce qui t'arrive ? Mais, ma parole, tu es toute tremblante ! fit Celia en riant.

— J'ai cru... quand elle t'a fait demander... Oh, qu'importe ce que j'ai cru ! répondit Annetta en la serrant encore plus fort. Qu'est-ce qu'elle a dit ? Pourquoi est-ce qu'elle voulait te voir ? Je n'arrive pas à croire qu'elle... (Elle scruta le visage de Celia, posa tendrement la main sur sa joue.) Mais non, tu es bien là, en chair et en os. Il faut que tu me racontes tout, mais pas ici, ajouta-t-elle après un rapide regard aux alentours. Viens.

Annetta entraîna Celia jusque dans son ancien

appartement. Elle s'aperçut immédiatement qu'il était vide. Les affaires de Celia, ses vêtements et ses quelques possessions avaient été enlevés. La pièce avait déjà l'air d'attendre sa prochaine occupante.

— Alors, ils t'ont déjà déménagée ? Où est-ce que tu vas aller ?

— Je ne sais pas, répondit Celia, momentanément décontenancée par la vue de la pièce vide. On ne m'a encore rien dit. (Elle traversa la pièce en courant pour enfoncer la main dans la niche au-dessus du lit.) Heureusement, ils ne les ont pas trouvés, remarqua-t-elle en tirant de leur cachette le bracelet de la *haseki* et un autre petit objet qu'elle dissimula dans la paume de sa main.

— Ma foi, je ne crois pas que j'en aurai encore besoin, de celui-ci. (Avec un dernier regard elle renvoya dans la niche le bracelet aux petits yeux de verre blanc et bleu.) J'aurais dû t'écouter depuis le début. Tu avais raison au sujet de Gulay. Quand elle m'a jeté le bracelet, dans la Grande Salle, j'aurais dû comprendre que ce n'était pas à moi qu'elle le lançait. Elle voulait atteindre Cariye Lala. Une sorte d'indice, je suppose. Elle voulait que je commence à poser des questions à son sujet, que je fasse bouger les choses – que je la fasse sortir de sa tanière, ce sont ses mots –, et elle avait l'intention de s'en servir pour compromettre la validé. C'était comme un jeu pour elle, poursuivit Celia. Un jeu d'échecs.

— Oh, elle était maligne, ça je te l'accorde, reconnut Annetta. Presque autant que la validé, mais quand même pas tout à fait.

Annetta suivit le regard de Celia parcourir une dernière fois l'appartement. Elle ne semblait ni triste ni anxieuse, mais plutôt mystérieusement portée, ravie même, par quelque chose qu'elle était seule à savoir.

— C'est si calme, tu ne trouves pas ? commenta Celia en allant jusqu'à la porte regarder à l'extérieur. (Elle frissonna légèrement.) Tu te rappelles la dernière fois qu'on était ici ? rit-elle, le jour où Esperanza Malchi nous a fait une telle peur ?

— Je m'en souviens.

— Et maintenant tout le monde est parti voir le cadeau des Anglais, l'orgue merveilleux qui joue tout seul, tu le savais ? débita-t-elle un peu trop vite. Ils l'ont offert au sultan cet après-midi.

— Mais tu n'as pas voulu y aller ?

— Non.

Elle grimaça légèrement, une main sur son côté où la douleur ne lui laissait plus aucun répit.

— Parle-moi de la validé.

— Oh, elle s'est montrée très gentille, tu sais comment elle est..., éluda Celia qui se remit à arpenter la pièce avec une impatience presque fiévreuse.

— Ah bon ? fit Annetta, l'ombre d'un soupçon dans la voix. Qu'est-ce qu'elle t'a dit ?

— Rien, répondit Celia en évitant son regard.

— Alors qu'est-ce que, toi, tu lui as dit ?

— Mais rien...

— Tu as l'air... changée.

— Ah bon ?

— Oui.

Sous le regard d'Annetta, deux taches rouge vif étaient apparues sur les joues de Celia.

— Petite oie ?

Celia ne répondit pas.

— Oh, petite oie, soupira Annetta en se laissant tomber sur le divan. Et on ne t'a pas indiqué où tu devais aller, maintenant que tu n'es plus *gözde*?

— Je dois attendre ici.

— Attendre quoi?

— Que la nuit tombe.

Il y eut quelques instants de silence absolu.

— Que la nuit tombe? Et qu'est-ce qui doit se passer à la tombée de la nuit?

Encore une fois, Celia ne répondit pas. Elle contemplait l'objet qu'elle avait pris dans la niche, quelque chose de rond et de métallique.

— Qu'est-ce qui. doit se passer à la tombée de la nuit? insista Annetta.

Celia tourna vers elle un visage lumineux.

— La Porte de la Volière, Annetta. Elle m'a dit que je pouvais le voir, une dernière fois.

— Elle t'a dit ça? fit Annetta.

Mais Celia ne paraissait pas l'entendre.

— Si je pouvais le voir, juste encore une fois, voir son visage, entendre sa voix, je crois que je pourrais être heureuse. (Elle releva les yeux.) Tu comprends, je sais qu'il est ici. Regarde, il m'a envoyé ça. Elle pressa le fermoir et le compendium s'ouvrit dans sa main.

— Mais c'est toi! s'écria Annetta qui, ébahie, contemplait la miniature.

— C'était moi. Il y a eu autrefois une jeune femme nommée Celia Lamprey..., dit tristement Celia, les yeux baissés vers la miniature, mais je ne me souviens plus d'elle, Annetta. (Elle semblait avoir du mal à respirer.) Elle est perdue pour toujours... disparue.

— Mais la Porte de la Volière? Sûrement...

— J'ai sa bénédiction.

— C'est un piège et tu le sais.

— Mais il faut que j'y aille, tu comprends, n'est-ce pas ? Je donnerais n'importe quoi – n'importe quoi ! – rien que pour le revoir une dernière fois Et c'est ma seule chance, il faut que je la saisisse.

— Non, il ne faut pas ! protesta désespérément Annetta. Je te dis que c'est un piège. Elle te met à l'épreuve, tu ne vois pas ? Pour voir de quel côté va ta loyauté. Si tu y vas, tu auras échoué à l'épreuve...

— Mais j'y suis déjà allée, Annetta, j'ai déjà passé la porte. Quand j'y étais, l'autre nuit, je me suis tenue sur le seuil et pendant un moment je me suis presque souvenue de ce que c'était qu'être libre. (Le regard de Celia parcourut la pièce sans fenêtre. Ses yeux brillaient d'un éclat fiévreux.) Je ne peux plus continuer comme ça, Annetta... Vraiment, je ne peux plus.

— Mais si, tu peux, je t'aiderai, comme je l'ai toujours fait.

— Non.

— N'y va pas ! Ne me laisse pas..., supplia Annetta en pleurant. Si tu vas là-bas ce soir, tu ne reviendras pas. Elle ne te laissera pas revenir. Tu le sais aussi bien que moi.

Mais Celia ne répondit pas. Elle se contenta d'enlacer Annetta, l'embrassa et caressa ses cheveux noirs.

— Mais bien sûr que je vais revenir, idiote. Je vais aller le voir, juste une dernière fois, comme la validé me l'a permis, finit-elle par répondre, berçant doucement son amie contre son épaule. Et qui est-ce qui fait l'oie, maintenant ?

517

Au bout d'un moment, Celia se releva pour aller à la porte regarder l'étroite bande de ciel.

— Est-ce que c'est l'heure ?

La fin de l'après-midi teintait le ciel de rose.

— Non, nous avons encore le temps.

Celia revint s'asseoir près d'Annetta. Elle sortit la clef de la chaîne autour de son cou et la tint dans sa main. Pendant ce qui parut un long moment, elles veillèrent ensemble, assises tout près l'une de l'autre, toujours enlacées, sans un mouvement. Finalement, Celia se remit debout. La pièce s'était assombrie.

— Est-ce que c'est l'heure ?

Celia ne répondit pas. Elle alla à la porte et regarda à nouveau dehors. Le rose avait tourné au gris ; une chauve-souris tournoyait au-dessus de la cour. Elle revint dans la pièce. Sa douleur au côté avait disparu.

— Je t'aime, Annetta, murmura-t-elle en l'embrassant tendrement sur la joue.

De sa poche, elle sortit un morceau de papier.

— Qu'est-ce que c'est ?

— C'est pour Paul, répondit Celia en pressant le papier plié dans la main d'Annetta. Si jamais quelque chose..., commença-t-elle, enfin, si je ne pouvais pas, est-ce que tu veux bien le lui faire parvenir ? Promets-moi, Annetta, promets-moi que tu trouveras un moyen de le lui envoyer.

Annetta regarda le papier dans sa main.

— Alors c'est l'heure ? fut tout ce qu'elle parvint à dire.

— Je ne peux pas le croire, je ne peux pas croire que je vais le voir, Annetta ! Sois heureuse pour moi, lança joyeusement Celia, déjà sur le seuil. Promets-moi que tu le feras, Annetta.

— Mais tu reviens, rappelle-toi ? essaya de sourire Annetta.

— Promets-moi quand même.

— Je te le promets.

— Et si tu ne tiens pas ta promesse, je reviendrai te hanter, tu verras si je ne le ferai pas, la menaça Celia.

Et sur ces mots elle partit. Elle s'enfuit en riant à travers la cour, courant sans un bruit sur ses petits pieds chaussés de mules vers la Porte de la Volière.

Épilogue

Oxford, de nos jours

Par un froid matin de janvier, la première semaine du trimestre, Elizabeth retrouva sa directrice de thèse, le Dr Alis, sur les marches de la bibliothèque orientale. Il restait des traces de neige boueuse sur le sol et même la brique jaune du Sheldonian Theatre de l'autre côté de la rue semblait grise dans la pénombre de l'aube.

— Eh bien, vous au moins, vous avez bonne mine, constata Susan Alis, énergique petite femme d'une soixantaine d'années, en embrassant Elizabeth sur la joue. Istanbul a l'air de vous avoir fait le plus grand bien.

— J'ai rompu avec Marius, si c'est ce que vous voulez dire, répliqua Elizabeth sans pouvoir s'empêcher de sourire.

— Ah ! cria triomphalement le Dr Alis. C'est ce que je vois, ajouta-t-elle plus doucement, attirant Elizabeth à elle pour l'embrasser de nouveau. (Ses joues sentaient la poudre de riz de vieille demoiselle.)

Mais vous êtes tout de même contente d'être de retour ?

— Je n'aurais pas raté ça pour un empire.

— Vous parlez de notre expert en manuscrits ? Oui, ils vont devoir faire amende honorable, finalement. « Pas très intéressant », c'est ce qu'ils ont commencé par dire, me semble-t-il me souvenir. Mais vous savez bien qu'ils disent toujours ça, surtout lorsqu'il est question de femmes.

Ses petits yeux en boutons de bottine brillaient d'amusement.

De quelque part leur parvint le son étouffé d'une horloge sonnant l'heure. Une petite troupe d'étudiants passa près d'elles à vélo, leurs phares perçant l'air glacial.

— Il doit être 9 heures, devina le Dr Alis, tapant des pieds dans ses bottes de neige pour se réchauffer. Vivement qu'on nous laisse entrer, on meurt de froid, ici.

Malgré l'éclairage électrique, il faisait sombre dans la bibliothèque orientale. Elizabeth suivit le Dr Alis le long d'un couloir tapissé de linoléum, jusqu'à la salle de lecture. Elle était telle que dans son souvenir : relativement petite mais fonctionnelle, avec ses longues tables de bois nu, ses murs tapissés d'étagères ouvertes remplies de livres et les tiroirs où étaient classées à l'ancienne mode les fiches des ouvrages. Le portrait de sir Gore Ouseley, érudit au nez crochu, les contemplait depuis le mur entre les fenêtres.

La donation Pindar, vingt manuscrits en arabe et en syriaque reliés de cuir, avait été préparée pour elles sur un chariot. Elizabeth les prit un par un, les ouvrit pour admirer la beauté de leur écriture. Quelque part derrière le bureau du bibliothécaire, on entendait la sonnerie stridente d'un téléphone.

— Alors, voilà donc les manuscrits Pindar, annonça le Dr Alis.

— Paul Pindar était un ami de Thomas Bodley. Il semble qu'il lui ait demandé de lui trouver des livres lors de ses voyages et voilà le résultat.

— Quand ont-ils été acquis ?

— La donation a été faite en 1611, mais bien sûr les livres peuvent être beaucoup plus anciens.

— Oh, vraiment très tôt, alors. (Le Dr Alis prit un des livres, examina la dernière page.) Regardez leurs numéros de catalogue, ils font partie des premiers milliers de livres de toute la Bodléienne. Est-ce qu'on sait de quoi ils parlent ?

— Ce sont surtout des traités d'astronomie et de médecine, je crois. J'ai la liste de leur contenu, tirée de l'ancien catalogue en latin, répondit Elizabeth en fouillant dans son sac.

— Un choix plutôt ésotérique pour un marchand, vous ne trouvez pas ?

— Peut-être, admit la jeune femme, songeuse. Mais Paul Pindar était visiblement quelqu'un d'assez inhabituel ; un véritable érudit, apparemment, en plus d'être un marchand et un aventurier.

— Il m'a l'air absolument parfait, lança le Dr Alis dans un éclat de rire. Vous avez son numéro de téléphone ?

Elle prit dans son sac une paire de lunettes de lecture aux verres oblongs.

— Un amateur de gadgets, aussi, d'après ce que

je me rappelle, avec son superbe compendium. Les Élisabéthains adoraient les gadgets et les énigmes, et ce compendium n'est rien d'autre qu'un très joli petit gadget. On pouvait s'en servir pour savoir l'heure, non seulement le jour, mais la nuit aussi, grâce aux étoiles ; trouver son chemin avec la boussole ; mesurer la hauteur des bâtiments et beaucoup d'autres choses. S'il vivait à notre époque, je me demande ce qu'il aurait ? Pas de portable ordinaire pour lui, C'est sûr, plutôt un Blackberry dernier modèle, ou un iPhone.

— Dans ce cas, je suppose que les livres ordinaires ne le satisferaient pas non plus.

— Rien que des livres électroniques.

— Et je ne crois pas qu'il correspondrait avec le bibliothécaire en chef.

— Quoi ? Alors que nous avons tous ces fascinants nouveaux professeurs de sciences du cyberespace à l'Oxford Internet Institute ? Sûrement pas.

Cela fit rire Elizabeth. L'enthousiasme du Dr Alis pour les nouvelles technologies était légendaire parmi ses collègues plus jeunes dont la plupart, aimait-elle à plaisanter, avaient encore du mal à faire fonctionner un simple lecteur DVD.

— Et regardez, voilà le livre où était dissimulé le fragment.

Toute joyeuse, Elizabeth prit l'un des volumes. Il était plus petit que dans son souvenir. Bodley Or. 10. Elle repéra la ligne de catalogue sur sa liste.

— Oui, regardez, c'est lui : *Opus astronomicus quaorum prima de sphaera planetarum.*

La reliure de cuir datait de bien plus tard mais, quand elle l'ouvrit, les pages dégagèrent une faible odeur poivrée qui évoquait l'intérieur d'un ancien coffre de marine. Elle examina les hiéroglyphes penchés rouges et noirs, passa un doigt sur les pages pour sentir la texture rêche et très légèrement poisseuse du papier.

Lui aussi, se dit-elle. *Quatre cents ans* – la même phrase qui revenait. *Quatre cents ans dans le noir.*

— Vous savez, je trouve cela extraordinaire que nous ayons encore des catalogues en latin, fit le Dr Alis, interrompant net sa rêverie.

— Ne vous en faites pas, nous pourrons bientôt consulter ce genre de manuscrit en ligne, sans aucun doute, mais ce ne sera pas la même chose, n'est-ce pas ?

— Qu'entendez-vous par là ?

— Eh bien, je sais ce que j'ai ressenti quand j'ai trouvé ce fragment. Ce que j'ai ressenti en comprenant que je tenais à la main le compendium de Paul Pindar. Ce que je ressens maintenant en regardant ceci, expliqua Elizabeth en désignant le livre.

— Ma chère petite, vous avez toujours été terriblement romantique.

— Vous trouvez ? (Elizabeth releva les yeux.) Eh bien, voyez-vous, je ne crois pas. Je crois que c'est parce qu'il s'agit... (Elle chercha le mot exact.) Il s'agit d'objets humains. D'autres gens, il y a des centaines d'années, les ont manipulés, y ont écrit, ont respiré sur eux. Et c'est comme si d'une certaine manière ils renfermaient ce passé en eux, comme s'ils contenaient l'histoire de ceux auxquels ils ont appartenu. Cette page que je touche en ce moment a un jour été touchée par un astronome inconnu qui écrivait en syriaque. (Elle haussa les épaules.) Qui était-il, à votre avis ? Je ne pense pas que nous le saurons jamais ; ni que nous découvrirons comment ce manuscrit est arrivé entre les mains d'un marchand de la Compagnie du Levant.

— Vous avez raison. En fait, je suis plutôt de votre avis. Mais je sais aussi à quel point ces choses peuvent être arbitraires. Et que nous devons toujours faire très attention à ne pas y lire plus qu'elles ne nous révèlent, avertit le Dr Alis en prenant le livre pour examiner l'une des pages. Enfin, nous savons au moins de façon certaine qu'il avait une très belle écriture, musa-t-elle en regardant les caractères noirs et rouges, et qu'il savait utiliser les couleurs. Et je peux vous dire encore autre chose : quoi que puisse indiquer le catalogue, ceci n'est pas un traité, on dirait plutôt le carnet de notes d'un astronome. Regardez, il reste des pages blanches.

— C'est vrai.

Elizabeth constata qu'il restait effectivement des pages blanches. Sur d'autres, des quadrillages avaient été tracés à l'encre rouge. Certains étaient vides, d'autres à moitié remplis de chiffres et de symboles étranges qu'elle était incapable d'interpréter ; l'écriture s'arrêtait parfois soudainement, comme si le scribe avait été interrompu au milieu de sa tâche.

— Docteur Alis ? l'interpella une voix derrière elles.

— Oui, je suis Susan Alis. Et vous devez être notre expert en manuscrits ?

— Richard Omar, se présenta le jeune homme en

lui serrant la main. Et c'est vous qui avez découvert ce fragment ?

— Non, hélas, j'aimerais bien que ce soit moi. C'est Elizabeth, Elizabeth Staveley, une de mes étudiantes de troisième cycle.

— Ah bon, fit-il en se tournant vers Elizabeth, alors je suppose que vous serez contente de le revoir.

Il sortit de sa mallette une pochette plastique soigneusement fermée. À l'intérieur, Elizabeth pouvait distinguer les contours du fragment de manuscrit, avec ses taches d'humidité.

— C'est magnifique, vous avez apporté l'original avec vous. Je ne savais pas si... (Elle sentit son cœur s'emballer sans raison apparente.) Est-ce que je peux ?

— Bien sûr, répondit-il en lui tendant la pochette. Vous pouvez même le sortir si vous voulez.

Elizabeth sortit le manuscrit et le porta à son nez.

— Oh...

— Quelque chose qui ne va pas ?

— Il ne sent rien.

— Bien sûr que non, il a été traité depuis que vous l'avez vu, pour pouvoir être manipulé en toute sécurité, dit-il avec un sourire qui fit ressortir ses dents blanches sur sa peau sombre. Qu'est-ce qu'il sentait ? s'enquit-il, intrigué.

— Oh rien, en fait, éluda Elizabeth, se sentant un peu bête. Juste le vieux papier.

Elle posa soigneusement le fragment sur la table devant elle : la même texture fragile, la couleur de vieux thé, la tache d'humidité toujours bien visible.

*Cher Ami, Vous souhaitez avoir entière connais-
sance des événements du malheureux voyage et
naufrage du navire* Celia, *et de l'histoire plus malheureuse et tragique encore de Celia Lamprey...*

Elizabeth parcourut rapidement des yeux les
phrases familières.

Le Celia *fit voile de Venise, par bon vent, le 17...
Et bientôt le vent prit une telle force que tous à
bord craignaient pour leurs vies...
Et qu'elles y gardent sa fille Celia... des Chiens, des
Chiens galeux et rongés de scorbut.. arrêtez, arrêtez,
prenez-moi mais épargnez mon pauvre père je vous
en supplie... pâle comme la mort...*

Elizabeth referma le dossier en silence.
— Savez-vous qui elle était ?
Richard Omar sortit un ordinateur portable de sa
mallette et commença à l'installer sur une des tables.
— Celia Lamprey ? demanda Elizabeth en
reposant la pochette sur la table. C'était la fille d'un
capitaine de vaisseau.
— Oui, ça, je l'avais compris, répliqua-t-il, amusé.
Moi aussi je l'ai lu, ce fragment, vous savez. Ce que
je voudrais savoir, c'est ce que vous avez appris de
plus à son sujet. À ce que je vois, vous avez fait des
recherches. J'ai toujours aimé connaître la fin de
l'histoire, ajouta-t-il, un brin taquin. Est-ce que la
jeune fille retrouve son prince charmant ?
— Qu'est-ce qui vous fait croire qu'il y a un
prince charmant ?
— Il y en a toujours un, fit-il, concentré sur ses

branchements. Mais ce qui m'intéresse, c'est de savoir si elle a survécu au naufrage, a-t-elle survécu à son sauvetage ?

— C'est une bonne question, réfléchit Elizabeth. J'ai été longtemps convaincue que Celia Lamprey avait été libérée, qu'elle avait fini par arriver à sortir du harem. Comment aurions-nous pu avoir son récit si elle ne l'avait pas écrit ? C'est si vivant, si plein de détails – comme ses jupes si trempées d'eau de mer qu'elles en devenaient lourdes comme du plomb. Pensez-vous qu'un homme aurait pu écrire cela ?

— Non, probablement pas.

— Eh bien c'est ce que je me suis dit, du moins au début. Mais, maintenant, je n'en suis plus si sûre. En fait je suis de plus en plus persuadée qu'elle n'en est jamais sortie. La jeune fille, comme vous dites, n'a jamais retrouvé son prince charmant.

— Mais si ce n'est pas elle qui a écrit l'histoire, alors qui est-ce ?

— Et pourquoi l'a-t-on écrite ? C'est précisément ce que j'essaie de découvrir.

— Je dois dire que pour moi, cela ressemble vraiment au récit d'un témoin oculaire, intervint le Dr Alis.

— Dans ce cas, si ce n'est pas Celia, alors c'est une des autres personnes qui se trouvaient à bord du navire lors du naufrage, suggéra Richard. Allons voyons, c'est évident, non ? Une des nonnes, bien sûr.

— Une des nonnes ? s'esclaffa le Dr Alis.

— Je suis sérieux.

— Vous ne pensez tout de même pas que des pirates turcs auraient pris la peine de les sauver ? Les pauvres femmes ont toutes dû passer par-dessus bord.

— Qu'est-ce qui vous fait penser qu'elles étaient toutes vieilles ? Il y en avait au moins une jeune, si je me souviens bien.

— Vous avez raison, je me suis posé la question moi aussi, admit Elizabeth. Mais, même si l'une d'entre elles avait été capturée en même temps que Celia, elles auraient sûrement échoué dans des endroits différents. Le récit original promet de raconter toute l'histoire de Celia. Comment une des sœurs aurait-elle pu savoir ce qui lui est arrivé par la suite ?

— Tant pis, lança-t-il en haussant les épaules, l'air de se désintéresser soudain de toute l'affaire. Après tout, c'est vous l'historienne.

— Donc, monsieur Omar, reprit le Dr Alis, revenant à leurs moutons, que pouvez-vous nous dire au sujet de ce fragment ? Je dois dire que je suis assez surprise. Ce n'est pas souvent que nous parvenons à intéresser quelqu'un de chez vous à ce genre de chose.

— Vous n'avez pas tort. Au début je n'ai pas trouvé ça très intéressant. Je travaille surtout sur du vélin, des manuscrits bien plus anciens que celui-ci. Mais – heureusement pour vous – le gars qui travaille habituellement sur les débuts de l'époque moderne est en congé et c'est moi qui en ai hérité. C'est l'histoire qui m'a intrigué : une jeune Anglaise blanche qui se retrouve esclave à la cour du Grand Turc. Je n'avais aucune idée qu'il y avait pu avoir des esclaves blancs, à l'époque. (Il se tourna vers Elizabeth.) Et là, j'ai remarqué quelque chose. Quelque chose qu'à mon avis il faut que vous voyiez, surtout après tout ce que vous m'avez raconté. Ce sera plus facile à expliquer en vous le montrant.

Il tapa quelque chose sur son clavier.

— La première chose que nous faisons actuellement avec les manuscrits, c'est de les numériser – c'est plus simple. Et comme vous voyez, le voici.

L'image du fragment apparut à l'écran.

— Une belle écriture de secrétaire, bien nette, commenta le Dr Alis. Facile à lire, n'importe quel étudiant pourrait le faire. Que pouvez-vous nous apprendre d'autre ?

— Eh bien, le papier est certainement d'origine ottomane, mais, curieusement, il porte en très faible relief la trace d'un sceau – probablement apposé sur une page extérieure qui ne nous est pas parvenue –, un sceau italien, vénitien, pour être précis.

— Ah, c'est donc de là que provient votre théorie sur les nonnes. Vous vous souvenez, dit Elizabeth en se tournant vers le Dr Alis, les sœurs venaient du couvent de Santa Clara, à Venise.

— D'accord. Rien d'autre ?

— La première chose qui m'a frappé, c'est la surface de papier qui n'est pas écrite, regardez comme les marges sont étendues. Mais ce qui m'a le plus intrigué, c'est le verso. (Il fit apparaître une autre image à l'écran.) Comme vous le voyez, il est vide, complètement vide.

— Et alors ?

— Le papier était précieux au XVIe siècle. Trop précieux, généralement, pour en laisser une si grande surface inutilisée. Comme je vous le disais, le gros de mon travail en ce moment concerne du vélin, et des manuscrits bien plus anciens. Le vélin était si précieux qu'à l'époque médiévale les moines ont développé une technique qui consistait à laver et gratter le vélin pour effacer ce qui s'y trouvait et pouvoir le réutiliser. Ils écrivaient ensuite autre chose à la place du texte d'origine.

— Vous parlez des palimpsestes ? intervint le Dr Alis.

— Exactement, les palimpsestes. Eh bien nous avons maintenant une technologie – l'imagerie par fluorescence aux rayons X – qui nous permet de voir à travers l'écriture de surface et de déchiffrer le texte original effacé qui se trouve en dessous.

— Vous n'allez pas me dire que vous avez utilisé l'imagerie fluorescente aux rayons X là-dessus, s'enquit le Dr Alis, dont le regard s'alluma.

— Non, pas là-dessus, fit-il en riant, mais ça m'a donné une idée. Je me suis servi pour ça d'un logiciel assez simple, à vrai dire, pas beaucoup plus compliqué que ce bon vieux Photoshop... À la portée de n'importe quel étudiant, ajouta-t-il après une petite pause.

— Vous avez raison, je n'aurais pas dû dire cela, reconnut le Dr Alis. Et maintenant, soyez gentil de continuer, nous sommes suspendues à vos lèvres.

— En fait, je me posais des questions sur les zones vides du manuscrit et j'en suis venu à me demander si elles étaient vraiment si vides que ça. Les marquages à l'encre survivent plutôt bien, comme vous pouvez le constater, mais supposons qu'on se soit servi d'autre chose, un crayon, par exemple ?

— Vous voulez dire que ça aurait pu s'effacer? suggéra Elizabeth.

— Exactement. Ce qui se produit généralement, c'est que le crayon lui-même s'efface, mais que les sillons creusés par la mine sont toujours là. Juste le genre de chose auquel je travaillais avec mes manuscrits sur vélin. De toute façon, c'est assez simple à vérifier, il suffit de soumettre le papier à différents spectres lumineux, et de voir si quelque chose apparaît. L'ultraviolet n'a rien révélé, mais quand j'ai essayé l'infrarouge...

Il marqua une petite pause dramatique, comme un magicien qui s'apprête à tirer un lapin de son chapeau.

— Et?

Il ajusta l'écran.

— Et j'ai obtenu ceci.

Un négatif fantomatique du manuscrit apparut à l'écran : des lignes blanches sur une page noire ; Elizabeth regarda de plus près.

— Je ne vois pas de différence.

— Non, pas de ce côté-ci, mais regardez ce qu'il y avait au verso.

Il cliqua de nouveau pour faire apparaître une seconde image, et, là ou ne se trouvait auparavant qu'une page blanche, on pouvait maintenant voir quelque chose d'écrit. Des pattes de mouche si menues et si fines qu'Elizabeth pouvait à peine distinguer les mots qui luisaient d'un bleu irréel, comme écrits par un ectoplasme.

Pendant un moment, elles fixèrent l'écran en silence.

— Eh bien... Et qu'est-ce que cela dit ? demanda le Dr Alis.

— Je n'en suis pas très sûre, c'est trop petit pour que je puisse lire, dit Elizabeth qui se tourna vers Richard. Vous pouvez l'agrandir ?

Il acquiesça en silence.

— Oh mon Dieu...

Elizabeth sentit les larmes lui monter aux yeux.

— Quoi ? Qu'est-ce que c'est ?

— C'est... On dirait un poème.

— Lisez-le. Lisez-le-moi, Elizabeth.

Et Elizabeth lut :

À mon amour, adieu

Quand ce soir-là devant la porte je t'ai vu,
Si près de ma prison en ce lieu défendu,
À l'idée que bientôt tu fuirais ce rivage,
Que jamais plus je ne verrais ton cher visage,
Amour, mon pauvre cœur de chagrin s'est brisé
Et les larmes pour toi sur mes joues ont roulé.

Mes pensées vont vers toi, loin d'ici, solitaire,
Je viens en songe à ton côté dans la nuit claire
Et te dis mon espoir qu'un jour, finalement,
Cruelle Destinée mettra fin au tourment
Qui me tient enchaînée, divisée par sa loi :
Mon triste cœur ici, son amour avec toi...

Mais au cœur de la nuit, aux heures les plus sombres,
Quand la Lune s'enfuit, cédant le pas aux ombres,
Quand des tours des mosquées montent de noirs soupirs
Étranges et païens, quand je ne puis dormir,
Lors, c'est la vérité qui m'apparaît, sans fard :
Nul espoir n'est permis de te jamais revoir.

Ô mon amour, ne m'oublie pas, moi qui t'aimais,
Lorsque tes yeux, dans la douceur du jour anglais,
Verront tomber le soir pourpré sur le jardin
Où nous allions tous deux, en ces beaux jours lointains ;
Il n'était point d'espoir, lors, qui ne fût permis,
Tous les bonheurs du monde nous étaient promis.

N'oublie jamais que sur les rives du Bosphore,
Sous un arbre étranger qu'illumine l'aurore,
Le doux vent de la mer vient murmurer ton nom
À ma mémoire et mon pauvre cœur en prison,
Mon cœur qui t'aime encore et toujours t'aimera,
Languit en un tourment que rien ne guérira.

La sonnerie stridente du téléphone sur le bureau du bibliothécaire rompit finalement le silence de la salle de lecture. Susan Alis fut la première à parler.

— Bien, bien, reconnut-elle en se tournant vers Richard Omar. Félicitations, jeune homme, je retire tout ce que j'ai dit, c'est une découverte extraordinaire, vraiment extraordinaire.

Richard remercia d'un signe de tête.

— Je sais bien que ce n'est pas la partie manquante du récit, déclara-t-il à Elizabeth, mais il semble bien que votre conclusion soit la bonne, après tout. Je crains fort moi aussi que la jeune fille n'ait jamais retrouvé son prince charmant.

— Vous le saviez depuis le début.

— Seulement si le poème avait été écrit par Celia Lamprey. Vous croyez que c'est le cas ?

— Oh oui, affirma Elizabeth. J'en suis certaine. Même si je ne pense pas qu'on pourra jamais le prouver de façon absolue. Je n'arrête pas de penser à ce que vous me disiez tout à l'heure, poursuivit-elle en se tournant vers le Dr Alis, quand vous m'avez fait remarquer à quel point notre connaissance du passé est arbitraire. Quelquefois, on a l'impression d'en savoir juste assez, dit-elle en écartant légèrement son pouce et son index, tout juste assez pour se demander ce qu'on ne sait pas ; se demander ce qui nous manque.

Elle regarda de nouveau l'écran. *Quand ce soir-là devant la porte je t'ai vu...* Quelle porte ? Pouvait-il s'agir de la grille dont parlait Thomas Dallam ? Mais non, si elle avait voulu parler d'une grille, elle l'aurait sûrement précisé... Elizabeth passa une main impatiente dans ses cheveux.

— Il semble donc qu'elle l'ait revu une dernière fois – ou du moins qu'elle espérait le revoir. Mais qu'est-ce qui s'est passé ensuite ? Je ne crois pas que nous le sachions un jour.

— Mais quelqu'un savait, souligna pensivement le Dr Alis, reprenant en main le fragment de manuscrit. Qui que ce soit qui ait écrit ce poème – et peut-être était-ce vraiment Celia Lamprey –, elle savait qu'elle ne serait jamais libérée. Mais il se peut que quelqu'un d'autre l'ait été – des années plus tard, qui sait –, quelqu'un qui la connaissait et connaissait son histoire. Quelqu'un qui l'aimait assez pour écrire ce récit et l'envoyer à Paul Pindar, son « Cher Ami ».

— Peut-être que Richard à raison et que c'était une des nonnes, qui qu'elle ait pu être.

— Elles auraient survécu ensemble au naufrage ? dit le Dr Alis. Oui, c'est assez plausible. Mais, ensuite, il aurait fallu qu'elles soient achetées ensemble, par le même marchand d'esclaves. Puis vendues comme concubines au Seraglio exactement au même moment. Allons, voyons, quelles sont les chances que cela ait pu se passer ainsi ?

— Évidemment, vous avez raison, reconnut Elizabeth.

— Mais n'est-ce pas là le genre de chose que nous rencontrons tout le temps ? intervint Richard, occupé à remettre le portable dans sa mallette. Le hasard. Les coïncidences. Les choses les plus invraisemblables, les plus arbitraires, se produisent constamment. (Il ferma la glissière de sa mallette.) Après tout, quelles étaient les chances que vous tombiez sur le fragment après toutes ces années ? Ou que je découvre le poème au dos du feuillet ? Et pensez un peu : si votre découverte avait eu lieu ne serait-ce qu'un an ou deux plus tôt, nous serions passés à côté. La technologie n'existait tout simplement pas.

Se levant pour partir, Elizabeth prit le fragment en main une dernière fois.

— Elle a choisi son heure. Elle a attendu le bon moment.

— Que voulez-vous dire ? s'enquit Richard, qui remettait son manteau et son écharpe.

— Celia. Je sais, vous allez me prendre pour une folle, dit Elizabeth avec un coup d'œil au Dr Alis, mais depuis le début, j'ai l'impression bizarre que c'est Celia qui m'a trouvée, plutôt que l'inverse. Je ne sais pas pourquoi, poursuivit-elle en rendant la pochette à Richard. C'est idiot de ma part, je sais bien. Tenez, reprenez-le, je n'en aurai plus besoin.

Le Dr Alis et Elizabeth firent leurs adieux à Richard Omar sur les marches de la bibliothèque. Quand il fat parti, le Dr Alis huma l'air du matin.

— Regardez, c'est une belle journée, finalement.

Et c'était vrai. Le ciel était bleu, le soleil faisait étinceler la neige.

— Et où allez-vous, maintenant ? s'enquit le Dr Alis en la regardant de côté.

— Vous voulez savoir si je vais retourner à Istanbul ? répliqua Elizabeth en riant. J'y compte bien, en effet.

— Je voulais dire dans l'immédiat.

— Je dois voir Eve, mais plus tard, ajouta Elizabeth en lui prenant le bras. Puis-je vous raccompagner jusqu'au collège ?

— Je vous en prie.

Elles marchèrent un moment en silence.

— Vous savez, je n'arrête pas de me demander ce qui s'est passé, ce qui lui est finalement arrivé, réfléchit Elizabeth en chemin. Et je viens juste de penser que, d'une certaine manière, c'est bien la fin de l'histoire de Celia Lamprey. Avec la découverte du fragment, du compendium, et maintenant du poème. Avec nous, ici, qui avons fini par reconstituer son histoire...

— ... après quatre cents ans dans le noir.

— Comment ? s'esclaffa Elizabeth, surprise. Qu'est-ce que vous venez de dire ?

— J'ai dit : « Après quatre cents ans dans le noir. »

— C'est bien ce que j'avais cru entendre.

Elles s'arrêtèrent et se regardèrent.

— Étrange, dit le Dr Alis en jetant un regard intrigué à Elizabeth, la tête un peu de côté comme pour écouter quelque chose. Je me demande vraiment ce qui m'a fait dire ça.

Remerciements

Je voudrais remercier Doris Nicholson, de la salle de lecture orientale de la bibliothèque Bodléienne, qui a débusqué pour moi la donation Pindar et m'a aidée à déchiffrer les textes syriaques et arabes. Au British Museum, Silke Ackermann m'a initiée à l'utilisation d'un astrolabe. Merci également au Pr Lisa Jardine pour ses conseils sur les nouvelles méthodes de recherche, au Dr Ekmeleddin Ihsanoglu et au Pr Owen Gingerich pour nos conversations sur l'astronomie islamique et copernicienne, à Abdou Filali-Ansari pour ses informations sur les transcriptions arabes. Un merci tout particulier à John et Dolores Freely, qui, quand j'ai commencé mes recherches pour ce livre il y a quatorze ans, m'ont généreusement et joyeusement guidée à travers l'Istanbul d'hier et d'aujourd'hui. Tous mes remerciements aussi à John Gilkes, Justine Taylor, Reina Lewis, Charlotte Bloefeld, Mélanie Gibson, Maureen Freely, Simon Hussey, Tom Innes, au Dr David Mitchell. et à mon agent Gill Coleridge. Toute mon affectueuse gratitude également à Lucy Gray et Felice Shoenfeld pour m'avoir aidée à prendre soin

539

de ma maison et de ma famille durant les trois ans qu'il m'a fallu pour écrire ce livre.

Enfin, je voudrais remercier A. C. Grayling pour ses nombreuses lectures critiques des versions successives de *La Porte aux oiseaux*, ainsi que pour le poème de Celia. Et, bien sûr, tous ceux de chez Bloomsbury, en particulier Mary Morris, Anya Rosenberg et Kathleen Farrar à Londres, Karen Rinaldi, Gillian Blake et Yelena Gitlin à New York ; mais plus spécialement mon éditrice, Alexandra Pringle : sans sa vision et ses extraordinaires talents diplomatiques, ce roman n'aurait peut-être jamais vu le jour.

Achevé d'imprimer par NIIAG en septembre 2011 pour le compte de France Loisirs, Paris.
N° éditeur : 65214 - Dépôt légal : septembre 2011 - Imprimé en Italie